Karen M. McManus

YOU WILL BE THE DEATH OF ME

Karen M. McManus

YOU WILL BE THE DEATH OF ME

Aus dem amerikanischen Englisch
von Anja Galić

Bei diesem Buch wurden die durch das verwendete Material und die Produktion entstandenen CO_2-Emissionen ausgeglichen, indem der cbj Verlag ein Projekt zur Aufforstung in Brasilien unterstützt. Weitere Informationen zu dem Projekt unter: www.ClimatePartner.com/14044-1912-1001

Penguin Random House Verlagsgruppe
FSC® N001967

1. Auflage 2021
Copyright © 2021 by Karen M. McManus, LLC
Published by Arrangement with Karen M. McManus
Dieses Werk wurde vermittelt durch die Literarische Agentur
Thomas Schlück GmbH, 30161 Hannover
Die amerikanische Originalausgabe erschien 2021 unter dem Titel
»You'll Be the Death of Me« bei Delacorte Press,
an imprint of Random House Children's Books, New York.
© 2021 für die deutschsprachige Ausgabe cbj Kinder- und Jugendbuchverlag
in der Penguin Random House Verlagsgruppe GmbH,
Neumarkter Straße 28, 81673 München
Alle deutschsprachigen Rechte vorbehalten
Aus dem Amerikanischen von Anja Galić
Lektorat: Katarina Ganslandt
Umschlaggestaltung: © Suse Kopp, Hamburg,
unter Verwendung mehrerer Motive von Stocks (Cindy Prins, Viktor Solomin,
Raymond Forbes Photography); Getty Images (Oliver Rossi)
he • Herstellung: AJ
Satz: KompetenzCenter, Mönchengladbach
Druck und Bindung: GGP Media GmbH, Pößneck
ISBN 978-3-570-16606-2
Printed in Germany

www.cbj-verlag.de

Für Zachary, Shalyn und Aidan

I

IVY

Nichts gegen eine gute Checkliste, aber so langsam habe ich das Gefühl, dass meine Mom es übertreibt.

»Sorry, welche Seite?« Ich blättere die Ausdrucke durch, die vor mir auf unserem Küchentisch liegen, während Mom mir über Skype dabei zuschaut. Die Checkliste trägt die Überschrift *Reise Sterling-Shepard anlässlich 20. Hochzeitstag: Anweisungen für Ivy und Daniel,* und umfasst elf Blätter. Beidseitig bedruckt. Es ist das erste Mal, dass Mom und Dad ein paar Tage – vier, um genau zu sein – ohne meinen Bruder und mich verreist sind, was meine Mutter mit derselben Gründlichkeit und militärischen Präzision geplant hat, mit der sie alles im Leben organisiert. Die Checkliste und ihre regelmäßigen Skype- und FaceTime-Anrufe haben dafür gesorgt, dass es sich für uns so angefühlt hat, als wären sie nie abgereist.

»Neun«, sagt Mom. Ihre blonden Haare sind wie immer zu einem French Twist hochgesteckt, und ihr Make-up ist makellos, obwohl es in San Francisco erst kurz vor fünf Uhr morgens ist. Ihr Rückflug geht erst in dreieinhalb Stunden, aber eine gute Vorbereitung ist für Mom das A und O. »Gleich nach dem Abschnitt *Beleuchtung.*«

»Ah, der Abschnitt *Beleuchtung*.« Mein Bruder Daniel seufzt dramatisch, während er am anderen Ende des Tischs seine Müslischale bis zum Rand mit Lucky Charms füllt. Daniel ist sechzehn, frühstückstechnisch aber immer noch auf dem Stand eines Kleinkinds. »Ich hätte gedacht, dass wir das Licht anmachen, wenn wir es brauchen, und wieder ausmachen, wenn wir es nicht mehr brauchen. Das war offenbar ein Trugschluss. Ein fataler Trugschluss.«

»Ein Haus, in dem Licht brennt, schreckt Einbrecher ab«, sagt Mom, als würden wir nicht in einer Gegend leben, in der das von Jugendlichen praktizierte Fahrradfahren ohne Helm das Äußerste ist, was ich je an einer strafbaren Handlung beobachtet habe.

Normalerweise würde ich jetzt die Augen verdrehen, aber ich halte mich zurück, weil es keinen Sinn hat, mit Mom zu diskutieren. Sie unterrichtet Angewandte Statistik am MIT und kennt alle Zahlen, um ihre Argumente zu untermauern. Also suche ich auf der Checkliste weiter nach dem Punkt mit dem Titel: *Carlton Citizen of the Year Award*. Der Veranstaltung, bei der Mom heute Abend für ihren Beitrag zu einer Regierungsstudie über den wachsenden Missbrauch von Opioiden in den Randbezirken unserer Städte als *Bürgerin des Jahres* ausgezeichnet werden soll.

»Hab es gefunden.« Ich überfliege die Seite, um zu prüfen, ob ich irgendeine der dort aufgelisteten Aufgaben vergessen habe. »Dein Kleid hab ich gestern aus der Reinigung geholt, es kann nichts mehr schiefgehen.«

»Genau darüber wollte ich mit dir sprechen«, sagt Mom. »Unser Flug landet planmäßig um siebzehn Uhr dreißig. Die Verleihung fängt um neunzehn Uhr an, theoretisch bleibt uns also noch genügend Zeit, um nach Hause zu fahren und uns umzuziehen. Aber mir ist gerade klar geworden, dass wir nie darüber gesprochen haben, wie wir es machen, falls unser Flug Verspätung hat und wir direkt vom Flughafen zur Mackenzie Hall fahren müssen.«

»Ähm.« Ich erwidere den eindringlichen Blick, mit dem sie mich auf meinem Laptop-Bildschirm anschaut. »Könntest du mir nicht einfach eine Nachricht schicken, falls ihr später ankommen solltet?«

»Doch, klar. Aber für den Fall, dass das WLAN im Flugzeug nicht funktioniert, solltest du sicherheitshalber immer mal wieder die Ankunftszeiten auf der Webseite des Flughafens checken«, sagt Mom. »Die Verbindung auf dem Hinflug war eine Katastrophe. Falls du also absehen kannst, dass wir nicht vor sechs landen, müsstest du zum Flughafen kommen und mir mein Kleid bringen. Schuhe und Schmuck natürlich auch. Hast du einen Stift parat? Dann sage ich dir, was ich brauche.«

Daniel schüttet sich noch mehr Lucky Charms in seine Müslischale, während ich hektisch mitschreibe und versuche, die wie üblich leise vor sich hin brodelnde Feindseligkeit gegenüber meinem Bruder zu unterdrücken. Ich frage mich schon mein halbes Leben lang, warum ich mir bei allem immer doppelt so viel Mühe geben muss wie Daniel, wobei ich zugeben muss, dass ich es in diesem speziellen Fall nicht anders gewollt habe. Bevor meine Eltern zu ihrer Reise aufgebrochen sind, habe ich darauf bestanden, mich allein um alles zu kümmern, was mit der Preisverleihung zu tun hat – hauptsächlich, weil ich Angst hatte, meine Mutter könnte zu dem Schluss kommen, dass es ein Fehler war, mich und nicht Daniel darum gebeten zu haben, bei dem Festakt eine kleine Rede auf sie zu halten. Naturgemäß hätte die Wahl auf meinen Bruder fallen müssen – das Wunderkind, das eine Klasse übersprungen hat und mich zurzeit in allen Aspekten unseres Abschlussjahrs in den Schatten stellt.

Ein Teil von mir wird den Gedanken nicht los, dass Mom ihre Entscheidung bereut. Vor allem seit gestern, als meine einmalige Chance, in die Schulgeschichte einzugehen, brutal zerstört wurde.

Bei dem Gedanken daran zieht sich mein Magen zusammen. Ich werfe den Stift auf den Tisch und schiebe meine leere Müslischale weg, was Moms Argusaugen natürlich sofort registrieren. »Tut mir leid, Ivy. Ich halte dich bestimmt vom Frühstücken ab.«

»Kein Problem. Ich hab sowieso keinen Hunger.«

»Aber du musst was essen«, drängt sie. »Einen Toast. Oder wenigstens ein bisschen Obst.«

Allein bei der Vorstellung schnürt sich mein Magen noch mehr zusammen. »Ich kann nicht.«

Mom legt besorgt die Stirn in Falten. »Du wirst doch hoffentlich nicht krank?«

Bevor ich etwas sagen kann, hustet Daniel und röchelt leise »*Boney*«. Ich erdolche ihn mit Blicken und sehe dann schnell wieder zum Bildschirm, in der Hoffnung, dass Mom die Anspielung nicht mitgekriegt hat.

Vergeblich.

»Ach, Schatz.« Ihr Gesicht bekommt einen mitfühlenden Ausdruck, in den sich ein Hauch Verzweiflung mischt. »Dir liegt das mit der Wahl doch nicht immer noch im Magen, oder?«

»Mir? Nein, Quatsch«, lüge ich.

Dabei ist es genau das. Die Katastrophe von gestern. Die Wahl, in der ich, Ivy Sterling-Shepard, dreimalige Jahrgangssprecherin in Folge, in der Abschlussstufe gegen Brian »Boney« Mahoney verloren habe. Der nur aus Scheiß kandidiert hat. Mit dem Slogan: »Wer für Boney votiert, dem wird Chillen garantiert.«

Ja, okay. Er ist ganz eingängig. Aber jetzt ist Boney Jahrgangssprecher und wird getreu seines Wahlspruchs keinen Finger rühren, während ich alle möglichen Pläne in der Tasche hatte, um den Schüleralltag auf der Carlton High zu verbessern. Ich hatte mit einer Farm aus der Umgebung an einem Konzept gearbeitet, um unsere Salatbar mit lokalen Bioprodukten zu versorgen, und mit einem der Vertrauenslehrer über ein Mediationsprogramm nachgedacht, um Konflikte zwischen Schülern zu lösen. Ach ja, und dann war da noch die Idee, eine Ressourcen-Sharing-Partnerschaft mit der Carlton Library einzugehen, wodurch unsere Schulbibliothek eBooks und Hörbücher in ihr Angebot hätte aufnehmen können. Ich wollte sogar eine Blutspende-Aktion des Abschlussjahrgangs für das Carlton Hospital organisieren, obwohl ich schon in Ohnmacht falle, wenn ich eine Spritze bloß sehe.

Aber das alles hat letztlich niemanden interessiert. Und deshalb wird Boney heute um Punkt zehn Uhr vor der versammelten Oberstufe seine Siegerrede zur gewonnenen Wahl als Jahrgangssprecher halten. Nimmt man unsere Rededuelle als Grundlage, wird er dabei ständig den Faden verlieren und sich mit Furzwitzen über peinliche Pausen hinwegretten.

Ich habe versucht, mir nichts anmerken zu lassen, aber es tut verdammt weh. Die Schülermitverwaltung ist genau mein Ding gewesen. Das einzige Gebiet, auf dem ich je besser als Daniel war. Okay, vielleicht nicht unbedingt *besser,* schließlich hatte er nie Interesse, für irgendein Amt zu kandidieren, aber es war etwas, das ganz allein mir gehört hat.

Mom sieht mich mit ihrem »liebevoll-strengen«-Blick an. Er gehört zu ihren wirkungsvollsten erzieherischen Instrumenten und kommt gleich nach dem »Was fällt dir ein, in diesem Ton mit mir zu reden?«-Blick. »Schatz, ich weiß, wie enttäuscht du bist. Aber du darfst der Geschichte nicht zu viel Raum geben, sonst machst du dich nur selbst krank.«

»Wer ist krank?«, dröhnt von irgendwo aus dem Hotelzimmer die Stimme meines Vaters. Eine Sekunde später taucht er in reisetauglicher Freizeitkleidung aus dem Bad auf und rubbelt sich mit einem Handtuch seine grau melierten Haare trocken. »Hoffentlich nicht du, Samantha. Wir haben einen sechsstündigen Flug vor uns.«

»Mit mir ist alles in bester Ordnung, James. Ich spreche gerade mit …«

Dad kommt zu dem Schreibtisch, an dem Mom sitzt. »Ist was mit Daniel? Daniel, hast du dir im Club eine Lebensmittelvergiftung geholt? Ich habe gehört, dass am Wochenende ein paar Gäste nach ihrem Besuch dort davon betroffen waren.«

»Ich weiß. Aber ich esse dort nie was«, sagt Daniel. Dad hat meinem Bruder vor Kurzem einen Job in einem neu eröffneten Country Club im Nachbarort besorgt, an dessen Entstehung er beruflich beteiligt war, und obwohl Daniel nur Hilfskraft ist, verdient er sich mit dem Trinkgeld ein kleines Vermögen. Selbst *wenn* er verdorbene Meeresfrüchte gegessen hätte, hätte er sich wahrscheinlich trotzdem zu seiner nächsten Schicht geschleppt, nur um seine Sammlung völlig übeuerter Designer-Sneakers weiter vergrößern zu können.

Wie es mir geht, interessiert im Sterling-Shepard-Haushalt zunächst wie immer niemanden. Es würde mich nicht wundern, wenn mein Vater sich erst noch nach dem Befinden unserer Dackeldame Mila erkundigen würde, bevor er auf mich zu sprechen kommt. »Wir sind alle gesund«, versichere ich ihm, als er, über Moms Schulter gebeugt, kritisch in die Bildschirmkamera schaut. »Aber da wir gerade davon sprechen ... Ich würde heute trotzdem gern ein bisschen später in die Schule gehen. Erst gegen elf oder so.«

Dad zieht überrascht die Brauen hoch. Ich habe während meiner gesamten Highschool-Laufbahn noch keinen einzigen Tag im Unterricht gefehlt. Es ist nicht so, als würde ich nie krank werden. Aber wenn man wie ich eine dieser Schülerinnen ist, die hart arbeiten müssen, um zu den Klassenbesten zu gehören, hat man ständig Angst, abgehängt zu werden. Ich habe nur ein einziges Mal freiwillig Unterricht verpasst, als ich mich in der Sechsten mit zwei Jungs aus meiner Klasse, die ich damals noch nicht mal richtig gut kannte, heimlich von einer sterbenslangweiligen Exkursion zur Massachusetts Horticultural Society, einem Institut für Gartenbau, weggeschlichen habe.

Wir saßen im Hörsaal und lauschten einem einschläfernden Vortrag, als Cal O'Shea-Wallace plötzlich begann, sich unauffällig Richtung Ausgang zu schieben, der in der Nähe unsere Plätze lag.

Cal war der einzige Schüler in unserer Klasse, der zwei Väter hatte, und ich hatte mir schon immer heimlich gewünscht, mit ihm befreundet zu sein, weil er witzig war, genau wie ich einen Doppelnamen hatte und meistens bunt gemusterte Hemden trug, die ich irgendwie cool fand. Er guckte zu mir und Mateo Wojcik, der neben mir saß, rüber, und machte uns Zeichen, mitzukommen. Mateo und ich sahen uns kurz an, zuckten mit den Achseln – *warum nicht?* – und folgten ihm.

Ich dachte, wir würden bloß eine Weile schuldbewusst im Foyer vor dem Hörsaal rumstehen, aber als Mateo die Tür des Eingangsportals aufdrückte und wir in den strahlenden Sonnenschein hinaustraten, zog gerade ein Festzug vorbei, der die frisch gewonnene Meisterschaft der Red Sox feierte. Statt in den Hörsaal zurückzukehren, mischten wir uns in die Menge und verbrachten die darauffolgenden zwei Stunden damit, auf eigene Faust Boston zu erkunden. Wir schafften es sogar rechtzeitig zum Institut zurück, ohne dass unser Verschwinden irgendjemandem aufgefallen wäre. Nach diesem gemeinsamen Erlebnis – Cal sprach vom »Genialsten Tag aller Zeiten« – entstand zwischen uns dreien eine Freundschaft, die sich damals so anfühlte, als würde sie bis in alle Ewigkeit halten.

Sie hat immerhin bis zur achten Klasse gehalten, was in diesem Alter so ziemlich dasselbe wie eine Ewigkeit ist.

»Warum erst um elf?«, reißt Dads Stimme mich in die Gegenwart zurück, und Mom dreht sich auf ihrem Stuhl zu ihm um.

»Morgens findet die Versammlung statt, bei der der frisch gewählte Jahrgangssprecher in sein Amt eingeführt wird«, erklärt sie ihm.

»Ahhh.« Dad seufzt und seine attraktiven Züge nehmen einen mitfühlenden Ausdruck an. »Was da gestern abgelaufen ist, ist eine Schande, Ivy. Aber es spiegelt nicht deinen Wert als Mensch oder dein Können wider. Es ist nicht das erste Mal, dass ein Witzbold ein Amt ergattert, das er nicht verdient hat, und wird auch nicht das letzte Mal gewesen sein. In so einem Fall kann man nichts anderes tun, als weiter den Kopf hochzutragen.«

»Sehr richtig.« Mom nickt so energisch, dass ihrem French Twist beinahe eine Haarsträhne entwischt. Aber eben nur beinah. Das würden ihre Haarsträhnen nämlich niemals wagen. »Außerdem ist es sehr gut möglich, dass Brian von dem Amt zurücktritt, wenn sich der Rummel erst mal gelegt hat. Es klingt nicht so, als wäre er für die Arbeit in der Schülermitverwaltung geschaffen. Sobald der Reiz des Neuen nachgelassen hat, wird er das Feld räumen und du kannst seinen Platz übernehmen.«

»Ganz bestimmt«, sagt Dad fröhlich, als wäre es nicht total demütigend, wenn ich nur deswegen wieder Jahrgangssprecherin werden würde, weil Boney Mahoney keine Lust hat, die Drecksarbeit zu machen. »Und vergiss nicht, Ivy: Die Realität ist oft viel weniger schlimm, als man sie sich vorstellt. Ich wette, es wird nachher nicht annähernd so hart werden, wie du jetzt denkst.« Er stützt sich mit einer Hand auf die Lehne von Moms Stuhl, und während sie auf meine Zustimmung warten, lächeln sie so einträchtig, dass man ihr Bild auf meinem Laptopbildschirm mit einem gerahmten Foto verwechseln könnte. Die beiden sind das perfekte Team: Mom cool und analytisch, Dad warmherzig und voller Energie, und beide vollkommen davon überzeugt, dass sie immer recht haben.

Das Problem ist, dass meine Eltern noch nie auf irgendeinem Gebiet versagt haben. Samantha Sterling und James Shepard waren schon ein Power Couple, als sie sich an der Columbia Law School kennengelernt haben, obwohl mein Dad das Studium sechs Monate später hinschmiss, nachdem er zu dem Schluss gekommen war, dass er als Immobilienmakler schneller und mehr Geld verdienen konnte als mit einer Zulassung als Anwalt. Er machte sich hier in seiner Heimatstadt Carlton, einem Vorort von Boston, selbstständig, kaufte zwei heruntergekommene Villen im viktorianischen Stil, sanierte und verkaufte sie und sorgte so dafür, dass sich die Stadt zu einem angesagten Hotspot entwickelte. Jetzt, zwanzig Jahre später, gehört ihm eines dieser konjunktursicheren Immobilienunternehmen, die es immer schaffen, günstig zu kaufen und teuer zu verkaufen.

Kurz: Keiner der beiden versteht, wie es ist, wenn man mal einen Tag lang eine Auszeit braucht. Oder auch nur einen Morgen lang.

Deswegen versuche ich erst gar nicht, gegen ihren geballten Optimismus anzukommen. »Ich weiß«, sage ich und unterdrücke ein Seufzen. »War auch nicht wirklich ernst gemeint.«

»Gut.« Mom nickt zufrieden. »Und hast du schon entschieden, was du heute Abend anziehst?«

»Das Kleid, das Tante Helen mir geschickt hat«, antworte ich und spüre, wie sich meine Laune ein winziges bisschen hebt. Die Schwester meiner Mutter ist zwar schon Ende fünfzig, hat aber einen absolut stilsicheren Geschmack – und ein hohes Einkommen zur freien Verfügung, dank der Liebesromane, von denen sie jährlich Hunderttausende verkauft. Ihr letztes Geschenk war ein Kleid von einem belgischen Designer, von dem ich bis dahin noch nie was gehört hatte. Es ist das schönste Kleidungsstück, das ich je besessen habe, und heute Abend werde ich es zum ersten Mal außerhalb meines Zimmers tragen.

»Und welche Schuhe?«

Ich besitze keine Schuhe, die dem Kleid gerecht werden

würden, aber daran ist nichts zu ändern. Vielleicht, wenn Tante Helen ihr nächstes Buch auf den Markt bringt. »Die schwarzen mit dem Absatz.«

»Perfekt.« Mom nickt zufrieden. »Ach so, und wartet auf keinen Fall mit dem Abendessen auf uns, dafür werden wir einfach zu knapp dran sein. Ihr könnt euch ja was von dem Chili auftauen oder …«

»Ich gehe nach dem Lacrosse-Training mit Trevor ins Olive Garden«, unterbricht Daniel sie.

Mom runzelt die Stirn. »Bist du sicher, dass du das zeitlich alles hinkriegst?«

Es ist ein Wink mit dem Zaunpfahl, dass mein Bruder seine Pläne lieber ändern sollte, aber er ignoriert ihn. »Absolut.«

Bevor Mom protestieren kann, klopft Dad mit den Fingerknöcheln auf die Schreibtischplatte. »Wir sollten Schluss machen, Samantha«, sagt er. »Du musst noch packen.«

»Stimmt.« Mom seufzt. Sie kann es nicht leiden, beim Packen in Stress zu geraten, weshalb ich davon ausgehe, dass unser Gespräch damit beendet ist, aber dann schiebt sie hinterher: »Nur noch eine letzte Sache. Ivy – hast du deine Rede für die Preisverleihung gut vorbereitet? Sitzt der Text?«

»Klar.« Ich habe das ganze Wochenende nichts anderes gemacht. »Die kann ich mittlerweile praktisch auswendig. Gestern hab ich sie dir gemailt, hast du sie nicht bekommen?«

»Doch, doch. Sie ist ganz wundervoll. Ich meinte nur …« Sie wirkt plötzlich unsicher, was bei ihr so gut wie nie vorkommt. »Denk dran, einen Ausdruck davon mitzunehmen, ja? Ich weiß doch, wie du … dass es dich nervös machen kann, wenn du vor vielen Leuten sprichst.«

Mein Magen verkrampft sich wieder. »Ich hab sie schon ausgedruckt und in meinen Rucksack gesteckt.«

»Daniel!«, ruft Dad plötzlich grimmig. »Dreh bitte mal den Laptop um, Ivy. Ich möchte mit deinem Bruder reden.«

»Was? Warum denn?«, fragt Daniel, als ich den Laptop mit brennenden Wangen in seine Richtung drehe. Ich ahne, was jetzt kommt.

»Hör mir gut zu, mein Sohn.« Auch ohne Dad sehen zu können, weiß ich, dass er gerade versucht, sein strenges Gesicht aufzusetzen. Das Gesicht, das nie auch nur ansatzweise einschüchternd wirkt, egal, wie viel Mühe er sich gibt. »Du wirst die Finger von den Notizen deiner Schwester lassen. Denk noch nicht mal dran, irgendeinen Unfug damit anzustellen. Haben wir uns verstanden?«

»Dad, ich würde niemals ... *Gott.*« Daniel lässt sich übertrieben mit den Augen rollend in seinem Stuhl zurückfallen, und ich muss mich schwer beherrschen, ihm nicht meine Müslischale an den Kopf zu knallen. »Können wir uns vielleicht darauf einigen, mit dieser uralten Geschichte endlich abzuschließen? Das sollte ein Gag sein. Ich hätte doch nie gedacht, dass sie den Scheiß tatsächlich vorliest.«

»Ich meine es ernst, Daniel«, sagt Dad. »Das ist ein sehr wichtiger Abend für deine Mutter. Und du hast hoffentlich nicht vergessen, in was für eine unangenehme Situation du deine Schwester damals gebracht hast.«

Wenn sie noch länger darüber reden, übergebe ich mich. »Schon gut, Dad«, mische ich mich ein. »Das Ganze war bloß ein blöder Scherz. Ich bin darüber hinweg.«

»Du klingst nicht, als wärst du darüber hinweg«, stellt Dad korrekterweise fest.

Ich drehe den Laptop wieder zu mir und klebe mir ein

Lächeln ins Gesicht. »Doch. Bin ich. Wirklich. Das ist alles Schnee von gestern.«

Mein Vater schaut so skeptisch, als würde er mir kein Wort glauben. Und damit hätte er auch verdammt recht. Klar, verglichen mit der Schmach von gestern ist die Sache, die im letzten Frühjahr passiert ist, tatsächlich Schnee von gestern. Aber ich bin nicht – in keinster Weise, Beziehung oder Hinsicht – *darüber hinweg.*

Dabei war es noch nicht mal eine besonders wichtige Rede. Ich sollte bei der Frühjahrs-Talentshow der elften Klassen ein paar abschließende Worte sagen und wusste, dass mir sowieso niemand wirklich zuhören würde. Trotzdem hatte ich mir meinen kurzen Text wie immer auf einem Blatt Papier notiert, weil es mich tatsächlich nervös macht, vor vielen Leuten zu sprechen, und ich nichts vergessen wollte.

Erst, als ich vor der versammelten Stufe auf der Bühne stand, habe ich gemerkt, dass Daniel meine Notizen geklaut und durch eine Seite aus Tante Helens letztem Erotik-Roman mit dem Titel *Firefighter: Flammendes Begehren* ersetzt hatte. Vor lauter Panik hat mein Gehirn auf Autopilot geschaltet und ich habe die Seite allen Ernstes *laut* vorgelesen. Die anfänglich geschockte Stille wurde von hysterischem Gelächter abgelöst, als den Leuten klar wurde, dass mein Auftritt nicht Teil der Talentshow war. Als ich schließlich zu der Stelle kam, wo die Details der Anatomie des Helden beschrieben wurden, sah eine Lehrerin sich gezwungen, auf die Bühne zu stürzen und mich davon abzuhalten weiterzulesen.

Ich verstehe immer noch nicht, wie das passieren konnte. Wieso mein Sprachzentrum weiter funktioniert hat, obwohl mein Gehirn sich doch komplett abgeschaltet hatte. Aber genau so war es, und es war unfassbar demütigend. Ich bin davon überzeugt, dass das der Moment war, in dem die gesamte Schule anfing, mich für eine Witzfigur zu halten.

Boney Mahoney hat das, was sowieso alle dachten, bloß noch offiziell gemacht.

Dad redet weiter auf meinen Bruder ein, obwohl er ihn nicht mehr sehen kann. »Deine Tante ist eine kreative Naturgewalt, Daniel. Wenn du eines Tages auch nur die Hälfte ihres beruflichen Erfolgs hast, kannst du dich glücklich schätzen.«

»Ich weiß«, murmelt Daniel.

»Apropos. Bevor wir gefahren sind, habe ich gesehen, dass sie uns einen Vorabdruck von *Brennende Herzen* geschickt hat. Sollte ich heute Abend auch nur ein einziges Wort daraus hören, werde ich ...«

»Dad«, unterbreche ich ihn. »Es wird nichts schiefgehen. Heute Abend wird alles perfekt laufen.« Ich zwinge meine Stimme, fest und souverän zu klingen, während ich meine Mutter anschaue. In ihren Augen liegt ein besorgter Ausdruck, der alle meine Niederlagen der letzten Zeit widerzuspiegeln scheint. Ich muss mich wieder auf Kurs bringen und diesen Blick ein für alle Mal aus meinem Kopf verbannen. »Heute Abend wird alles so sein, wie du es verdient hast, Mom. Versprochen.«

2

MATEO

Das Problem mit Powerfrauen ist, dass man erst dann mitbekommt, wie viel sie leisten, wenn sie auf einmal ausfallen.

Ich hab mir immer eingebildet, ich würde zu Hause total viel mithelfen. Jedenfalls mehr als meine Freunde. Aber seit meine Mutter nur noch ungefähr halb so belastbar wie früher ist, muss den Tatsachen ins Auge geschaut werden: Der Mateo von damals hat keinen verdammten Finger gerührt. Ich versuche wirklich, mich nützlich zu machen, aber meistens fällt mir erst dann ein, was ich noch hätte erledigen müssen, wenn es zu spät ist. So wie jetzt. Ich starre in den leeren Kühlschrank und frage mich, wie es sein kann, dass ich während meiner fünfstündigen Schicht im Supermarkt gestern kein einziges Mal auf den Gedanken gekommen bin, für uns einzukaufen.

»Oh, Schatz, tut mir leid, wir haben fast nichts mehr im Haus«, ruft Ma aus dem Wohnzimmer, wo sie gerade ihre Physio-Übungen macht. Sie dreht mir dabei den Rücken zu, kann also trotz unseres offenen Wohn- und Küchenbereichs eigentlich nicht sehen, was ich gerade mache, aber ich bin davon überzeugt, dass sie ein zweites Paar Augen im Hinterkopf hat. »Ich habe es diese Woche nicht geschafft, einkaufen zu gehen. Kannst du dir vielleicht zum Frühstück was in der Schule holen?«

Das Essen in der Carlton-High-Cafeteria ist scheiße, aber sie darauf hinzuweisen, wäre etwas, was der Mateo von früher getan hätte. »Klar, kein Problem«, sagt der neue Mateo und wirft mit knurrendem Magen die Kühlschranktür zu.

»Hier!«, ruft meine Cousine Autumn, die mit einem Rucksack vor sich am Küchentisch sitzt. Als ich mich umdrehe, wirft sie mir einen Energieriegel zu. Ich fange ihn mit einer Hand, reiße das Papier auf und beiße eine Hälfte davon ab.

»Gott segne dich«, nuschle ich mit vollem Mund.

»Für dich immer, Brousin.«

Autumn lebt bei uns, seit sie vor sieben Jahren mit elf ihre Eltern bei einem Autounfall verloren hat. Ma war damals schon alleinerziehend – sie und mein Dad hatten sich gerade scheiden lassen, was ihre aus Puerto Rico stammende Familie schockierte und seine aus Polen stammende Familie völlig ungerührt ließ. Weil Autumn keine Blutsverwandte ist, sondern Dads Nichte, hätte meine Mutter eigentlich ganz unten auf der Liste derjenigen stehen sollen, die infrage gekommen wären, die Verantwortung für eine traumatisierte, elfjährige Waise zu übernehmen, zumal es in Dads Familienzweig etliche verheiratete Paare gibt. Aber Ma war eben schon immer eine totale Macherin.

Und im Gegensatz zu den anderen wollte sie Autumn wirklich bei sich aufnehmen. »Das Mädchen braucht uns, und wir brauchen sie«, hatte sie über mein wütendes Protestgeheul hinweg erklärt, während sie den Raum, der bis dahin mein Spielzimmer war, in zartem Lavendelblau strich. »Wir müssen doch füreinander da sein.«

Am Anfang fand ich es überhaupt nicht cool. Autumn war damals emotional total angeschlagen und ist oft ausgeflippt, was in ihrer Situation natürlich komplett normal war, aber als Zehnjähriger fand ich das trotzdem extrem anstrengend. Man wusste nie, was sie aus der Fassung bringen oder welchen Gegenstand sie diesmal an die Wand werfen würde. Als Ma das erste Mal mit uns beiden einkaufen gegangen ist, sagte eine ahnungslose Kassiererin zu meiner Cousine: »Nein, was für wunderschöne rote Haare du hast! Du siehst deinem Bruder überhaupt nicht ähnlich.« Autumns Gesichtszüge sind sofort eingefroren und ihre Augen begannen feucht zu schimmern.

»Er ist mein *Cousin*«, hat sie wütend hervorgestoßen. »Ich hab keinen Bruder. Ich hab *niemanden*.« Dann hat sie die Faust in die Süßigkeiten-Auslage neben der Kasse gerammt und die Kassiererin damit zu Tode erschreckt.

Während ich hektisch Süßkram vom Boden aufgesammelt habe, hat Ma beide Arme um Autumns Schultern gelegt und sie an sich gezogen. Ihre Stimme klang völlig entspannt, als hätte niemand weit und breit eben einen Nervenzusammenbruch gehabt. »Vielleicht hast du ja jetzt einen Bruder *und* einen Cousin«, hat sie gesagt.

»Einen Brousin«, habe ich gesagt, während ich weiter Schokoriegel in die falschen Fächer zurückstopfte. Und weil Autumn daraufhin eine Art ersticktes Lachen von sich gab, ist dieses Kombiwort aus Bruder und Cousin hängen geblieben.

Meine Cousine wirft mir noch einen Energieriegel zu, nachdem ich den ersten in drei Bissen hinuntergeschlungen habe. »Arbeitest du heute Abend im Supermarkt?«, fragt sie.

Ich beiße ein großes Stück von dem zweiten Riegel ab, bevor ich antworte. »Nein, im Garrett's.« Mein Lieblingsjob; eine einfache Kellerkneipe, in der ich Tische abräume. »Und du? Kellnern?«

»Ich bin mit der Killerkiste unterwegs«, antwortet Autumn. In einem ihrer Jobs fährt sie für Sorrento's Messerschleiferei in einem zerbeulten weißen Transporter, auf dessen Seite ein gigantisches Messer prangt, Restaurants im Großraum Boston ab. Der Spitzname für den Wagen war sozusagen ein Selbstläufer.

»Weißt du schon, wie du zu Sorrento's kommst?«, frage ich. Wir haben bloß einen Wagen, weshalb die Frage, wer wie wohin kommt, bei uns zu Hause sorgfältig ausgeklügelt werden muss.

»Gabe holt mich ab. Er kann dich an der Schule absetzen, wenn du willst.«

»Nein, danke.« Ich spare mir die Mühe, meine Grimasse zu verbergen. Autumn weiß, dass ich ihren Freund nicht ausstehen kann. Die beiden sind kurz vor ihrem Highschool-Abschluss letztes Frühjahr zusammengekommen, und ich war mir sicher, dass es keine Woche halten würde. Vielleicht war das auch Wunschdenken. Ich bin noch nie ein großer Fan von Gabe gewesen, aber seit ich das erste Mal mitbekommen habe, wie er sich am Handy mit »*Dígame*« gemeldet hat, habe ich eine – um es mit Autumns Worten auszudrücken –, »irrationale Abneigung« gegen ihn entwickelt. Er meldet sich immer noch so, ständig.

»Was regst du dich überhaupt darüber auf?«, fragt sie jedes Mal, wenn ich mich darüber aufrege. »Ist doch egal, wenn er das lieber sagt als *Hallo*. Hör auf, bei anderen nach Fehlern zu suchen, nur damit du sie hassen kannst.«

»Dadurch entlarvt er sich einfach als Poser«, sage ich dann immer. »Ich meine, der Typ spricht noch nicht mal Spanisch.«

Gabe und meine Cousine passen nur dann zusammen, wenn man an die »Gegensätze ziehen sich an«-Theorie glaubt: Autumn macht sich immer viel zu viele Gedanken um alles, Gabe ist alles scheißegal. Früher hat er die Party Crowd auf der Carlton High angeführt, jetzt nimmt er ein »Brückenjahr«. Was in seinem Fall bedeutet, dass er weiter so lebt, als würde er noch auf die Highschool gehen, wäre aber von den Hausaufgaben befreit. Obwohl er keinen Job hat, hat er sich einen neuen Camaro zugelegt, dessen Motor er jedes Mal, wenn er Autumn abholt, wie einen paarungsbereiten Hirsch in unserer Einfahrt röhren lässt.

Jetzt verschränkt meine Cousine die Arme vor der Brust und sieht mich mit schräg gelegtem Kopf an. »Schön. Wenn du die anderthalb Kilometer aus reiner Gehässigkeit und Sturheit lieber zu Fuß gehen willst – bitte, tu dir keinen Zwang an.«

»Tu ich auch nicht«, brumme ich, bevor ich mir das letzte Stück des Energieriegels in den Mund schiebe und das Papier in den Müll werfe. Vielleicht bin ich bloß neidisch auf Gabe. In letzter Zeit reagiere ich auf jeden gereizt, der mehr hat, als er braucht, und nicht dafür arbeiten muss. Ich habe zwei Jobs, und Autumn, die im Frühjahr ihren Abschluss auf der Carlton High gemacht hat, hat sogar drei. Und trotzdem reicht es nicht. Nicht, seit das Schicksal bei uns gleich zweimal zugeschlagen hat.

Ma kommt in den Küchenbereich. Sie geht langsam und bedächtig, um nicht zu humpeln. Schicksalsschlag Nummer eins: Im Juni wurde bei ihr eine akute Arthrose festgestellt, eine Scheißkrankheit, die die Gelenke steif werden lässt und die man in ihrem Alter noch gar nicht haben dürfte. Sie macht regelmäßig Physiotherapie, kann sich aber nur ohne Schmerzen bewegen, wenn sie entzündungshemmende Medikamente nimmt.

»Wie fühlst du dich heute, Tante Elena?«, fragt Autumn in aufgesetzt heiterem Tonfall.

»Großartig!«, antwortet Ma und schafft es sogar, ihre Stimme noch heiterer als die von Autumn klingen zu lassen. Meine Cousine hatte in ihr die beste Lehrmeisterin. Ich presse die Lippen aufeinander und schaue woandershin, weil ich nicht so gut schauspielern kann wie die beiden. Jeden einzelnen Tag fühlt es sich aufs Neue an, als würde mir jemand einen Baseballschläger über den Kopf ziehen, wenn ich sehe, wie meine Mutter, die früher jedes Wochenende fünf Kilometer gelaufen ist und Softball gespielt hat, es nur mit Mühe aus dem Wohnbereich in die Küche schafft.

Nicht dass ich noch daran glauben würde, dass es im Leben fair zugeht. Dieser Zahn ist mir vor sieben Jahren gezogen worden, als ein Autofahrer betrunken in den Wagen von Autumns Eltern gerast ist und die beiden sofort tot waren, während er keinen einzigen Kratzer davongetragen hat. Ich weiß, dass es keine Gerechtigkeit gibt. Trotzdem ist es zum Kotzen.

Ma hat mittlerweile die Kücheninsel erreicht und lehnt sich dagegen. »Hast du daran gedacht, mein Rezept in der Apotheke abzuholen?«, fragt sie Autumn.

»Hab ich. Moment …« Autumn kramt in ihrem Rucksack und zieht eine kleine weiße Tüte heraus, die sie meiner Mutter reicht. Sie lässt den Blick kurz zu mir wandern, bevor sie ihn wieder senkt und noch etwas anderes aus dem Rucksack holt. »Und hier ist der Rest des Geldes.«

»Der Rest?« Mas Brauen schießen nach oben, als sie den dicken Stapel Zwanziger in Autumns Hand sieht. Die Tabletten kosten ein Vermögen. »Ich hab nicht damit gerechnet, dass ich noch Geld zurückkriege. Wie viel ist das denn?«

»Vierhundertacht Dollar«, antwortet Autumn achselzuckend.

»Aber wie …« Ma schüttelt verwirrt den Kopf. »Hast du meine Kreditkarte benutzt?«

»Nein. Die Zuzahlung hat diesmal nur zwanzig gekostet.« Da Ma immer noch keine Anstalten macht, das Geld zu nehmen, steht Autumn auf und legt die Scheine vor sie auf die Kücheninsel. Dann setzt sie sich wieder, greift nach einem Haargummi, das auf dem Tisch liegt, und bindet sich seelenruhig die Haare zu einem Pferdeschwanz. »Der Apotheker hat mir erklärt, dass es ein Generikum ist, das gerade erst auf den Markt gekommen und viel billiger ist.«

»Ein *Generikum*?«, wiederholt Ma. Ich hefte den Blick auf den Boden, weil ich sie jetzt auf keinen Fall anschauen kann.

»Genau. Aber keine Sorge, er hat mir versichert, dass der Inhaltsstoff genau derselbe ist.«

Autumn ist eine verflucht gute Schauspielerin, aber ich bleibe trotzdem auf der Hut, weil Ma auf zehn Kilometer Entfernung riechen kann, wenn ihr jemand Bullshit erzählt. Dass sie nur überrascht blinzelt und dann erleichtert lächelt, beweist, wie hart die letzten Monate gewesen sind.

»Das ist die beste Neuigkeit seit Langem.« Sie greift in die Tüte, holt ein braunes Tablettenfläschchen heraus, schraubt den Deckel ab und späht hinein, als könnte sie nicht glauben, dass es wirklich dasselbe Medikament ist. Anscheinend kommt sie zu dem Schluss, dass alles seine Ordnung hat, weil sie einen Moment später zum Küchenschrank neben dem Kühlschrank geht, ein Glas rausholt und es mit Leitungswasser füllt. Autumn und ich verfolgen mit Adleraugen, wie sie die Tablette schluckt. Weil wir finanziell gerade ziemlich in der Scheiße stecken, hat sie wochenlang immer wieder eine Tagesdosis ausgelassen, damit die Tabletten länger reichen.

Womit wir bei Schicksalsschlag Nummer zwei wären: Meine Mutter hat bis vor Kurzem eine Bowlinghalle gehabt. Das »Spare Me« war hier in Carlton eine Institution. Ma, Autumn und ich haben uns die Arbeit dort geteilt und den Job geliebt. Vor sechs Monaten ist ein Junge auf einer zu stark gebohnerten Bahn ausgerutscht und hat sich verletzt, worauf seine Eltern uns verklagt haben. Als sich der Staub wieder gelegt hatte, war das »Spare Me« bankrott und meine Mutter musste die Anlage so schnell wie möglich verkaufen. James Shepard, Carltons Top-Immobilienunternehmer, hat sie praktisch für umsonst bekommen.

Ich sollte deswegen nicht wütend sein. *Das ist eine rein geschäftliche Angelegenheit, nichts Persönliches,* sagt Ma immer wieder zu mir. *Ich bin froh, dass James der Käufer war. Er wird etwas Gutes daraus machen.* Und das wird er wahrscheinlich wirklich. Er hat Ma Pläne für einen Entertainment-Komplex mit Bowlingbahn gezeigt – um einiges schicker als das »Spare Me«, aber auch nicht bescheuert übertrieben für eine Kleinstadt – und sie gebeten, ihn zu beraten, wenn es auf die Fertigstellung zugeht. Am Ende könnte sogar ein entspannter Job für sie dabei rausspringen. Irgendwann ganz am Ende.

Aber die Sache ist die: James Shepards Tochter Ivy und ich waren mal befreundet. Und auch wenn das schon eine Weile her ist, hat es mich ehrlich gesagt ganz schön enttäuscht, dass es ihr Vater war, der uns von seinen Plänen erzählt hat, und nicht sie. Sie wird als eine der Ersten davon gewusst haben, hat es aber anscheinend nicht für nötig gehalten, mich vorzuwarnen.

Keine Ahnung, warum mich das so beschäftigt. Schließlich hätte es nichts geändert. Außerdem haben wir sowieso kaum noch was miteinander zu tun. Aber als James Shepard uns mit seinem roségoldenen Laptop und seinen Bauplänen zu Hause besucht hat und uns auf seine verflucht nette und zuvorkommende und respektvolle Art dargelegt hat, wie sein Unternehmen auf den Trümmern des Traums meiner Mutter etwas Neues aufbauen würde, hatte ich nur einen Gedanken: *Fuck, Ivy, du hättest mir echt was sagen können.*

»Erde. An. Mateo.« Ma steht auf einmal vor mir und schnippt mit den Fingern vor meinem Gesicht herum. Ich habe sie noch nicht mal kommen sehen, muss also völlig in Gedanken versunken gewesen sein. Shit. Sie macht sich immer Sorgen, wenn ich so drauf bin, und sieht mich jetzt so durchdringend an, als würde sie versuchen, in mein Gehirn zu schauen. Manchmal denke ich, sie würde es mir am liebsten aus dem Schädel reißen, wenn sie könnte, um meine Gedanken zu lesen. »Bist du sicher, dass ich dich nicht dazu überreden kann, für einen Tag mit mir in die Bronx zu fahren? Tante Rose würde sich so freuen, dich zu sehen.«

»Ich hab Schule«, erinnere ich sie.

»Ich weiß«, seufzt Ma. »Aber du fehlst nie, und ich hab das Gefühl, dass du mal einen freien Tag gebrauchen könntest.« Sie dreht sich zu Autumn. »Das gilt für euch beide. Ihr arbeitet so viel.«

Sie hat recht. Ein freier Tag wäre der Hammer – wenn er nicht damit verbunden wäre, mindestens sieben Stunden mit ihrer Collegefreundin Christy in einem Wagen verbringen zu müssen. Christy hat sich als Chauffeurin angeboten, als Ma gesagt hat, dass sie Tante Rose gern zu ihrem neunzigsten Geburtstag besuchen würde, was supernett von ihr ist, weil Ma nicht mehr gut lange Strecken fahren kann. Aber Christy redet wie ein Wasserfall. Und irgendwann dreht sich die Unterhaltung immer nur noch um die verrückten Dinge, die sie und Ma während des Studiums angestellt haben und von denen ich lieber nichts wissen will.

»Ich würde echt gern mitkommen«, lüge ich. »Aber im Garrett's sind sie heute Abend sowieso schon unterbesetzt.«

»Und ich kann Mr Sorrento nicht hängen lassen«, schiebt Autumn schnell hinterher. Sie ist auch kein Fan von Christys Monologen. »Du weißt ja, wie es ist. Die Messer schleifen sich nicht von selbst. Aber wir rufen Tante Rose auf jeden Fall an und gratulieren ihr.«

Bevor Ma antworten kann, dringt ein vertrautes Röhren an mein Ohr und zerrt an meinen Nerven. Ich steuere auf die Haustür zu und reiße sie auf. Wie nicht anders zu erwarten, steht Gabes roter Camaro in unserer Einfahrt. Er lässt den Arm aus dem Fenster baumeln, während er unrhythmisch aufs Gaspedal drückt und so tut, als würde er mich nicht sehen. Obwohl er sich extratief in den Sitz hat sinken lassen, kann ich seine nach hinten gegelten schwarzen Haare und seine verspiegelte Sonnenbrille sehen. Würde ich Gabe weniger hassen, wenn er nicht so unfassbar schmierig aussehen würde? Die Welt wird es nie erfahren.

Ich hebe die Hände und fange an, langsam zu klatschen, als Autumn neben mir auftaucht und stirnrunzelnd zwischen mir und dem Wagen hin- und herschaut. »Was machst du da?«, fragt sie.

»Ich klatsche Gabes Motor Beifall«, antworte ich, während ich mit brennenden Handflächen weiterapplaudiere. »Es scheint ihm wichtig zu sein, dass man ihn bemerkt.«

Autumn rammt mir den Ellbogen in die Seite und bringt mich aus dem Takt. »Hör auf, dich wie ein Arsch aufzuführen.«

»*Er* ist der Arsch«, antworte ich mechanisch. Wir könnten dieses Streitgespräch im Schlaf führen.

»Na los, Babe«, ruft Gabe und winkt Autumn zu sich. »Sonst kommst du zu spät zur Arbeit.«

Ihr Handy klingelt, und als sie aufs Display schaut, werfe ich ebenfalls einen Blick darauf. »Wer ist Charlie?«, frage ich über neuerliches Motorheulen hinweg. »Gabes Nachfolger? Bitte sag Ja.«

Ich rechne damit, dass sie die Augen verdreht, aber stattdessen drückt sie den Anruf weg und steckt das Handy in ihren Rucksack. »Niemand.«

Die Haut in meinem Nacken kribbelt. Ich kenne diesen Tonfall und er bedeutet nichts Gutes. »Ist er einer von ihnen?«, frage ich.

Sie schüttelt energisch den Kopf. »Je weniger du weißt, desto besser.«

Ich *wusste* es. »Legst du heute ein paar zusätzliche Stopps ein?«

»Wahrscheinlich.«

»Tu's nicht.«

Sie presst die Lippen zu einer dünnen Linie zusammen. »Ich muss.«

»Und wie lange noch?« Auch diesen Schlagabtausch könnten wir im Schlaf führen.

»So lange, wie ich kann«, sagt Autumn.

Sie schiebt ihren Rucksack höher auf die Schulter und sieht mich an. In ihrem Gesicht lese ich das, was sie seit Wochen immer wieder zu mir sagt. *Wir müssen doch füreinander da sein, oder nicht?*

Ich will nicht nicken, aber verflucht noch mal, wie soll ich denn sonst reagieren?

Ja. Das müssen wir.

3

CAL

»Der ist orange«, sage ich zu Viola, als sie mir den Donut serviert, den ich bestellt habe.

»Was du nicht sagst.« Viola ist zwar schon über vierzig, aber wenn es darum geht, gereizt die Augen zu verdrehen, kann sie es noch mit jedem Schüler an der Carlton High aufnehmen. »Das liegt daran, dass er mit gemahlenen Erdnussflips bestäubt ist.«

Ich stupse den Donut stirnrunzelnd an. Meine Fingerspitze ist danach leuchtend orange. »Und das soll schmecken?«

»Herzchen, du weißt doch, wie hier im Crave unsere Devise lautet, oder?« Sie stemmt eine Hand in die Seite und sieht mich auffordernd an.

»Je abgefahrener, desto besser«, antworte ich pflichtschuldig.

»Geht doch.« Sie tätschelt meine Schulter und macht sich wieder auf den Weg in die Küche. »Und jetzt lass dir deinen Bavarian Cream Flips schmecken.«

Ich betrachte den orangefarbenen Kringel auf meinem Teller mit einer Mischung aus Vorfreude und Angst. *Crave Doughnuts* ist für mich der beste Donut-Laden im Großraum Boston, aber ich bin schon länger nicht mehr hier gewesen.

Es ist nicht leicht, jemanden zu finden, der bereit ist, ohne jeden Spott die speziellen Donut-Kreationen zu probieren. Meine Ex-Freundin Noemi schwört auf glutenfreies Clean Eating und hat sich standhaft geweigert, jemals auch nur einen Fuß hier rein zu setzen, egal, wie oft ich sie bekniet habe. Was es irgendwie noch schlimmer macht, dass sie mir im Veggie Galaxy den Laufpass gegeben hat.

»Ich weiß nicht, was mit dir los ist. Du hast dich irgendwie total verändert, scheinst ein komplett anderer Mensch zu sein«, hat sie letzte Woche über einem Teller Grünkohl-Seitan-Salat zu mir gesagt. »Als hätten Aliens den echten Cal entführt und diese Hülle von ihm zurückgelassen.«

»Ähm. Okay. Wow. Das war hart«, habe ich gemurmelt und war verletzt, obwohl ich schon irgendwie mit so was gerechnet hatte. Also nicht genau *damit*, aber ich hatte so eine Ahnung. Wir hatten uns die ganze Woche kaum gesehen und dann schrieb sie mir plötzlich *Lass uns morgen im Veggi Galaxy treffen*. Ich hatte sofort ein blödes Gefühl, und das nicht nur, weil ich Grünkohl nicht ausstehen kann. »Ich war ein bisschen zerstreut, das ist alles.«

»Es fühlt sich nicht so an, als wärst du bloß zerstreut gewesen. Es fühlt sich an, als …« Noemi warf ihre Braids über die Schulter nach hinten und zog nachdenklich die Nase kraus. Sie sah unglaublich süß aus, und mir wurde mit einem schmerzhaften Stich bewusst, wie sehr ich sie mal gemocht hatte. Ich mochte sie immer noch, nur … es war kompliziert geworden. »Als hättest du aufgehört, dir Mühe zu geben. Du machst alles mit, weil du denkst, dass es von dir erwartet wird, aber du bist nicht bei der Sache. Es kommt nicht *echt* rüber. *Du* kommst nicht echt rüber. Ich meine, schau dich an.« Sie zeigte auf meinen Teller. »Du hast fast einen ganzen

Teller Grünkohl gegessen und dich kein einziges Mal beschwert. Du bist nicht mehr du.«

»Mir war nicht klar, dass für dich nur Typen infrage kommen, die deine Essgewohnheiten kritisieren«, sagte ich düster und schob mir noch eine Gabel Grünkohl in den Mund. Von dem ich fast würgen musste, weil dieses Zeug echt nur als Kaninchenfutter taugt. Ein paar Minuten später fragte Noemi nach der Rechnung, bestand darauf, mich einzuladen, und ich war wieder Single. Mehr oder weniger. In Wahrheit hatte Noemi wahrscheinlich gespürt, dass ich mich schon seit einer Weile für jemand anderen interessierte. Wäre trotzdem nicht nötig gewesen, meinem Selbstwertgefühl aus Rache einen solchen Dämpfer zu verpassen.

»Nimm dir ein bisschen Zeit für dich«, hat Dad gesagt, als ich ihm davon erzählt habe. Also einer meiner beiden Dads. Ich habe zwei (und eine biologische Mutter, die ich ein paarmal im Jahr sehe. Eine Freundin meiner Väter aus Collegezeiten, die sich vor siebzehn Jahren als Leihmutter zur Verfügung gestellt hat), aber ich nenne sie beide »Dad«. Womit ich bestens klarkomme, im Gegensatz zu gewissen Leuten aus meiner Schule, die das extrem verwirrend finden. Allen voran Boney Mahoney, der mich in der Grundschule ständig gefragt hat: »Aber woher wissen sie, welchen von ihnen du meinst?«

Das ist einfach. Ich betone das *Dad* unterschiedlich – je nachdem, welchen meiner Väter ich meine. So mache ich es schon von klein auf, weshalb es für mich das Natürlichste auf der Welt ist. Aber so was kann man einem Typen wie Boney, der in Sachen Kommunikation so feinsinnig wie ein Backstein ist, nicht erklären. Also habe ich ihm erzählt, ich würde sie bei ihrem Vornamen rufen. Wes und Henry.

Obwohl ich sie so nur nenne, wenn ich mit jemand anderem über sie rede.

Jedenfalls ist Wes der Dad, mit dem ich eher über persönlichen Kram spreche. »Du hast noch viel Zeit für eine feste Beziehung«, hat er gesagt, als es zwischen Naomi und mir aus war. Er ist Dekan am Carlton College, und ich glaube, es wäre der größte Horror seines Lebens, wenn ich heiraten würde, bevor ich meinen Bachelor-Abschluss gemacht habe. »Konzentrier dich zur Abwechslung mal wieder mehr auf deine Freunde.«

So was kann nur jemand sagen, der noch nie Freunde von mir kennengelernt hat, was auf ihn auch zutrifft, weil die Freundschaften, die ich an der Carlton High habe, eher Zweckgemeinschaften sind. Wir führen an der Schule alle so eine Art Randexistenz, und sobald uns was Besseres über den Weg läuft, lassen wir die anderen dafür fallen und kommen erst wieder angekrochen, wenn es vorbei ist. Echte Freunde hatte ich zuletzt auf der Middleschool. Wes, der viel mehr über mein soziales Leben weiß, als ein Siebzehnjähriger mit einigermaßen Selbstachtung seinen Vater wissen lassen sollte, behauptet, das würde daran liegen, dass ich seit der neunten Klasse immer irgendeine Freundin am Start hatte. Ich behaupte, dass es genau umgekehrt ist. Die ultimative »Huhn oder Ei«-Diskussion.

Immerhin steht meine neue Freundin auf dieselben Sachen wie ich: Kunst, Comics und ein kalorienhaltiges Frühstück ohne jeden Nährwert. Okay, sie *Freundin* zu nennen ist vielleicht ein bisschen gewagt. Lara und ich haben dem Ganzen noch keinen Namen gegeben. Es ist kompliziert, aber ich bin so dermaßen bereit, mich darauf einzulassen, dass ich mich vierzig Minuten durch den frühmorgendlichen Rushhour-Verkehr gequält habe, um abgefahrene Donuts mit ihr zu essen.

Zumindest hoffe ich, dass ich das gleich tun werde.

Zehn Minuten später – mein Donut fängt schon langsam an trocken zu werden –, plingt mein Handy und auf dem Display erscheint Laras Name gefolgt von einer Reihe trauriger Emojis. *Ich schaffe es doch nicht. Tut mir total leid! Mir ist was dazwischengekommen.*

Ich drücke meine Enttäuschung weg, weil es mit Lara nun mal so ist. Ihr kommt ständig *irgendwas* dazwischen. Schon als ich ins Auto gestiegen bin, wusste ich, dass ich meinen Donut mit fünfzigprozentiger Wahrscheinlichkeit alleine essen muss. Ich ziehe den Teller zu mir heran, beiße ein großes Stück von meinem Bavarian Cream Flip ab und kaue bedächtig. Süß, salzig, mit einer kräftigen Schmelzkäse-Note. Ein Traum.

Den Rest verschlinge ich in drei Bissen, wische mir anschließend die Finger an einer Serviette ab und schaue auf die Uhr an der Wand. Die Fahrt zurück nach Carlton wird keine dreißig Minuten dauern und es ist noch nicht mal acht. Genügend Zeit, um noch was zu erledigen. Ich greife in die Messenger Bag, die neben mir auf dem Boden steht, und hole meinen Laptop raus. Im Browser ist schon meine alte WordPress-Seite geöffnet und ich klicke mich zu meinem allerersten Webcomic durch.

Der genialste Tag aller Zeiten – Text und Illustrationen von Calvin O'Shea-Wallace

Als ich Lara vor ein paar Wochen meine ganzen Webcomics gezeigt habe, hat sie sofort gesagt, dass ihr der hier am besten gefällt. Um ehrlich zu sein, war ich ein bisschen beleidigt. Ich habe ihn mit zwölf gezeichnet. Aber Lara meinte, der Strich hätte eine »rohe Energie«, die meinen neueren Sachen fehlen würde. Und vielleicht hat sie recht.

Ich habe ihn in der sechsten Klasse angefangen, einen Tag, nachdem ich mit Ivy Sterling-Shepard und Mateo Wojcik von einer Exkursion ausgebüxt bin und wir zusammen eine Erkundungstour durch Boston gemacht haben. Man kann in jedem Panel den Rausch des Verbotenen spüren, das Hochgefühl, nicht erwischt worden zu sein.

Außerdem ist die Ähnlichkeit der Charaktere mit ihren lebenden Vorlagen echt ganz gut getroffen, wenn ich das selbst so sagen darf. Ivy mit ihrer ungewöhnlichen Kombination aus braunen Augen und blonden Haaren, ihrem im Wind peitschenden Pferdeschwanz und dem halb besorgten, halb freudig-erregten Ausdruck im Gesicht. Vielleicht hätte ich ihre Brüste ein bisschen größer zeichnen können, als sie es damals waren und auch jetzt noch sind, aber hey … Ich war zwölf.

Mateo dagegen habe ich nicht ganz so naturgetreu wiedergegeben. Ich wollte in *Der genialste Tag aller Zeiten* die Rolle des Helden haben, er sollte mein Sidekick sein. Das hätte nicht funktioniert, wenn ich ihm seine düster-grüblerische Ausstrahlung gelassen hätte, von der die Mädchen schon in der Sechsten so hin und weg waren. Deswegen ist er in meinem Webcomic etwas kleiner als in natura. Und dünner. Und leidet vielleicht ein winziges bisschen unter Akne. Aber die Sprüche, die er raushaut, sind genauso trocken wie im echten Leben.

»Hey! Das bist ja du!« Ich schrecke zusammen, als Viola über meine Schulter nach meinem leeren Teller greift. Auf dem Bildschirm ist gerade ein Panel zu sehen, auf dem ich in meiner ganzen rothaarigen, geblümte Hemden tragenden, zwölfjährigen Großartigkeit durch Boston jage. »Wer hat das gezeichnet?«

»Ich.« Ich scrolle schnell weiter, damit mein Gesicht nicht ganz so im Vordergrund steht. Auf dem nächsten Panel sind auch Ivy und Mateo mit drauf. »Als ich zwölf war.«

»Nicht schlecht.« Viola spielt mit dem Totenkopfanhänger der Kette, die über ihrem Ramones-T-Shirt baumelt. Früher war sie mal Drummerin in einer Punk-Rock-Band, und ich glaube, dass sich ihr Style in den letzten dreißig Jahren nicht wirklich verändert hat. »Du bist richtig gut, Cal. Wer sind die anderen beiden?«

»Bloß zwei Freunde.«

»Kann mich nicht erinnern, sie hier schon mal gesehen zu haben.«

»Weil sie noch nie hier waren.«

Das sage ich mit einem beiläufigen Achselzucken, aber die Worte lösen dasselbe verlorene Gefühl in mir aus wie Noemis wenig einfühlsamer »Du bist nicht mehr du«-Vortrag. Ivy und Mateo waren die besten Freunde, die ich je hatte, aber seit der achten Klasse haben wir so gut wie nichts mehr miteinander zu tun. Wahrscheinlich ist es normal, dass man ab der Highschool getrennte Wege geht, und es ist auch nicht so, als hätte unsere Freundschaft mit einem dramatischen Knall geendet. Wir hatten keinen Streit, haben uns nicht bewusst den Rücken zugedreht oder Dinge gesagt, die man anschließend bereut.

Komischerweise werde ich trotzdem das Gefühl nicht los, dass es ganz allein meine Schuld war.

»Kann ich dir noch was bringen?«, fragt Viola. »Wir haben einen Neuzugang mit Haselnuss und gebratenem Speck. Könnte mir vorstellen, dass das genau dein Ding ist.«

»Leider nein. Ich muss mich ranhalten, wenn ich es noch rechtzeitig zur Schule schaffen will.« Ich klappe den Laptop zu und verstaue ihn wieder in meiner Tasche, lege Geld auf den Tisch – es reicht für drei Donuts, als Wiedergutmachung dafür, dass ich keine Zeit habe, auf die Rechnung zu warten – und hänge mir die Tasche über die Schulter. »Bis bald.«

»Das hoffe ich doch«, ruft Viola, als ich zwischen einem Hipster-Paar hindurchlaufe, das T-Shirts mit grafischen Elementen und identische Haarschnitte trägt. »Wir haben dich in letzter Zeit vermisst.«

Ich glaube grundsätzlich nicht an Schicksal. Aber es fühlt sich nicht nach einem Zufall an, als ich auf dem Parkplatz der Carlton High aus dem Wagen steige und fast mit Ivy Sterling-Shepard zusammenstoße.

»Hey«, sagt sie, während ihr Bruder Daniel sich, eine unverständliche Begrüßung brummend, an mir vorbeischiebt. Seit der Neunten ist er ziemlich in die Höhe geschossen. Wenn er mir auf dem Schulflur in seiner Lacrosse-Montur über den Weg läuft, erkenne ich ihn manchmal kaum wieder. Niemand sollte auf so vielen Gebieten so verdammt gut sein dürfen wie er. Schadet dem Charakter.

Ivy schaut ihm hinterher, als würde sie exakt dasselbe denken, bevor sie den Blick wieder auf mich richtet. »Cal, wow. Dich hab ich ja seit einer Ewigkeit nicht mehr gesehen.«

»Ich weiß.« Ich lehne mich an meinen Wagen. »Bist du nicht in Schottland gewesen?«

»Genau. Sechs Wochen während der Sommerferien. Meine Mom hat dort Vorlesungen gehalten.«

»Das muss toll gewesen sein.« Ivy konnte die Auszeit bestimmt gut gebrauchen, nach der Nummer, die Daniel bei der Frühjahrs-Talentshow abgezogen hat. Ich saß in der Aula in der zweiten Reihe neben Noemi und ihren Freundinnen, die sich vor Lachen gebogen haben.

Ja, okay. Ich auch. Und das lag nicht am Gruppenzwang. Es war leider wirklich zum Totlachen. Aber danach habe ich ein schlechtes Gewissen gehabt und mich gefragt, ob sie mitbekommen hat, wie ich mich auf ihre Kosten amüsiert habe. Bei dem Gedanken fängt meine Haut vor Scham an zu kribbeln, weshalb ich schnell sage: »Das ist echt superseltsam, dass wir uns treffen. Ich hab nämlich gerade noch an dich gedacht.«

Ich mache mir keine Sorgen, dass sie das irgendwie falsch verstehen und als *Du gehst mir schon seit Tagen nicht mehr aus dem Kopf* interpretieren könnte. Die Chemie zwischen Ivy und mir ist immer rein freundschaftlich gewesen. Trotzdem bin ich ein bisschen überrascht, als sie sagt: »Wirklich? Ich auch. Also an dich, meine ich.«

»Ach komm.«

»Doch. Ich habe versucht, mich zu erinnern, wann ich das letzte Mal nicht im Unterricht war.« Sie hat immer noch ihre Autoschlüssel in der Hand, und ich höre einen kurzen Piepton, als sie den schwarzen Audi verriegelt, den sie sich mit Daniel teilt. Ich kenne den Wagen noch aus der Middleschool, es ist das alte Auto ihrer Eltern, aber trotzdem. Netter Schlitten für zwei Zwölftklässler. »Das war an dem Tag, als wir aus dem Vortrag abgehauen sind.«

»Genau daran habe ich auch gedacht«, sage ich, und wir werfen uns ein kurzes verschwörerisches Grinsen zu. »Hey, und Glückwünsche an deine Mom.«

Sie blinzelt. »Wieso?«

»Bürgerin des Jahres der Stadt Carlton, oder?«

»Du hast davon gehört?«

»Mein Dad war im Wahlgremium. Also … Wes«, füge ich hinzu, was sich ein bisschen seltsam anfühlt. Als Ivy und ich noch befreundet waren, wusste sie immer, welchen Dad ich meine, ohne dass ich es dazusagen musste.

»Im Ernst?« Ihre Augen weiten sich. »Meine Mutter war total überrascht. Sie sagt immer, dass die Statistik das Stiefkind der Wissenschaft ist und nicht so wahrgenommen wird, wie sie es verdient hätte. Normalerweise werden ja auch eher Bürger ausgezeichnet, die sich auf lokaler Ebene engagiert haben, und was die Sache mit den Opioiden angeht …« Sie zuckt mit den Schultern. »Da ist Carlton ja nicht gerade ein Hotspot.«

»Sei dir da mal nicht so sicher«, sage ich. »Wes hat erzählt, dass der Dreck in letzter Zeit auf dem Campus ganz schlimm in Umlauf ist. Er hat deswegen gerade eine Task Force gegründet.«

Ivys Augen leuchten auf. Sie liebt Probleme, die sie lösen kann, und ich wechsle schnell das Thema, bevor sie anfängt Vorschläge zu machen. »Er hat übrigens für sie gestimmt. Er und Henry kommen heute Abend auch.«

»Mom ist total aufgeregt deswegen. Sie und mein Dad haben gerade ihren Hochzeitstag mit einem Trip nach San Francisco gefeiert und mussten alles umbuchen, um rechtzeitig nach Hause zurückzufliegen. Sie werden es gerade so schaffen.«

Klingt nach einer typisch überambitionierten Sterling-Shepard-Aktion; meine Dads hätten ihre Dankesrede einfach von Kalifornien aus per Video rübergeschickt. »Toll, dass sie deswegen extra zurückkommen«, sage ich und habe das Gefühl, dass das jetzt der richtige Moment wäre, um weiterzuziehen. Aber wir bleiben beide stehen, bis das Schweigen so unbehaglich wird, dass ich verlegen den Blick über Ivys Schulter wandern lasse. Ich stutze und kneife leicht die Augen zusammen, als ich einen großen dunkelhaarigen Typen sehe, der gerade über den Zaun des Parkplatzes springt. »Hey, krass. Heute muss es irgendeine besondere Sternenkonstellation geben, die uns alle zusammenführt. Da hinten kommt das dritte Mitglied unseres berüchtigten Trios.«

Ivy dreht sich genau in dem Moment um, in dem Mateo uns entdeckt. Er nickt knapp in unsere Richtung und geht Richtung Schuleingang, bis ich die Hand hebe und wild winke. Nur ein Arschloch würde mich ignorieren, und weil Mateo kein Arschloch ist – auch wenn er zu denen gehört, die lieber Reißnägel schlucken als Small Talk zu machen –, steuert er auf uns zu.

»Was geht?«, fragt er, als er das Heck von Ivys Wagen erreicht hat. Sie wirkt plötzlich nervös und wickelt sich das Ende ihres Pferdeschwanzes um den Finger. Mir geht es nicht viel anders. Jetzt, wo Mateo vor mir steht, habe ich keine Ahnung, was ich zu ihm sagen soll. Mit Ivy zu reden ist kein Problem, solange ich Tretminen wie die Rede beim Talentwettbewerb oder ihre krachende Niederlage gegen Boney Mahoney gestern vermeide. Aber Mateo? Ich weiß so gut wie nichts mehr über ihn, außer dass die Bowlinghalle seiner Mutter vor Kurzem pleitegegangen ist und schließen musste. Kein idealer Opener für eine Unterhaltung.

»Wir hatten es gerade vom *Genialsten Tag aller Zeiten*«, sage ich stattdessen. Und komme mir wie ein Loser vor, weil der

Titel schon damals, als wir noch zwölf waren, nicht wirklich cool war. Aber Mateo verzieht nicht stöhnend das Gesicht, sondern erwidert meinen Blick mit einem kleinen, müden Lächeln. Zum ersten Mal fallen mir die dunklen Schatten unter seinen Augen auf. Er sieht aus, als hätte er seit einer Woche nicht geschlafen.

»Das war vielleicht was«, sagt er.

»Ich würde so ziemlich alles dafür geben, das heute noch mal zu wiederholen.« Ivy wickelt sich immer noch ihren Pferdeschwanz um den Finger und hat den Blick auf den Hinterausgang der Carlton High geheftet. Ich brauche sie nicht nach dem Grund zu fragen, warum sie nicht in die Schule will. Boneys Antrittsrede wird für uns alle eine Qual sein, aber für sie ganz besonders.

Mateo reibt sich mit einer Hand übers Gesicht. »Geht mir genauso.«

»Worauf warten wir dann noch?« Ich meine das nicht wirklich ernst, aber als keiner der beiden dagegenhält, wird mir klar, dass ich nichts lieber tun würde, als blauzumachen. Ich habe heute zwei Kurse mit Noemi, einen Geschichtstest, für den ich nichts gelernt habe, keine Aussicht darauf, Lara zu sehen, und als einziges Highlight des Tages Burritos zum Mittagessen. »Ohne Scheiß, warum eigentlich nicht?« Die Idee fängt an, mir zu gefallen. »Jetzt ist der beste Zeitpunkt. Wenn Schüler vor dem ersten Gong von einem Elternteil entschuldigt werden, kommt keiner auf die Idee, die Sache gegenzuchecken. Moment.« Ich hole mein Handy raus, scrolle in den Kontakten zu *Carlton High* und tippe auf den grünen Button. Die automatische Ansage im Hauptmenü wird abgespielt, an deren Ende es heißt: *Falls Sie einen Schüler entschuldigen möchten …*

Ivy fährt sich mit der Zunge über die Lippen. »Was machst du da?«

Ich tippe auf die »3« und hebe den Zeigefinger, bis ich einen Piepton höre. »Guten Morgen. Hier ist Henry O'Shea-Wallace. Dienstag, einundzwanzigster September, acht Uhr fünfzig. Ich rufe an, um meinen Sohn Calvin zu entschuldigen«, ahme ich die leise, abgehackte Stimme meines Vaters nach. »Er hat leichtes Fieber, weshalb wir ihn vorsichtshalber einen Tag zu Hause behalten wollen. Seine Hausaufgaben wird er am Mittwoch nachreichen.«

Mateo grinst, als ich den Anruf beende. »Ich hab total vergessen, wie gut du Leute nachmachen kannst«, sagt er.

»Das war noch gar nichts«, sage ich und werfe Ivy einen vielsagenden Blick zu – *Noch kannst du Stopp sagen, wenn du nicht willst.* Sie sagt nichts und ich wähle die Nummer noch mal. Diesmal stelle ich mein Handy auf laut, damit sie und Mateo mithören können. Als der Piepton mich zum Sprechen auffordert, sage ich in einem herzlichen Bariton: »Hallo, James Shepard hier. Ivy kann heute Morgen leider nicht in den Unterricht kommen – sie fühlt sich angeschlagen. Ich bedanke mich und wünsche Ihnen einen schönen Tag!« Als ich auflege, lässt Ivy sich gegen ihren Wagen fallen und presst sich die Handflächen an die Wangen.

»Krass. Du hast es wirklich gemacht. Ich hab gedacht, du würdest nur bluffen.«

Ich schnaube. »Hast du nicht.«

Ihr angedeutetes Lächeln beweist, dass ich recht habe, aber sie wirkt trotzdem nervös. »Ich weiß nicht, ob das so eine gute Idee ist«, sagt sie und schabt mit der Spitze ihres quastenbesetzten Collegeschuhs über den Boden. Wenn jemand den Prepster-Look beherrscht, dann Ivy, daran hat sich nichts geändert, nur dass sie mittlerweile dunklere Farben bevorzugt. Heute hat sie einen schwarzen Pulli, einen grau karierten Minirock und schwarze Strumpfhosen an. Sie sieht besser aus als in der Middleschool, als sie nur Primärfarben getragen hat. »Wir könnten sagen, dass es bloß ein blöder Scherz war ...«

»Was ist mit mir?«, unterbricht Mateo sie. Als wir uns zu ihm umdrehen, sieht er mich mit hochgezogenen Brauen an. »Kannst du auch meine Mom nachmachen?«

»Die Zeiten sind seit dem Stimmbruch leider vorbei.« Ich tippe noch mal auf die Nummer der Carlton High und halte das Handy dann Ivy hin. »Dafür brauchen wir ein zusätzliches X-Chromosom.«

Sie reißt die Augen auf. »Was? Ich? Nein. Das kann ich nicht.«

»Tja, *ich* kann es noch viel weniger«, sage ich, während zum dritten Mal die automatische Ansage läuft. Es wäre nicht realistisch, wenn Mateo von seinem Vater entschuldigt werden würde. Der hat sich noch nie um irgendetwas gekümmert, das mit der Schule zu tun hat. »Und Mateo auch nicht. Entweder du machst es oder wir müssen die ganze Sache knicken.«

Ivy sieht Mateo an. »Soll ich es versuchen?«

»Warum nicht?« Er zuckt mit den Schultern. »Ich könnte einen freien Tag gebrauchen.«

Der Piepton ertönt und Ivy greift nach meinem Handy. »Ja, hallo«, sagt sie atemlos. »Hier ist Elena Wo–, ähm, Reyes.« Mateo verdreht bei ihrem Versprecher kurz die Augen. »Ich rufe an, um meinen Sohn zu entschuldigen. Mateo Wojcik. Er ist krank. Er hat ... Angina.«

»Ivy, nein«, zische ich. »Ich glaube, für Angina braucht

man eine Bestätigung vom Arzt, dass man nicht mehr ansteckend ist, bevor man wieder in den Unterricht kommen darf.«

Ihre Schultern versteifen sich. »Ob es eine Angina ist, weiß ich nicht. Er hat Halsschmerzen. Ich lasse ihn auf Streptokokken untersuchen, aber wahrscheinlich ist es keine Angina. Nur um ganz sicherzugehen. Ich rufe noch mal an, falls der Test positiv ausfällt, aber ich bin mir sicher, das wird nicht der Fall sein. Sie können also davon ausgehen, dass Sie nichts mehr von mir hören werden. Jedenfalls kann Mateo heute nicht in den Unterricht kommen. Okay, dann ... Bye.« Sie beendet den Anruf und wirft mir das Handy zu, als würde es in Flammen stehen.

Ich schaue betreten Mateo an. Das ist jetzt nicht so super gelaufen. Wer auch immer die Nachricht abhört, könnte zu Recht stutzig werden und bei seiner Mutter nachhaken, was mit Sicherheit das Letzte ist, was er gebrauchen kann. Aber statt einen Anfall zu kriegen, fängt er an zu lachen. Und auf einmal wirkt er wie ausgewechselt – hat nichts mehr von dem Typen, der sich im Schulflur an mir vorbeischiebt, als würde er mich nicht sehen, sondern erinnert mich an meinen besten Freund von früher.

»Ich hab total vergessen, was für eine grauenhafte Lügnerin du bist«, sagt er immer noch lachend zu Ivy. »Das war echt *scheiße*.«

Sie beißt sich auf die Unterlippe. »Ich könnte noch mal anrufen und sagen, dass es dir besser geht ...?«

»Das würde mit Sicherheit alles nur noch schlimmer machen«, sagt Mateo. »Egal. Ich habe es ernst gemeint. Ich könnte echt einen freien Tag gebrauchen.« Wir sind mittlerweile die einzigen Leute auf dem Parkplatz und vom Schulgebäude weht der erste Gong zu uns rüber. Wenn wir den Unterricht heute wirklich sausen lassen wollen, sollten wir uns jetzt schleunigst vom Acker machen. Aber keiner von uns sagt was oder rührt sich vom Fleck.

»Wo würden wir überhaupt hin?«, fragt Ivy, als der zweite Gong ertönt.

Ich grinse. »Nach Boston, wohin sonst?«, sage ich und entriegle meinen Wagen. »Ich fahre.«

4

IVY

Ich brauche keine fünfzehn Minuten, um mir darüber klar zu werden, dass das hier ein Riesenfehler ist.

Zuerst bin ich einfach nur erleichtert, als Cal vom Parkplatz fährt. Meine Gedanken sind so heiter und sonnig wie der wolkenlose Septembertag: *Ich bin frei! Ich muss mir Boneys Antrittsrede nicht anhören! Ich muss keine mitfühlenden Blicke von meinen Freunden und Lehrern ertragen! Niemand wird mich mit anzüglichen Sprüchen wie »Du darfst meine pochende Männlichkeit gern jederzeit mit deinen Lippen umschließen« an meine Schmach vom Frühjahr erinnern!* Cal lässt eine Playlist mit Indie-Pop laufen, den wir beide lieben, und wir reden über Musik und Filme und wo wir in Boston hingehen könnten.

Als uns die niedrigschwelligen Gesprächsthemen ausgehen und ich einen Blick in den Rückspiegel werfe, um zu schauen, ob Mateo vielleicht irgendwas beizutragen hat, scheint er tief und fest zu schlafen. Vielleicht tut er auch nur so; früher hat er immer gesagt, ihm würde schlecht werden, wenn er im Auto schläft. Oh Gott. Bereut er die ganze Aktion schon?

Die ersten Zweifel melden sich in mir: Was, wenn die Schule meine Eltern anruft, um meine Krankmeldung zu überprüfen? Ich weiß nicht mehr, welche Nummer wir hinterlegt haben. Wir haben immer noch einen Festnetzanschluss zu Hause, obwohl ihn keiner mehr benutzt. Wenn die Schule auf dem Telefon anruft, bin ich safe – Dad hat es vor ein paar Jahren ausgesteckt, weil wir ständig Marketinganrufe bekamen –, aber falls sie auf einem der Handys meiner Eltern anrufen, bin ich geliefert. Ihr Flug geht erst gegen elf hiesiger Zeit, sie sind also noch eine Weile zu erreichen und wären maßlos enttäuscht von mir.

Aber selbst wenn die Schule nicht anruft, spricht womöglich einer der Lehrer Daniel auf mein Fehlen an. Weil er keine Ahnung hat, dass ich spontan beschlossen habe, heute blauzumachen, würde er mich nicht decken können. Was er – machen wir uns nichts vor – sowieso nicht tun würde. Dafür genießt er es viel zu sehr, zuzuschauen, wie ich mich vor Scham winde. Soll ich ihm trotzdem eine Nachricht schreiben und ihn mit irgendwas bestechen, damit er die Klappe hält? Aber womit? Sneakers? Klar, als könnte ich mal eben ein paar Hundert Dollar aus dem Ärmel schütteln für irgendwelche limitierten Nikes, die gerade auf seiner Wunschliste stehen.

Soll ich meinen Freundinnen schreiben? Ich hole mein Handy raus und sehe, dass ich schon eine Nachricht von Emily habe. *Wo steckst du? Bist du krank?* Seit wir in der Neunten beste Freundinnen wurden, hat keine von uns je im Unterricht gefehlt. Aber es ist klar, dass wir der anderen definitiv Bescheid geben würden, wenn wir krank wären und nicht in die Schule könnten.

Mein Puls schlägt unangenehm schnell. Was hat Dad heute Morgen gesagt? *In so einem Fall kann man nichts anderes tun, als weiter den Kopf hochzutragen.* Ich mache hier gerade das genaue Gegenteil. Ich schleiche mich davon, verstecke mich und liefere damit praktisch der gesamten Carlton High den Beweis dafür, dass Boney mich an allen Fronten geschlagen hat.

Es ist total heiß im Wagen. Ich kriege kaum Luft. Ist die Klimaanlage überhaupt eingeschaltet? Ich starre schwer atmend auf das Armaturenbrett, auf mein Handy, auf Cal, aus dem Fenster und drehe mich dann zu Mateo um. Er hat immer noch die Augen geschlossen, murmelt aber irgendetwas vor sich hin. Es klingt wie: »Drei … zwei … eins …«

Das holt mich kurz aus meiner inneren Panikschleife.

»Hey«, sage ich. »Ich dachte, du würdest schlafen.«

Er schlägt die Augen auf und sieht mich an. »Die Hosen voll.«

»Was?«, sage ich erschrocken.

»Du. Du hast die Hosen voll, weil du blaumachst. Pünktlich auf die Minute.«

»Quatsch!«, fauche ich. Ich weiß nicht, ob ich sauer bin, weil er die ganze Zeit, während Cal und ich uns unterhalten haben, so getan hat, als würde er schlafen, oder weil er sogar mit geschlossenen Augen meinen mentalen Zustand erfasst hat. »Ich hab doch gar nichts gesagt.«

»Das war auch nicht nötig.« Mateo reibt sich gähnend über den Kopf und zerzaust dabei seine dunklen Haare. »Ich hab mitgekriegt, wie du in deinem Sitz rumgezappelt bist.«

»Ich bin nicht *rumgezappelt* …«

»Hey, Leute, kommt schon!«, ruft Cal, der in diesem Moment vom Highway abfährt. In seiner Stimme liegt ein verzweifelt-fröhlicher Unterton. »Das wird lustig. Und wir kriegen auch keinen Ärger, weil sich schon längst jemand gemeldet hätte, wenn es irgendein Problem geben würde.«

Da bin ich mir zwar nicht so sicher, aber ich will mir

nicht noch mal sagen lassen, ich hätte *die Hosen voll*. Also frage ich nur: »Wo fährst du hin?«

»Erst mal zum Quincy Market, dachte ich. Dort kann man gut parken und es gibt jede Menge coole Läden, wo wir uns was zu essen holen können. Das Aquarium ist auch ganz in der Nähe, falls wir Lust haben, bei den Pinguinen vorbeizuschauen.«

»Bei den Pinguinen?«, wiederhole ich ungläubig.

»Ich mag Pinguine.« Cals Stimme klingt irgendwie sehnsüchtig, fast unsicher. »Zumindest hab ich sie früher gemocht. Wahrscheinlich mag ich sie immer noch. Das hört bestimmt nicht einfach so auf, nur weil man schon seit einer Weile keinen Pinguin mehr gesehen hat, oder?«

Ich sitze immer noch halb nach hinten gedreht da, und Mateo und ich tauschen einen verwirrten Blick, der uns kurz zu Komplizen macht. »Äh ... Kann ich mir auch nicht vorstellen«, antworte ich vorsichtig.

Ich bin nicht sicher, ob das die richtige Antwort war, weil Cal ein tiefes Seufzen ausstößt. »Na ja. Wir werden sehen.«

Mateo trommelt unruhig mit den Fingern auf seinem Knie. »Ich arbeite ganz in der Nähe«, sagt er.

»Ach, echt? Wo?«, fragt Cal.

»In einer Kneipe. Im Garrett's.«

»Darf man mit siebzehn überhaupt schon in einer Kneipe arbeiten?«, frage ich.

»Klar. Solange man keinen Alkohol ausschenkt.«

»Ist aber nicht gerade um die Ecke von Carlton, oder?«, sagt Cal.

Mateo zuckt mit den Schultern. »Die Zuganbindung ist okay. Außerdem bezahlen sie besser als in irgendeinem der Läden in Carlton. Der weitere Weg lohnt sich.«

Als wir uns der Faneuil Hall nähern, wird der Verkehr dichter, und während Cal sich aufs Fahren konzentriert, mustere ich Mateo verstohlen. Er trägt ein graues »Spare Me«-T-Shirt, dessen Logo so verblasst ist, dass ich niemals darauf kommen würde, was es heißen soll, wenn ich den Schriftzug nicht mein halbes Leben lang an der Bowlinghalle gesehen hätte. In meiner Brust wird es eng, und ich verfluche mich dafür, eben so kurz angebunden zu ihm gewesen zu sein. »Wie geht es euch so?«, frage ich. »Was macht Autumn jetzt?«

»Arbeitet viel«, sagt er.

Ich bin mir nicht sicher, ob sich das auch darauf bezieht, dass sie viel fürs Studium lernen muss, und beschließe, lieber nicht nachzuhaken, falls das gerade aus irgendeinem Grund ein heikles Thema ist. »Ist sie immer noch mit …«« Mir fällt der Name von ihrem Freund nicht ein, obwohl ich ihn genau vor mir sehe. Er gehörte zu den Typen aus dem Abschlussjahrgang, denen es letztes Jahr besonders viel Spaß gemacht hat, sich jedes Mal, wenn sie mir nach meinem Aussetzer bei der Talentshow auf dem Flur begegnet sind, mit anzüglichem Grinsen in den Schritt zu fassen.

»Gabe Prescott?« Mateo zieht ein Gesicht, als hätte er gerade einen Mund voll Gammelfleisch geschluckt. »Ist sie. Leider.«

»Seltsames Paar, die beiden«, wirft Cal ein. »Ist Gabe nicht zum ›Schüler mit den besten Aussichten, ein Kapitalverbrechen zu begehen und damit durchzukommen‹ gewählt worden?« Vor ein paar Jahren hat die Schulleitung der Carlton solche Jahrbuch-Superlative wie *attraktivste/r* oder *erfolgreichste/r* abgeschafft, weil das »ungesunde Etikettierungen« wären. Seitdem führt die Abschlussstufe aber unter der

Hand eine eigene Liste mit jährlich wechselnden Kategorien. Ehrlich gesagt graut mir schon jetzt davor, welchen Superlativ ich im nächsten Frühjahr verpasst bekomme. So viel zum Thema »ungesunde Etikettierung«.

»Nein«, sagt Mateo trocken. »Er ist zum ›Schüler mit den besten Aussichten, in einer Reality Show als Erster rausgeschmissen zu werden‹ gewählt worden.«

Ich lache, weil das ausnahmsweise mal ziemlich witzig ist und wahrscheinlich zutreffend. Aber der Ausdruck auf Mateos Gesicht sagt unmissverständlich *Themenwechsel bitte*, also frage ich: »Und wie geht es deiner Mutter?«

»Okay. Ging ihr schon besser«, antwortet er knapp.

»Echt total kacke, dass das ›Spare Me‹ zumachen musste«, sagt Cal. »Mein Dad findet, dass die DeWitts komplett überreagiert haben. Patrick hatte sich doch noch nicht mal was gebrochen, oder?«

»Er hat sich die Schulter ausgerenkt«, sagt Mateo.

»Okay, aber mittlerweile kann er wieder Lacrosse spielen«, sagt Cal, als wäre die Sache damit erledigt.

Gott, warum habe ich nur nach seiner Mutter gefragt. Ich hätte wissen müssen, dass das Gespräch sofort auf die Bowlingbahn kommen würde. Dabei ist die das Letzte, worüber ich reden will. Bevor ich die Unterhaltung in eine andere Richtung lenken kann, fragt Mateo: »Wie geht es mit dem Carlton Entertainment Complex voran, Ivy? Dem CEC?« Er spuckt die Abkürzung förmlich aus. »So nennt dein Dad das Bauprojekt doch, oder?«

Anderes Thema. Anderes Thema. Aber mein Kopf ist eine leere Leinwand. »Läuft alles ganz gut, glaube ich«, sage ich gespielt locker. »Ich bekomme ehrlich gesagt nicht so viel von seinen Projekten mit, deswegen …«

»Aber du bekommst garantiert mehr mit als ich.« Als Mateo sich in seinem Gurt vorbeugt und mich mit seinen dunklen Augen herausfordernd ansieht, schaffe ich es nicht, wegzuschauen. Ich habe vergessen, wie durchdringend sein Blick sein kann – so als könnte er einem tief in die Seele schauen und dort Dinge sehen, von deren Existenz man selbst noch nichts wusste. Das fand ich schon mit dreizehn aufwühlend und jetzt ist es sogar noch schlimmer.

Die Wahrheit ist: Mateo war der erste Junge, in den ich verliebt war. Ich habe in der achten Klasse davon geträumt, mit ihm zusammen zu sein, ihm meine Gefühle aber nie gezeigt, weil ich mir sicher war, dass er auf keinen Fall das Gleiche empfinden kann. Und dann, als wir einmal was ohne Cal gemacht haben, haben wir uns geküsst. Das war das Aufregendste, was ich je erlebt hatte, nur dass wir danach nie ein Wort darüber verloren haben. Ich kann es mir nur so erklären, dass er es bereut hat und lieber weiter bloß mit mir befreundet sein wollte, und habe mir eingeredet, dass das für mich komplett okay ist. Aber es wurde immer schwieriger, so zu tun, als hätte es mir nichts bedeutet, wodurch alles irgendwie so verkrampft wurde, dass unser Trio sich kurze Zeit später auflöste.

Auf einmal würde ich sonst was dafür geben, jetzt mit Emily in Geschichte zu sitzen, selbst mit dem Wissen, dass mich danach Boneys Antrittsrede erwartet. Ich ertappe mich dabei, wie ich unruhig auf dem Beifahrersitz herumrutsche, und zwinge mich, stillzuhalten. Das war eben gefährlich nah an *rumzappeln*, und ich will nicht, dass Mateo merkt, wie sehr mich das Thema CEC aus der Fassung bringt. »Kann natürlich schon sein«, sage ich unverbindlich. »Gibt es, ähm, irgendwas Bestimmtes, das du wissen willst?«

»Eigentlich nicht.« Mateo lässt sich ins Polster zurückfallen und schaut aus dem Fenster. Seine markanten Züge,
die bis eben noch angespannt waren, nehmen wieder einen
erschöpften Ausdruck an. »Würde ja sowieso nichts ändern.«

»Oh, cool«, ruft Cal. »Im Parkhaus gibt es noch freie
Plätze.« Schwer zu sagen, ob er die angespannte Stimmung
im Wagen absichtlich ignoriert oder einfach so sehr aufs
Fahren konzentriert ist, dass er nichts davon mitbekommt.
Mateo und ich sitzen stumm da, während Cal nach dem
Ticket greift, das der Automat an der Schranke ausspuckt,
und danach alle vier Ebenen des Parkhauses abfährt, bis er
schließlich auf dem Oberdeck fündig wird. »Ihr könnt eure
Sachen im Kofferraum lassen, wenn ihr wollt.« Er stellt den
Motor ab und zieht die Handbremse.

Ich fühle mich krank, diesmal wirklich. So als sollte ich
den Tag tatsächlich besser in meinem abgedunkelten Zimmer im Bett verbringen und mich auskurieren. Ich bin kurz
davor, Cal zu bitten, wieder umzukehren und mich nach
Hause zu fahren, aber als er den Schlüssel aus dem Zündschloss zieht und ich den hoffnungsfrohen Ausdruck in seinem Gesicht sehe, bringe ich es nicht übers Herz. »Klar,
warum nicht«, sage ich und hole eine kleine Crossbody Bag
aus meinem Rucksack, in die ich mein Portemonnaie, mein
Handy und meine Sonnenbrille stecke, bevor ich sie mir
umhänge und aussteige.

Schweigend verstauen wir unsere Rucksäcke im Kofferraum und machen uns auf den Weg aus dem Parkhaus. Der
Zauber des *Genialsten Tags aller Zeiten* hatte auch etwas damit
zu tun, dass wir damals mitten in eine Parade feiernder
Red-Sox-Fans gestolpert sind. Wären wir an dem Tag selbst
für unsere Bespaßung zuständig gewesen, hätten wir es

uns wahrscheinlich anders überlegt und wären wieder reingegangen.

Und hätten uns nie angefreundet.

»Sollen wir uns … einen Kaffee holen?«, frage ich. »Ist hier vielleicht irgendwo ein Starbucks in der Nähe?«

»Keine Ahnung, aber …« Cal schaut sich um. »Nicht weit von hier gibt es ein Café, in dem ich mich manchmal mit einer Freundin treffe. Es liegt in einer eher ruhigeren Ecke, wenn es für euch okay ist, ein bisschen zu Fuß zu gehen.«

»Klar.« Ich folge ihm die Straße runter und hole mein Handy raus. Nachdem ich im Gehen kurz durch eine Reihe neuer Nachrichten gescrollt habe, atme ich erleichtert aus. Es ist keine von meinen Eltern oder der Schule dabei. Als ich schnell die Website des Flughafens checke, sehe ich, dass der Flieger meiner Eltern planmäßig um acht Uhr Ortszeit abheben soll, also in gut einer Stunde.

Ich schicke ein kurzes, stummes Stoßgebet in den Himmel, dass meine Eltern nie etwas von dieser Aktion hier erfahren, damit auch nicht der kleinste Schatten auf Moms großen Abend fällt. Daran hätte ich mal denken sollen, bevor ich mich darauf eingelassen habe, blauzumachen, aber noch ist es nicht zu spät. Ich werde mir einen Kaffee besorgen, Cal bitten, mich zur Schule zurückzufahren, und der Schulschwester Bescheid geben, dass mir übel war, ich mich jetzt aber wieder besser fühle.

Wie durch ein Wunder geht es mir tatsächlich sofort schon viel besser. Es hilft immer, einen Plan zu haben. Ich atme tief durch und überfliege meine Nachrichten, während wir an einem Zebrastreifen warten.

Emily: Haaallooo, ist da jemand?

Emily: Bueller … Bueller … Bueller … Bueller?

Ich lächle, als ich das Zitat aus *Ferris macht blau* lese. Emily ist zurzeit auf einem 80er-Jahre-Filmtrip.

Daniel: Emily fragt mich die ganze Zeit, wo du bist.

Daniel: Machst du einen auf krank oder was?

Daniel: M&D werden ausrasten.

Ich erstarre innerlich und bin versucht *Wehe, du verrätst mich* zu tippen, kann mich aber gerade noch davon abhalten. Dann würde er es natürlich erst recht tun. Mein Bruder lässt sich keine Gelegenheit entgehen, auf meine Kosten zu glänzen. Spätestens zur Mittagspause bin ich wieder in der Schule, und das wird dafür sorgen, dass er den Mund hält. Hoffentlich.

Cal und Mateo unterhalten sich über irgendwas – es klingt so, als würde es um Cals alte Webcomics gehen –, und ich will gerade mein Handy wieder wegpacken und mich in das Gespräch einklinken, als noch eine Nachricht kommt.

Emily: Boney ist auch nicht in der Schule.

Emily: HÄNGT IHR ETWA ZUSAMMEN AB?

Emily: Scherz. Natürlich hängt ihr nicht zusammen ab.

Emily: Oder?

Ich starre stirnrunzelnd aufs Display. Emily muss sich irren. Boney hält nachher seine Rede vor der Abschlussstufe, er kann also nicht weit sein. Als ich ihr gerade antworten will, spüre ich eine Hand an meinem Ellbogen. »Ivy«, sagt Cal, als hätte er schon mehr als einmal versucht, mich anzusprechen.

»Hm?« Ich schaue auf und stelle fest, dass ich keine Ahnung habe, wo wir sind. Um uns herum sind auf einmal lauter Bürogebäude.

»Vor dem Café ist eine Riesenschlange.« Cal deutet auf die andere Straßenseite. Er hat recht; die Leute stehen fast bis zur nächsten Ecke. »Willst du lieber erst mal noch woanders hin?«

Ich will nach Hause, denke ich, kriege die Worte aber aus irgendeinem Grund nicht über die Lippen. »Und wohin?«, frage ich im selben Moment, in dem Mateo sagt: »Zu den Pinguinen.«

Cal und ich sehen ihn an. Er zeigt nach links. »Zum Aquarium geht's jedenfalls da lang. Ich hatte vorhin das Gefühl, dass du echt gern mal wieder bei ihnen vorbeischauen würdest, Cal.«

»Ach ja, stimmt.« Cal wirkt seltsam verhalten. »Aber das können wir auch noch später machen.« In dem Moment springt die Ampel auf Grün. Er überquert die Straße und Mateo und ich laufen automatisch hinterher. »Ich wollte bloß ... keine Ahnung ... ich glaube, ich hab zurzeit eine kleine Krise. Hat nicht wirklich was mit Pinguinen zu tun.«

»Hab ich auch nicht gedacht«, sage ich, und Mateo schiebt trocken hinterher: »Hat es nie.« Ich pruste, aber Cal bleibt ernst, also reiße ich mich zusammen und frage: »Womit denn dann?«

Er zupft am Saum seines Hemds. Es ist blau mit kleinen grünen Punkten drauf – nicht ansatzweise so auffällig wie die grellbunten Muster, die er in der Middleschool getragen hat, aber immer noch ausgefallener als die Klamotten, in denen der Durchschnittsschüler an der Carlton High so rumläuft. Und wer jetzt denkt, Cal hätte seinen Sinn für extravagante Looks von seinen Dads geerbt, der liegt komplett falsch. Wes und Henry sind überzeugte Rundhalspulli-Chino-Träger, am liebsten in gedeckten Farben. »Beziehungskram«, sagt er. »Ihr wisst ja, wie das ist. Oder auch nicht. Seid ihr zurzeit mit jemandem zusammen?«

Die Frage erwischt mich komplett unvorbereitet, obwohl es eigentlich das Normalste auf der Welt ist, dass sich alte Freunde über so was unterhalten. Kurz bin ich versucht, ihnen von Angus MacFarland zu erzählen, einem Jungen, mit dem ich ein paarmal was unternommen hab, als ich in den Sommerferien in Schottland war. Aber ich muss selbst zugeben, dass allein sein Name schon ausgedacht klingt. »Im Moment nicht, nein«, sage ich.

Von Mateo kommt nichts und Cal stupst ihn in die Seite. »Was ist mit dir? Ich hab gehört, dass du was mit Carmen Costa am Laufen hast.«

Mein Magen zieht sich kurz zusammen. Ich will nichts über Mateos Beziehung mit Carmen Costa hören. Wahrscheinlich ist er super glücklich mit ihr, weil Carmen echt toll ist. Nachdem gestern das Wahlergebnis bekannt gegeben worden war, kam sie extra zu mir, um mir zu sagen, dass sie für mich gestimmt hat, während die meisten anderen so getan haben, als wäre ich radioaktiv verseucht.

»Nicht mehr«, sagt Mateo und ich ziehe überrascht eine Braue hoch.

»Seit wann?«, fragt Cal.

»Seit den Sommerferien.«

Ich warte darauf, dass er mehr dazu sagt, aber stattdessen bleibt er mitten auf dem Gehweg stehen, stemmt die Hände in die Seiten und schaut sich um. Die Dichte an heruntergekommenen Gebäuden hat praktisch mit jedem Schritt zugenommen, das Gleiche gilt für die Graffiti an den Fassaden. »Wo gehen wir eigentlich hin, Cal?«, fragt er.

»Was?« Cal blinzelt, als hätte er sich noch gar keine Gedanken über ein neues Ziel gemacht. »Oh, ach so ... Also, nicht weit von hier gibt es einen Künstlerbedarf, den ich ganz gut finde. Habt ihr vielleicht Lust, kurz reinzuschauen?«

»Von mir aus.« Mateo sieht mich an. »Ivy?«

»Okay.« Mir fallen zwar eine Menge Dinge ein, die ich lieber tun würde, als Cal dabei zuzuschauen, wie er sich aus Buntstiften in siebzehn verschiedenen Grüntönen einen aussucht, aber wahrscheinlich werde ich mich weniger schlecht fühlen, wenn ich ihn dann hinterher bitte, mich zur Schule zurückzufahren.

Wir laufen schweigend weiter, bis mein Bedürfnis, cool und ungerührt zu wirken, von meinem Bedürfnis, mehr Informationen zu bekommen, besiegt wird. »Und wie ist das passiert?«, frage ich Mateo. »Ich meine, dass du und Carmen nicht mehr zusammen seid.«

Er zuckt mit den Schultern. »Wie so was eben passiert. Ich hab viel gearbeitet und sie hing die ganze Zeit mit ihren Freundinnen ab, sodass wir uns kaum noch gesehen haben. Als wir uns nach ungefähr einem Monat endlich mal wieder getroffen haben, meinte sie, dass es sich fast so anfühlt, als wären wir gar nicht mehr zusammen. Darauf ich: *Ja, stimmt. Und sie: Dann sollten wir vielleicht wirklich Schluss machen.* Und ich: *Okay.*« Er trägt seinen üblichen ungerührten Ausdruck im Gesicht, und ich kann nicht einschätzen, ob ihm das wirklich so wenig ausmacht oder ob er nur so tut.

Cal scheint es genauso zu gehen. »Echt? Und das war's?« Mateo nickt und Cal seufzt. »Wenigstens hat sie dir nicht im Veggie Galaxy den Laufpass gegeben.«

Ich warte darauf, dass Cal seine Bemerkung in irgendeinen Kontext bringt, den man verstehen kann, aber bevor er dazu kommt, nickt Mateo. »Ich weiß. Das sage ich mir auch jeden Tag.«

Ich lache, verstumme aber abrupt, als ich Cals düstere Miene sehe. »Oh nein ... ist dir das etwa passiert?«

»Yep. Direkt nachdem Noemi mir mitgeteilt hat, dass ich nicht mehr ich selbst bin.« Als ich mitfühlend das Gesicht verziehe, schiebt er hinterher: »Ist schon okay. Dadurch hab ich die Chance gekriegt, jemand anderen kennenzulernen. Jemanden, mit dem ich viel mehr gemeinsam habe. Wir sind nicht offiziell zusammen oder so, aber was da zwischen uns läuft ... tut mir gut.« Er schluckt nervös. »Glaube ich.«

»Was heißt, du glaubst?«, hake ich nach. Das erinnert mich an den Beginn von Unterhaltungen, die ich früher ständig mit Cal geführt habe, wenn er einen Rat brauchte, aber nicht wusste, wie er danach fragen sollte.

Bevor ich weiter nachbohren kann, fällt mir auf der anderen Straßenseite etwas ins Auge. Zuerst bin ich mir sicher, Gespenster zu sehen; das kann unmöglich dasselbe verfluchte Batikmuster sein, das mich seit dem Rededuell der Kandidaten für das Amt des Jahrgangssprechers letzte Woche bis in meine Träume verfolgt. Aber als ich noch mal genauer hinschaue, sehe ich, dass zu dem Batikshirt ein vertrauter Fake-Iro mit blau gefärbten Spitzen gehört. Ich bleibe wie angewurzelt stehen und halte Cal am Arm fest. Irrtum ausgeschlossen.

»Hey, schaut mal da drüben«, zische ich und zeige auf die Gestalt auf der anderen Straßenseite. »Seht ihr, was ich sehe?« Mateo bleibt ebenfalls stehen und dreht sich fragend um. »Was hat *Boney Mahoney* um die Zeit hier zu suchen?«

MEDIENLABOR DER
CARLTON HIGH SCHOOL

Zwei Schüler sitzen an einem geschwungenen Metallschreibtisch. Auf einem großen Monitor hinter ihnen sind die Worte CARLTON SPEAKS zu lesen. An der sichtbaren Seite des Tischs ist ein Banner mit dem Bild des Schulmaskottchens befestigt, dem Carlton High Puma. Einer der Jungen – er hat den Oberkörper nach vorn gebeugt und kann seine fiebrige Energie kaum im Zaum halten – ist eher schlaksig, hat halblange dunkle Locken und Rehaugen, die trügerisch sanft und unschuldig wirken. Der zweite Junge hat breite Schultern, trägt einen an den Seiten rasierten Afro und wirkt lässig und entspannt, wenn da nicht der Stift wäre, den er zwischen seinen Fingern hin und her gleiten lässt.

JUNGE #1: Hey. Was geht ab, Carlton High? Hier sind Ishaan Mittal und ... *(wirft dem anderen Jungen einen Blick zu)*

JUNGE #2, *legt den Stift hin:* Und Zack Abrams. Eigentlich wollten wir heute die Antrittsrede des neuen Jahrgangssprechers nach Strich und Faden auseinandernehmen und analysieren, aber das tun wir jetzt doch nicht, weil ...

ISHAAN, *beugt sich vor und stemmt beide Hand-*

*flächen auf die Tischplatte, um seinen Worten noch
mehr Gewicht zu verleihen:* ... der Typ nie aufgetaucht ist!

ZACK, *leise zischend:* Ishaan, ich war grade dabei einen Spannungsbogen aufzubauen.

ISHAAN, *völlig in seinem eigenen Film:* Heute
Morgen hat der umstrittene neue Jahrgangssprecher der Carlton High, Boney Mahoney ...

LEHRERSTIMME AUS DEM OFF: Benutzt
bitte die richtigen Namen, Jungs. Und keine
wertenden Zusätze. »Der neue Jahrgangssprecher« reicht völlig.

ISHAAN: Heute Morgen hat der neue Jahrgangssprecher der Carlton High, Brian Mahoney, die von ihm gewonnene Wahl ad absur-
dum geführt, indem er einfach die gesamte
Schule versetzt hat ...

LEHRERSTIMME: Objektiver bitte. Wie
wäre es, wenn wir einfach eine kurze Zusammenfassung der Wahl liefern und anschließend
über die Reaktionen der Schüler heute Morgen
in der Aula sprechen?

ZACK: Na ja, die meisten waren wahrscheinlich happy, Boney nicht zuhören zu müssen.

ISHAAN: Bei allem nötigen Respekt, Mr G., die Wahl ist Schnee von gestern. Niemand interessiert sich für eine Zusammenfassung davon. Die Frage, auf die alle dringend eine Antwort wollen, ist: Wo zum Henker steckt Boney? *(Starrt eindringlich in die Webkamera.)* Gestern hat er noch gelobt, uns in eine goldene Zukunft zu führen und heute ...

ZACK: ... hat er wahrscheinlich verpennt.

ISHAAN: Er hat versprochen, uns in Ruhe zu lassen, wenn wir ihn wählen. Was keiner von uns gecheckt hat, ist, dass er das anscheinend genau so gemeint hat.

MR G., *mit tiefem, leidgeprüftem Seufzen:*
Kommt schon, Jungs. Ihr wisst, wie der Hase läuft. Keine Kraftausdrücke, keine Spitznamen, keine Spekulationen.

ZACK, *flüsternd*: Kein Spaß.

ISHAAN, *in den Stuhl zurückfallend*: Bei dieser Sendung hier vergeude ich nur meine Talente.

5

MATEO

Im ersten Moment wirkt Ivy geschockt, dann stinksauer. »Ich fasse es nicht!«, sagt sie, als Boney um die Ecke verschwindet. Wobei ich gar nicht mit Bestimmtheit sagen könnte, ob er es wirklich gewesen ist. Sie scheint sich da aber absolut sicher zu sein. »Er müsste jetzt eigentlich seine Antrittsrede halten!« Ihre Augen weiten sich. »Oh mein Gott. Ist er womöglich zurückgetreten? Bin *ich* jetzt Jahrgangssprecherin?« Sie holt ihr Handy heraus. »Komm schon, Emily. Vor fünf Minuten hast du mich noch mit Nachrichten bombardiert. Wo bist du, wenn ich dich wirklich brauche?«

»Vielleicht war er's gar nicht«, sage ich.

»Und ob er's war«, murmelt sie. »Unglaublich. Man kann als Jahrgangssprecher doch nicht einfach nicht zur Morgenversammlung erscheinen. Hallo? Da herrscht Anwesenheitspflicht. Das steht in den Schulsatzungen oder würde jedenfalls darin stehen, wenn ich gewählt worden wäre und mein Satzungsentwurf beschlossen worden wäre.« Sie starrt einen Moment wütend auf die andere Straßenseite und läuft dann entschlossen los. »Kommt. Ich will wissen, wohin er geht.«

»Wen interessiert das schon?«, sage ich, aber die Antwort ist offensichtlich. Ivy interessiert es eindeutig sehr.

Ich folge ihr in der Hoffnung, dass der Typ längst außer Sichtweite sein wird, sobald wir um die Ecke biegen, aber Fehlanzeige. Wir entdecken ihn sofort, und diesmal erkenne ich, dass Ivy recht hat. Yep, das ist definitiv Boney. Er umklammert sein Handy und hat sich einen Rucksack über die Schulter gehängt. Wir verfolgen ihn, bis er zwei Straßen weiter vor einem loftartigen Gebäude mit einer hellgrünen Tür stehen bleibt. Nachdem er kurz an einem kleinen Kästchen am Eingang herumgefummelt hat, zieht er die Tür auf und verschwindet im Inneren.

»Stopp.« Cal hält Ivy am Arm fest, als sie Boney hinterherwill. »Du kannst da nicht einfach so reinspazieren. Man kommt nur mit einem Sicherheitscode in das Gebäude.«

Sie sieht ihn verblüfft an. »Was? Woher weißt du das?«

»Ich … ähm …« Cal fährt sich mit einer Hand durch die Haare und weicht unserem Blick aus. »Ich hab euch doch vorhin erzählt, dass ich mich seit Kurzem mit jemand Neuem treffe. Sie hat hier ein Atelier.«

»Sie hat ein *Atelier*?«, sage ich.

»Genau genommen ist es nicht ihr Atelier«, sagt Cal. »Ein Freund von ihr hat es gemietet und sie darf es mitbenutzen. Das Gebäude steht zum Verkauf, und die Mieter sollten eigentlich seit letztem Monat draußen sein, aber ein paar von ihnen nutzen die Räume weiterhin.« Ivy holt so scharf Luft, dass Cal sie jetzt doch anschaut. »Guck nicht so geschockt. Ist keine große Sache. Das geht schon klar.«

»Das geht auf keinen Fall *klar*«, gibt Ivy zurück. »Hätte mein Dad das Gebäude gekauft, würde er definitiv ein Problem haben, wenn die ehemaligen Mieter das Haus einfach besetzen.«

Sie hat nicht ganz unrecht, aber ihr entgeht ein viel wichtigerer Punkt. »Eine Frage, Cal«, sage ich. »Heißt das, dass dieses Mädchen nicht mehr auf der Highschool ist?«

»So ungefähr«, antwortet Cal ausweichend.

»Dann studiert sie schon?« Ich versuche nicht so überrascht zu klingen, wie ich es bin. Ich hätte niemals gedacht, dass Cal zu den Typen gehört, die auf ältere Mädchen stehen. Oder dass ein Mädchen, das schon was älter ist, auf ihn stehen würde.

»Können wir vielleicht einfach ...« Cal schaut sich wieder nervös um. »Sie kann jeden Moment hier aufkreuzen. Dienstags geht sie immer um zehn ins Atelier, weil sie findet, dass um die Uhrzeit das Licht am besten ist. Und es wäre echt megapeinlich, wenn sie mich hier sieht.«

»Warum?«, fragt Ivy. »Kennt sie Boney?« Sie senkt mitfühlend die Stimme und legt Cal eine Hand auf den Arm. »Ist das so eine Art ... Dreiecksgeschichte?«

»Nein!« Er schüttelt ihre Hand ab. »Können wir bitte einfach ... weitergehen? Zu den Pinguinen. Wir hätten einfach gleich dort hingehen sollen.«

Ivy verschränkt die Arme vor der Brust. »Kein Problem. Aber erst will ich mit Boney reden. Gib mir den Code.«

»Den ... kenne ich nicht.« Cal wirft einen nervösen Blick über die Schulter. Nicht mal ich kaufe ihm das ab.

»Gib mir den Code, Cal«, sagt Ivy. »Dann kannst du meinetwegen abhauen und dich irgendwo verstecken. Ansonsten halte ich dich so lange hier fest, bis deine Freundin auftaucht und die ganze Sache *wirklich* megapeinlich wird.«

Cal atmet frustriert aus. »Fünf, acht, drei, zwei«, presst er hervor. Als Ivy zielstrebig auf die grüne Tür zumarschiert, schlägt er sich mit hochgezogenen Schultern in eine kleine Gasse, als wäre er auf der Flucht.

»Cal, im Ernst jetzt?« Ich sehe mich um – weit und breit kein geheimnisvolles Mädchen in Sicht –, bevor ich ihm folge. Wäre diese ganze Situation nicht so megamerkwürdig, würde mich der Anblick, wie er sich in einen Hauseingang presst, zum Lachen bringen. »Was hast du für ein Problem? Warum darf sie dich nicht hier sehen?«

Cal fährt sich nervös mit der Zunge über die Lippen. »Es geht eigentlich nicht darum, dass sie mich nicht sehen darf, sondern eher darum, dass sie *dich* nicht sehen darf.«

»Mich?« Ich starre ihn entgeistert an. »Warum darf sie mich nicht sehen?«

»Ivy auch nicht. Shit. Ich hätte ihr den Code nicht geben sollen. Ich hab total die Nerven verloren.«

»Ich kapiere echt gar nichts mehr, Cal.« Plötzlich kommt mir ein anderer Gedanke. »Fuck, du hast recht. Du hättest ihr den Code wirklich nicht geben sollen. Ist keine gute Idee, dass Ivy und Boney sich jetzt begegnen.« Eigentlich ist Boney meistens einer von diesen allzeit gechillten Kiffern, aber er verliert auch gerne mal die Beherrschung. Ich habe selbst schon mitbekommen, wie er auf Leute losgegangen ist, die ihn gereizt haben, und Ivy scheint nur auf eine Gelegenheit gewartet zu haben, ihm die Hölle heißzumachen.

Ich stand gestern, nachdem die Wahlergebnisse bekannt gegeben worden waren, mit meiner Ex zufälligerweise im Flur, als Ivy mit starrem Blick an uns vorbeimarschiert ist. »Oh Mann«, hat Carmen danach zu mir gesagt. »Ich mach mir echt Sorgen um das Mädchen. Sie wirkt sowieso schon immer super angespannt. Hoffentlich hat sie irgendein Ventil, wo sie auch mal ein bisschen Dampf ablassen kann.«

Carmen und ich sind immer noch befreundet. Unsere Trennung ist tatsächlich so unaufgeregt abgelaufen, wie ich es Cal und Ivy eben erzählt habe. Jedenfalls mehr oder weniger. Als Carmen meinte, dass wir eigentlich genauso gut Schluss machen können, hatte ich das Gefühl, sie wartet darauf, dass ich ihr widerspreche. Und das wollte ich irgendwie auch. Aber ich hab es nicht geschafft, weil ich – wie Autumn mir immer wieder gern sagt – *unfähig bin, mit der leisesten Andeutung von Zurückweisung umzugehen.* Keine Ahnung. Ich meine, wer kommt schon gut mit Zurückweisung klar? Niemand. Das ist wissenschaftlich belegt.

Ich schüttle diesen Gedanken ab und konzentriere mich auf das vor mir liegende Problem: dass Cal und ich uns immer noch nutzlos in dieser Gasse herumdrücken, während Ivy und Boney sich womöglich gerade inmitten eines quasi leer stehenden Gebäudes ein *Screamfest* von epischem Ausmaß liefern. »Ich finde, wir sollten ihr nach«, sage ich zu Cal und steuere auf die Straße zu. Als er sich nicht vom Fleck rührt, bleibe ich entnervt stehen und drehe mich noch mal zu ihm um. »Was auch immer gerade dein Problem ist – komm damit klar, okay? Aber Ivy ist da drin und ich gehe jetzt auch rein.«

Ich drehe mich wieder um und laufe weiter, ohne zu schauen, ob er mir folgt. Als ich eine Sekunde später seine Schritte hinter mir höre, bin ich ein bisschen überrascht. Und froh, weil ich den Türcode vergessen habe. Die Straße liegt immer noch völlig verlassen da, und es ist weit und breit kein Mensch zu sehen, als Cal die Zahlenkombination 5-8-3-2 in das Tastenfeld tippt.

Obwohl kein Summen oder Klicken ertönt, gibt die Tür nach, als Cal sie aufdrückt. Dank eines Oberlichts ist der Hausflur, in den wir treten, heller, als ich erwartet hatte.

Die Wände sind weiß getüncht, der Dielenboden ist zerschrammt. Rechts und links führen zwei Treppenaufgänge nach oben, und es ist so still, dass ich mich selbst atmen höre. »Ivy?«, rufe ich. »Wo bist du?«

Ein paar Sekunden lang herrscht weiter Stille, dann dringt irgendwo von links über uns Ivys Stimme zu uns herunter – so hoch und so dünn, dass ich sie kaum wiedererkenne.

»Hier oben«, sagt sie.

»Alles okay bei dir?«, rufe ich, während ich, gefolgt von Cal, den linken Treppenaufgang hochlaufe.

»Ich weiß nicht«, sagt sie mit derselben Stimme, und diesmal kann ich den Tonfall einordnen.

Sie hat Angst.

Ich lege noch einen Zahn zu und nehme immer drei Stufen auf einmal. »Auf welchem Stockwerk bist du?«, rufe ich.

»Ich weiß nicht«, wiederholt sie. Mein Herz rast nicht nur deswegen, weil ich die Treppe hinaufrenne. Auf das Schlimmste gefasst, erreiche ich den vierten Stock und sehe Ivy in einer Tür stehen. Sie ist allein und – soweit ich das erkennen kann – völlig unversehrt.

Ich lehne mich an die Wand, um kurz zu verschnaufen. Wir befinden uns in einem langen Flur, von dem zu beiden Seiten mehrere Türen abgehen, die alle geschlossen sind, bis auf die, in der Ivy steht. »Gott, Ivy«, keuche ich, immer noch außer Atem. Cal ist langsamer als ich und noch nicht hier oben angekommen. »Du hast mir einen Mordsschreck eingejagt. Wo ist Boney?«

»Ich glaube …« Sie starrt in den Raum und stützt sich mit einer Hand am Türrahmen ab, als müsste sie dort Halt suchen. »Ich glaube … er ist hier.«

»Wo?« Ich gehe auf sie zu und werfe einen Blick in den Raum. Zuerst fallen mir nur die großen Fenster, die Einbauregale und ein langer Arbeitstisch auf, der mit losen Blättern, Stiften und Pinseln übersät ist. In der Nähe der Fenster stehen ein paar Staffeleien, auf denen halb fertige Bilder zu sehen sind. Das hier ist eindeutig ein Atelier, das noch genutzt wird, obwohl das Gebäude eigentlich geräumt sein sollte.

Aber dann folge ich Ivys Blick, der auf ein Paar leuchtend violette Sneakers geheftet ist, die hinter einem großen Rollcontainer hervorschauen. Irgendjemand liegt dort auf dem Boden.

Und zwar vollkommen reglos und still.

Ich räuspere mich. »Boney?« Keine Antwort, kein Geräusch, bis auf entferntes Sirenengeheul. Hatte Boney violette Sneakers an? Ich weiß es nicht mehr; ich kann mich nur noch an das Batikshirt und seinen Rucksack erinnern. Nichts davon ist von der Tür aus zu sehen. Ich schaue Ivy an. »Sind das seine …«, frage ich, als mich etwas am Arm streift.

Instinktiv wirble ich mit erhobener Faust herum, bereit zuzuschlagen, aber es ist nur Cal, der auf Zehenspitzen steht und versucht, an mir vorbeizuspähen. Er reißt die Hände hoch. »Hey! Was ist los?«

»Da drin ist jemand. Jemand, der …« Ich weiß nicht, wie ich den Satz beenden soll. Ich gehe ein paar Schritte in den Raum, um Cal eine bessere Sicht zu ermöglichen, und drehe mich zu Ivy. »Hast du nachgeschaut, ob er es ist?«

»Nein.« Sie taut aus ihrer Erstarrung auf, knetet nervös die Hände und kommt dann auch ins Atelier. »Ich hatte Angst, dass … Ich wusste nicht, ob noch jemand anderes hier ist, oder …«

»Hast du jemanden gesehen?«, frage ich. Das Sirenen-geheul wird lauter.

Ivy schüttelt den Kopf. Ihre Wangen kriegen langsam wieder etwas mehr Farbe, sie strafft die Schultern und geht dann langsam auf den Rollcontainer zu. »Nein, aber ich hatte plötzlich so ein ganz komisches Gefühl und ...«

Auf einmal keucht sie auf, schnappt nach Luft und sackt im nächsten Moment zu Boden.

Eine Schrecksekunde lang bin ich wie gelähmt, dann brülle ich »Ivy!« und stürze zu ihr. Ich ziehe sie an mich und lege ihr mit hämmerndem Herzen eine Hand an die Wange, um ihr Gesicht zu mir zu drehen und ihren Puls und ihre Atmung zu prüfen. Beides geht gleichmäßig, aber sie hat die Augen zu und liegt schlaff in meinen Armen. »Ivy«, sage ich noch mal, obwohl es ziemlich offensichtlich ist, dass sie mir gerade nicht antworten kann. »Was ... Was ist denn pas-siert?« Ich schaue zum Rollcontainer. Scheiße, wahrschein-lich ist der Typ, der da liegt, tot, und als ihr das klar gewor-den ist, ist sie vor Schock ohnmächtig geworden. Auch von hier aus sind nur die violetten Sneakers zu sehen.

Cal geht neben mir in die Hocke, schaut sich um und deutet dann auf etwas, das neben uns am Boden liegt. »Ich glaub, ich weiß, was passiert ist.«

Ich folge seinem Blick und habe plötzlich das irre Bedürf-nis zu lachen, auch wenn es der Situation überhaupt nicht angemessen ist. Ein Stück von uns entfernt liegt eine Sprit-ze, in der eine lange, spitze Kanüle steckt. Mein Puls nor-malisiert sich wieder. »Ach komm! Sag bloß, Ivy fällt beim Anblick von Spritzen immer noch in Ohnmacht?« Unter einer der Staffeleien sehe ich ihr Handy liegen. »Das Handy ist ihr aus der Tasche gefallen. Kannst du es einstecken?«

Cal geht hin und bückt sich danach. Er schiebt es in seine Jeans und wird plötzlich blass. »Oh Mann. Hörst du das?«

»Was?«, frage ich, aber dann fällt mir auch auf, dass das Sirenengeheul auf einmal so laut ist, als käme es direkt aus dem Gebäude.

»Irgendwas stimmt hier nicht.« Cal wippt auf den Zehenballen und scheint vor Anspannung förmlich zu vibrieren.

»Wow. Gut erkannt, Cal.« Ich sehe kopfschüttelnd zu ihm auf, während ich die bewusstlose Ivy in den Armen halte und ein paar Meter neben uns jemand liegt, der möglicherweise tot ist. »Hier stimmt so einiges nicht.«

Cal läuft zum Fenster und schaut raus. »Da unten hält gerade ein Streifenwagen«, ruft er. »Woher wissen die, dass sie hier gebraucht werden? Hat Ivy die Polizei gerufen?«

»Kann ich mir nicht vorstellen. Das hätte sie uns bestimmt gesagt. Meinst du, die haben den Zugangscode für die Tür?«

Wir zucken beide zusammen, als das Geräusch von zerspringendem Glas zu uns nach oben dringt. Cal reibt sich über den Mund. »Scheint, als hätten sie den nicht gebraucht«, sagt er. Wir hören Scheppern, Klirren, gefolgt vom Klang gedämpfter Stimmen. »Die kommen hoch!«

»Fuck. Was …« Ich schaue von Cal zu der auf dem Boden liegenden Spritze und dem Typen, von dem nur die Sneakers zu sehen sind. »Was ist hier abgelaufen? Was zur Hölle machen wir jetzt?«

Cals Augen weiten sich. »Ist das … Boney? Ich glaube, es wäre besser, wenn wir so schnell wie möglich die Kurve kratzen.«

Diesmal fange ich wirklich an zu lachen. Leise und fassungslos. »Super Idee. Wir winken den Cops einfach freundlich zu, während wir ein bewusstloses Mädchen an ihnen vorbeischleppen, und lassen ...«

Ich bringe es nicht über mich, Boneys Namen auszusprechen. *Vielleicht ist es gar nicht Boney,* denke ich. *Vielleicht liegt dort eine gepeinigte Künstlerseele, jemand, der sich eine Überdosis verpasst hat und ...* Und was? Die Spritze weggeschleudert hat, bevor er zusammengebrochen ist? »Und lassen den armen Typen einfach hier zurück«, beende ich den Satz.

Es ist nicht das erste Mal, dass ich mit einem toten Menschen in einem Raum bin. Als mein Großonkel Hector mit vierundachtzig schwer krank im Sterben lag – ich war damals neun –, sind wir in die Bronx gefahren, um uns »zu verabschieden«, wie Ma es genannt hat. Onkel Hector lag reglos und mit geschlossenen Augen in seinem Bett, meine Tante Rose hatte einen Rosenkranz um seine Hand gewickelt und umklammerte sie. Und dann, von einer Sekunde zur nächsten – obwohl er weiterhin reglos dalag –, veränderte sich etwas. Ich konnte es deutlich sehen, obwohl ich auf der anderen Seite des Zimmers war, und meine Mutter hat es auch gesehen. Sie legte mir eine Hand auf die Schulter, drückte sie sanft und sagte leise: »Das war sehr friedlich.«

An dieser Situation hier ist nichts friedlich.

»Wir müssen nicht an der Polizei vorbei«, sagt Cal. »Am anderen Ende des Flurs gibt es noch eine Treppe, die auf eine kleine Gasse hinter dem Gebäude führt. Von dort kommt man wieder auf die Straße, ohne noch mal am Haupteingang vorbeizumüssen. Lass uns da raus.«

Das ist die vielleicht genialste und gleichzeitig beschissenste Idee, die ich je gehört habe. Mein Gehirn streikt, und ich wünsche mir verzweifelt, Ivy würde zu sich kommen und mir das Denken abnehmen. »Okay, aber … sollten wir der Polizei nicht sagen, was wir gesehen haben?«, frage ich.

»Was haben wir denn gesehen? Ein Paar Sneakers und eine Spritze? Das sehen die gleich selbst, dafür brauchen sie uns nicht. Wenn dem, der da hinten liegt, noch irgendwie geholfen werden kann, dann …« Cal geht zur Tür. »Dann können die von der Polizei alles Nötige tun«, drängt er leise. »Wir nicht. Wir handeln uns bloß jede Menge Ärger ein, weil wir *gar nicht hier sein sollten.*«

Und dann dreht er sich einfach um und geht.

Ich schaue widerstrebend zwischen Ivy und den verfluchten violetten Sneakers hin und her, bis die Stimmen von unten bedrohlich näher kommen. Was kann mir schon passieren, wenn ich hierbleibe? Ich habe nichts verbrochen. Aber ich bin trotzdem nicht scharf darauf, dass die Polizei in meinem Leben herumstochert und mir Fragen stellt.

Oder meiner Familie.

Den Blick auf die Spritze geheftet, treffe ich eine Entscheidung. Cal hat recht: Unseren eigenen Arsch zu retten, ist das Einzige, was wir hier noch tun können. Ich schiebe beide Arme unter Ivy, hebe sie hoch und folge ihm so schnell und so geräuschlos wie ich kann zur Treppe.

6

CAL

Eben im Atelierraum da oben war mein gesamtes Denken –
meine Existenz – auf ein einziges, simples Ziel gerichtet:
Bloß weg hier. Umso erleichterter bin ich, als ich die Hintertür aufstoße und in die verlassene Gasse hinausstürze, wo
weder Polizisten noch irgendwelche anderen Leute zu sehen
sind.

Das gute Gefühl hält ungefähr fünf Sekunden an, bevor
es vom nächsten alles beherrschenden Gedanken abgelöst
wird: *Und was jetzt?* Die Tür schwingt auf und Mateo
kommt mit Ivy heraus, die wie ein Sack Kartoffeln in seinen
Armen liegt. Das Parkhaus ist eine gute halbe Meile von
hier entfernt und Boney ... Gott.

Boney Mahoney liegt möglicherweise tot im Atelier.

Ich kenne ihn seit dem Kindergarten, lang genug, um
mitgekriegt zu haben, wie er zu seinem dämlichen Spitznamen gekommen ist. In der Zweiten hatten wir im Klassen-
zimmer jeder ein eigenes kleines Fach mit unserem Namens-
schild dran. Die Schildchen waren aus Tonpapier, das wir
selbst mit Filzstiften beschriftet hatten. Eines Tages ging
Kaitlyn Taylor mit einem Becher Wasser in der Hand daran
vorbei, stolperte und schüttete das Wasser über Boneys

»*Brian Mahoney*«-Schildchen. Die Buchstaben verliefen und danach konnte man nur noch den Anfang seines Vornamens und das Ende seines Nachnamens lesen. Zuerst nannten ihn alle B. Oney, aber daraus wurde natürlich ziemlich schnell Boney, und der Name ist hängen geblieben.

Davon abgesehen, dass er mich immer wieder wegen meiner Dads genervt hat, haben wir uns nur ein einziges Mal etwas länger unterhalten. Das war in der Fünften, auf Kenny Chus Geburtstagsparty in einer Kletterhalle, der einzigen Party, auf die Boney und ich je zusammen eingeladen gewesen sind – Kennys Mutter hatte darauf bestanden, dass er alle Jungs aus der Klasse einlädt. Jedenfalls standen wir irgendwann beide auf einer dieser dicken Bodenmatten, als Boney sich umschaute und sagte:»Kannst du mir sagen, warum es Kletterhallen gibt, wo man Felsen hochklettern kann, aber keine, wo man auf Bäume klettern kann?«

Darüber hatte ich noch nie nachgedacht.»Vielleicht, weil Bäume drinnen nicht gut wachsen?«, sagte ich.

»Man könnte künstliche Bäume hinstellen. Das hier sind ja auch keine echten Felsen«, hielt Boney dagegen.

»Stimmt«, sagte ich.»Da sollte sich mal jemand was einfallen lassen.«

Er sah mich mit leicht zusammengekniffenen Augen an und deutete mit dem Zeigefinger auf mich.»Wenn du irgendwann mal so was erfindest und Millionär wirst, kriege ich die Hälfte.«Das überraschte mich nicht weiter; Boney war schon immer auf der Jagd nach dem schnellen Geld gewesen. In der Fünften zog er einen kleinen Handel mit Süßigkeiten auf, kaufte nur das billigste Zeug und vertickte es in der Mittagspause mit einer Riesenmarge an uns weiter. Ich war einer seiner Stammkunden, weil … Süßigkeiten.

Auf der Highschool ist er dann zu Stoner-Boney geworden, und ich habe ihn ziemlich aus den Augen verloren. Der Jungunternehmer-Boney mit seinen Baumkletterhallen und überteuerten Süßigkeiten war vergessen – ich erinnere mich erst jetzt wieder an ihn. Meine Augen fangen an zu brennen und ich blinzle ein paarmal.

Mateo lehnt sich mit Ivy auf den Armen keuchend gegen die Hauswand und sieht mich an, als würde er hoffen, mein Plan würde mehr beinhalten als unser Verschwinden durch die Hintertür. Ich muss ihn enttäuschen. Von der Entschlossenheit, die ich vor ein paar Minuten oben noch hatte, ist nichts mehr übrig. Im Moment gibt es gefühlt nur noch zwei Dinge, zwischen denen ich entscheiden kann: kotzen oder ohnmächtig werden. Mein Magen nimmt mir die Entscheidung ab. Ich drehe mich zur Seite und übergebe mich vornübergebeugt auf einem Streifen Gras. Der leuchtend orangefarbene Mageninhalt, den ich von mir gebe, ist eine schmerzhafte Erinnerung an den Donut, den ich vor zwei Stunden gegessen habe, als das Leben noch sehr viel einfacher war.

»Okay«, sagt Mateo, als ich mich wieder aufrichte und mir mit zittriger Hand über den Mund wische. »Wir müssen irgendwohin, wo wir ganz in Ruhe unsere nächsten Schritte überlegen können.«

Die Entschlossenheit, mit der er mich ansieht, erinnert mich an die Zeit, kurz bevor wir uns aus den Augen verloren haben. Damals ist sein Vater abgehauen, um sich als Roadie einer Grateful-Dead-Coverband »selbst zu finden«, und Mateo schien endlich klar geworden zu sein, dass er es einem Versager überlassen hatte, über sein Leben zu bestimmen, und dass er die Dinge von jetzt an selbst in die Hand nehmen musste und … oh … Oh, okay. Jetzt bin ich wohl der Versager, der ihn zwingt, die Dinge selbst in die Hand zu nehmen. Ich versuche erst gar nicht, mich gegen diese Erkenntnis zu wehren. Im Gegenteil, ich bin erleichtert. Dass jemand anderes die Entscheidungen für mich trifft, ist genau das, was ich will.

Während Mateo sich daran macht, Ivy auf die gegenüberliegende Straßenseite zu tragen, schaut er sich die ganze Zeit nach allen Seiten um. Irgendwo heult ein Motor auf, und wir haben kaum Zeit, uns einen panischen Blick zuzuwerfen, als ein Wagen um die Ecke gerauscht kommt. Aber am Steuer sitzt bloß ein Typ, der sich sein Handy ans Ohr presst und noch nicht mal in unsere Richtung schaut, als er an uns vorbeirast. Sobald er außer Sichtweite ist, überquert Mateo im Laufschritt die Straße und verschwindet in einem schmalen Durchgang zwischen zwei Gebäuden. Ich stehe immer noch so neben mir, dass ich es noch nicht mal schaffe, ihn zu fragen, wohin wir eigentlich gehen.

Aber Bewegung ist gut. Solange ich mich darauf konzentrieren muss, einen Fuß vor den anderen zu setzen, brauche ich nicht darüber nachzudenken, was verdammt noch mal in dem Atelier passiert ist. Dem Atelier, in dem auf einer der Staffeleien ein halb fertiges Bild von *Lara* stand, das aussah, als hätte sie gerade noch daran weitergemalt. Genau das, was sie an diesem Dienstagmorgen auch vorhatte. Es ist ihr einziger freier Tag in der Woche, die einzige Zeit, in der sie an ihren eigenen Sachen arbeiten kann, weil sie sich, wie sie mir erzählt hat, zu Hause nicht konzentrieren kann.

Warum war sie nicht da?

Und warum war Boney da? Denn der Typ am Boden kann nur Boney gewesen sein, oder? Zwar hat sich keiner von uns getraut, einen genaueren Blick auf den Typen mit den violetten Sneakers zu werfen, aber wir haben ja gesehen, wie Boney in das Gebäude gegangen ist.

Mir wird wieder übel und ich konzentriere mich auf den Asphalt vor mir. Meine geistigen Kapazitäten reichen gerade noch so weit, mich zu fragen, was wir machen sollen, falls uns jemand begegnet, der wissen will, warum Mateo ein bewusstloses Mädchen durch die Gegend schleppt. Was wahrscheinlich jeder wissen wollen würde. Aber der einzige Mensch, an dem wir vorbeikommen, ist ein betrunkener alter Mann, der in sich zusammengesunken vor einem Gebäude auf dem Boden hockt.

Kurz darauf biegt Mateo um die Ecke und bleibt vor einer großen Metalltür stehen. »Meine Schlüssel sind in der rechten Hosentasche«, sagt er schwer atmend. »Kannst du sie bitte rausholen?«

»Ich soll ... was?«

»Meine Schlüssel. In meiner Hosentasche«, antwortet er ungeduldig. »Wie du vielleicht mitbekommen hast, hab ich gerade keine Hand frei.«

»Das sehe ich, aber ... wo sind wir hier?«

»Das ist der Hintereingang vom Garrett's«, erklärt er. »Die Kneipe macht erst um fünf auf. Um die Uhrzeit ist normalerweise niemand da.«

Ich höre auf, Fragen zu stellen, und greife in seine Hosentasche, was mir unter normalen Umständen vielleicht etwas unangenehm wäre, aber im Moment habe ich andere Sorgen. »Der große, runde«, sagt Mateo, als ich die Schlüssel rausziehe. Ich stecke ihn mit zitternder Hand ins Schloss. Er lässt sich mühelos drehen, und ich will die schwere Tür gerade aufziehen, als wieder Polizeisirenen aufheulen. Ich zucke zusammen, dann reiße ich die Tür auf, Mateo schlüpft mit Ivy hinein, ich folge ihm und drücke die Tür schnell wieder zu.

Wir stehen in einem dämmrigen, muffig riechenden Raum, in dem sich Kartons und – vermutlich leere – Bierfässer stapeln. Eine zweite Tür führt in ein enges Treppenhaus. Ich folge Mateo nach oben in einen Kneipenraum mit einer langen Theke und zwei Pooltischen im hinteren Bereich. Eine Seite des Raums wird von einer Fensterfront eingenommen, vor der Rollläden heruntergelassen sind, durch deren Ritzen nur schwach Tageslicht hereinfällt. Mateo geht zu einer mit einem verblassten roten Polster bezogenen Sitzbank und legt Ivy dort ab.

Als er sich wieder aufrichtet, schüttelt er die Arme aus, rollt die Schultern und dehnt seinen Nacken, dann beugt er sich noch mal über Ivy und zieht den Saum ihres Rocks, der auf einer Seite ein Stück nach oben gerutscht war, über die Schenkel. Sie murmelt etwas und ihre Augenlider flattern. »Scheiße … müsste sie nicht längst wieder zu sich gekommen sein?«, frage ich nervös. Das letzte Mal habe ich Ivy in der siebten Klasse in Ohnmacht fallen sehen, als jemand im Sportunterricht auf dem Fußballplatz der Schule eine weggeworfene Spritze gefunden hatte, sie aufhob und damit herumwedelte. Ich kann mich zwar nicht mehr in allen Einzelheiten daran erinnern, könnte aber schwören, dass sie damals schon nach ein paar Minuten wieder aufgewacht ist.

»Keine Ahnung«, sagt Mateo und seufzt dann. »Ist wahrscheinlich ein bisschen viel auf einmal gewesen. Die Spritze wird ihr den Rest gegeben haben.« Er beugt sich wieder über sie und legt Zeige-, Mittel- und Ringfinger an ihre Halsbeuge. »Ihr Puls schlägt ganz normal. Sie atmet auch gleichmäßig. Wahrscheinlich braucht sie einfach noch einen Moment.«

»Na ja, wenn man so lebt wie Ivy, muss sich der Körper seine Auszeiten wahrscheinlich einfach selbst holen«, sage ich.

Mateo verdreht die Augen über meinen lahmen Witz. Aber ich erinnere mich von früher gut daran, dass Ivy kaum je ausruht. Nachts hat sie selten mehr als fünf Stunden geschlafen. Als wir noch befreundet waren, bin ich morgens oft aufgewacht und hatte diverse Nachrichten mit allen möglichen schrägen Fakten von ihr auf dem Handy. Als ich jetzt an die Dinge zurückdenke, die Ivy aus den Tiefen des Internets ausgegraben hat, während alle anderen schliefen, werde ich irgendwie wehmütig.

Hast du gewusst, dass man mit dem Auto nur eine Stunde bis ins Weltall brauchen würde, wenn es eine Straße senkrecht nach oben geben würde?

ES GIBT ROSAFARBENE DELFINE (YouTube-Link)

Cal, du musst Gilbert dringend einen Kumpel besorgen. In der Schweiz ist es gesetzlich verboten, nur ein Meerschweinchen zu halten, weil das total soziale Tiere sind, die sonst unter der Einsamkeit leiden.

Sie hatte recht. Mein Meerschweinchen Gilbert war viel glücklicher, als meine Eltern sich bereit erklärten, ein zweites zu kaufen. Nur dass George dann starb, und Gilbert so untröstlich war, dass er drei Tage später auch gestorben ist … Ob das am Ende so ein Erfolg war – ich bin mir nicht sicher.

Nervös auf der Innenseite meiner Wange kauend schaue ich mich in dem dämmrigen Raum um. Ich bin noch nie in einer Kneipe gewesen. Aber das scheint mir nicht der richtige Moment zu sein, um es zu erwähnen. »Hier arbeitest du also?«

Mateo nickt. »Der Chef kommt normalerweise nicht vor zwei, wir sind also erst mal eine Weile safe.« Er verschwindet hinter der Theke, greift sich zwei Gläser und füllt sie an einem kleinen Spülbecken mit Wasser. Wieder zurück reicht er mir eines und setzt sich an einen Tisch in Ivys Nähe. Ich lasse mich auf den Stuhl ihm gegenüber sinken, nehme einen tiefen Schluck aus meinem Glas und bin dankbar, den ekelhaften Geschmack in meinem Mund runterspülen zu können.

»Bist du okay?«, fragt Mateo.

»Weiß nicht«, sage ich. »Du?«

»Ich weiß es auch nicht.« Mateo schüttelt den Kopf und trinkt dann in einem Zug die Hälfte seines Wassers aus. »Das war ein ziemlicher Albtraum eben.«

»Total.« Ich wische mir über den Mund. »War nicht wirklich das, was ich im Kopf hatte, als ich vorgeschlagen habe, den *Genialsten Tag aller Zeiten* neu aufzulegen.«

»Wir hätten in dieses Scheißaquarium gehen sollen«, sagt Mateo.

Trotz allem, was wir gerade erlebt haben, muss ich lachen. Das Lachen klingt leicht hysterisch, klar, ist aber besser, als in Tränen auszubrechen. »Unterschreibe ich sofort.«

Mateos Blick verändert sich. Sein Ausdruck ist immer noch angespannt, wirkt aber konzentrierter, so als würde er sich bereit machen, in die verborgenen Tiefen meines Hirns zu spähen. Ich kenne den Blick noch gut von seiner Mutter früher – was einer gewissen Ironie nicht entbehrt, weil er es nicht leiden konnte, wenn sie ihn so angeschaut hat.

Ich weiß genau, was gleich kommt.

»Cal …«, sagt er. »Wer ist dieses Mädchen?«

»Hm?« Ich trinke einen Schluck Wasser, um Zeit zu schinden.

»Deine Freundin, die in dem Haus ein Atelier mitbenutzt.« Sein Tonfall wird schärfer, als ich seinem Blick ausweiche und weitertrinke, obwohl fast kein Wasser mehr im Glas ist. »Ist das zufällig das Atelier, in dem wir vorhin waren?«

»Ja.« Die Bestätigung ist draußen, bevor ich es verhindern kann. *Shit.* Ich muss mich zusammenreißen und nachdenken, bevor ich was sage. Und ich muss mit Lara sprechen. »Aber sie war ja nicht da«, schiebe ich hinterher und hole mein Handy raus.

»Dass wir sie nicht gesehen haben, heißt nicht, dass sie nicht da war«, hält Mateo dagegen, und ich wünschte mir, er wäre nicht immer so unglaublich vernünftig und klar. »Du hast erzählt, dass sie jeden Dienstag dort ist, oder?«

»Normalerweise, ja.« Ich tippe mit fliegenden Fingern eine Nachricht an Lara. *Bist du im Atelier?*

»Warum hätte sie dann heute nicht dort sein sollen?«, fragt er.

»Keine Ahnung.« Ich starre auf das Display meines Handys und versuche Lara durch Gedankenübertragung dazu zu bringen, die Nachricht zu sehen und so schnell wie nur irgend möglich zu antworten. Mein Herz macht einen Riesensatz, als ein paar Sekunden später tatsächlich die drei grauen Punkte erscheinen.

Nein, hab es heute nicht geschafft.

Ich atme tief aus. *Puh,* denke ich erleichtert, aber … *Warum nicht?,* schreibe ich zurück.

Hab mich spontan in einem Töpferkurs angemeldet! Die grauen Punkte bewegen sich wieder, und dann öffnet sich ein Foto, auf dem eine grün glasierte Schale zu sehen ist, die neben einem Brennofen steht.

Wieder durchströmt mich Erleichterung, aber nur einen kurzen seligen Moment lang. Das erklärt nämlich immer noch nicht, was Boney ... oder wer auch immer der Typ war, der im Atelier lag ... dort zu suchen hatte. Aber das will ich sie nicht am Handy fragen. *Ich muss mit dir reden,* schreibe ich. *Jetzt. Persönlich.* Diesmal antwortet sie nicht gleich und ich schicke ein *Es ist dringend* hinterher.

»Cal?« Als ich aufschaue, hat Mateo immer noch seinen Röntgenblick drauf. »Schreibst du ihr gerade?«

»Ja. Sie sagt, dass sie heute nicht dort war.« Mir ist klar, dass das nicht reicht, um weitere Fragen zu vermeiden, auf die ich noch keine Antwort habe. Als ich mich auf der Suche nach einer Ausflucht im Raum umschaue, fällt mein Blick auf einen großen Flatscreen links von uns an der Wand. Ich deute mit einem Nicken darauf. »Hey, können wir den einschalten? Vielleicht bringen sie ja irgendwas in den Nachrichten darüber.«

Mateos Blick – ebenfalls von seiner Mutter geerbt – gibt mir deutlich zu verstehen, dass das Verhör damit noch nicht beendet ist, aber er steht auf. »Gute Idee. Check auf deinem Handy doch auch mal die News-Seiten.« Ich nicke, rufe dann aber doch nicht Boston.com auf, während er zur Theke geht und eine Fernbedienung holt. Mir ist es irgendwie lieber, darauf zu warten, dass die Informationen zu mir kommen, statt aktiv danach zu suchen.

Mateo richtet die Fernbedienung auf den Flatscreen, und wir zucken beide zusammen, als überlaut das Gebrüll des Moderators des lokalen Sportsenders ertönt. Mateo stellt den Ton leiser und zappt weiter, bis auf dem Bildschirm ein

Reporter in Hemd und Krawatte erscheint, hinter dem auf einem roten Laufband *Breaking News* zu lesen ist. »Hey, der steht vor dem Ateliergebäude!« Mateo kommt an unseren Tisch zurück, ohne den Blick vom Bildschirm zu nehmen.

Mir sinkt das Herz in die Hose. Das Gebäude, aus dem wir eben abgehauen sind, im Fernsehen zu sehen, macht dieses Albtraumszenario sofort um einiges realer. »Scheiße. Meinst du …«

»Schsch.« Mateo schaltet den Ton wieder etwas lauter.

»… ist die Polizei auf der Suche nach Informationen, die in Zusammenhang mit einem Hinweis stehen, der kurz bevor die Leiche eines noch nicht identifizierten jungen Mannes in dem Gebäude hinter mir entdeckt wurde, sowohl bei den Behörden als auch in der Redaktion des *The Hawkins Report* eingegangen ist«, sagt der Reporter.

Oh Gott. *Die Leiche.*

Das Wort trifft mich mit voller Wucht in die Magengrube. Seit wir aus dem Atelier geflohen sind, habe ich mir immer wieder gesagt, dass wir ja gar nicht wissen, ob das, was wir zu sehen geglaubt haben, wirklich das ist, was wir befürchten. Dass der Typ gar nicht Boney gewesen sein muss, dass wer-auch-immer-das-war vielleicht nur das Bewusstsein verloren oder tief und fest geschlafen hat. Dass er möglicherweise bloß jemandem einen Streich spielen wollte. Okay, ja, alles nicht sehr plausibel, aber ich habe mich trotzdem daran festgeklammert. »Das heißt … dass wir eben … dass wir die Leiche von …« Meine Kehle weigert sich, Boneys Namen freizugeben.

»Noch nicht identifiziert«, sagt Mateo schnell. Aber er klingt selbst nicht so, als würde ihn das wirklich trösten.

Der Reporter richtet den Blick eindringlich auf die

Kamera. »Die anonyme Person, die den Hinweis gegeben hat, meldete, sie würde sich Sorgen machen, nachdem sie beobachtet hätte, wie eine junge blonde Frau einem Mann eine Spritze verabreicht habe, worauf dieser sofort das Bewusstsein verloren habe«, fährt er fort. »An dem Gebäude, das zurzeit unbewohnt ist, gibt es keine Überwachungskameras, weshalb die Polizei die Bevölkerung aufruft, sich zu melden, sollte jemand irgendwelche Hinweise auf eine junge Frau haben, die sich zum fraglichen Zeitpunkt in der Gegend aufgehalten haben könnte und als blond, attraktiv und ungefähr Anfang zwanzig beschrieben wird.«

Ich zucke zusammen, als Mateo plötzlich auf Pause drückt und das Gesicht des Reporters auf dem Flatscreen einfriert, während rechts von mir ein lautes Keuchen zu hören ist. Ivy sitzt aufrecht auf der Bank und presst sich eine Hand auf die Brust. Sie sieht erschrocken von mir zu Mateo.

»Was. Ist. *Passiert?*«, fragt sie.

7

IVY

Im ersten Moment habe ich keine Ahnung, wo ich bin. Ich kann mich nur noch daran erinnern, dass ich heute Morgen mit Cal und Mateo von der Schule weggefahren bin. Die beiden starren mich an, als wäre mir gerade ein zweiter Kopf gewachsen − was gar nicht so schlecht wäre, weil der erste schmerzhaft pocht.

Und dann kommt die Erinnerung an *alles* plötzlich mit einem Schlag wieder.

»Oh mein Gott.« Ich springe auf, mein Herz klopft mir bis zum Hals. »Was haben wir… Warum sind wir… *Wo* sind wir?« Als ich mich hektisch umschaue, fällt mein Blick auf Tische und eine Wand voller Leuchtreklameschilder für Bier. Wäre ich schon mal hier gewesen, würde ich mich bestimmt daran erinnern. »Was ist das für ein Laden?«

»Setz dich lieber wieder hin, bevor du noch mal umkippst. Ich hole dir ein Glas Wasser«, sagt Mateo ruhig.

Erst will ich widersprechen, aber mir ist tatsächlich schwindlig, deshalb lasse ich mich auf die Bank sinken, während Mateo auf eine Theke zugeht. *Wir sind in einer Kneipe,* wird mir klar. Einer Kneipe, in der sich Mateo bestens auszukennen scheint. »Ist das hier das … Garrett's?«, frage ich.

Cal, der bis jetzt schweigend neben mir saß, lächelt schief. »Dein Gehirn scheint jedenfalls noch zu funktionieren. Das ist doch schon mal gut. Kannst du dich erinnern, warum du ohnmächtig geworden bist?«

»Da war eine Spritze«, sage ich schaudernd. »Die lag auf dem Boden, und dann hab ich hinter dem …«

»Hier.« Mateo setzt sich mir gegenüber und stellt mir ein Glas Wasser hin. »Trink erst mal und atme tief durch.«

Ich gehorche. Zum einen, weil ich am Verdursten bin, zum anderen, weil es gerade unglaublich guttut zu spüren, dass sich jemand um mich sorgt. Aber in meinem Kopf drängen sich zu viele Fragen, und Mateo und Cal schauen so ernst, dass ich es nicht lange aushalte und mit dem herausplatze, was sich mir als Bild in die Netzhaut gebrannt hat. »Da lag jemand am Boden … was ist mit ihm?«

Die beiden tauschen einen Blick. »Wissen wir nicht«, sagt Cal. Mateo nimmt mein leeres Glas, steht auf, greift nach zwei anderen, die auf dem Nebentisch stehen, und bringt sie zur Theke. »Bevor wir nachschauen konnten, was da los war, bist du plötzlich umgekippt, und danach wurde es ziemlich schnell … noch komplizierter.«

»Noch komplizierter?«, wiederhole ich.

Cal trommelt mit den Fingern auf die Tischplatte. »Die Polizei kam mit heulenden Sirenen angerast. Wir hatten kaum Zeit, uns um dich zu kümmern, da hatten sie auch schon die Tür unten eingetreten und sind die Treppe hochgestürmt. Und da sind wir einfach … na ja.« Er lockert den Kragen seines Hemds. »Wir haben uns gesagt, dass sie der Situation auch ohne uns gewachsen sein werden, und sind … abgehauen.«

Ich blinzle. »Ihr seid abgehauen.«

»Genau.« Cal fährt sich mit der Zunge über die Lippen. Er ist so blass, dass die kleinen Sommersprossen auf seiner Nase und seinen Wangen stärker als sonst hervortreten. »Durch den Hinterausgang.«

Ich stehe wieder auf und gehe auf dem zerschrammten Holzboden auf und ab. »Das heißt, ihr ... Ihr habt nicht mit der Polizei gesprochen?«

Cal schüttelt den Kopf. »Nein.«

»Nur damit ich das richtig verstehe.« Meine Stimme wird lauter. »Ihr seid von einem *Tatort* abgehauen?«

Cal befeuchtet wieder seine Lippen, sagt aber nichts, worauf ich mich zu Mateo umdrehe. Er hat die Unterarme auf die Theke gestützt und sieht mich an wie ein vom Schicksal geschlagener Barkeeper, der daran gewöhnt ist, dass die Gäste ihm ihr Leid klagen. »Und das habt ihr ernsthaft für eine gute Idee gehalten?«, frage ich fassungslos.

In Mateos Kiefer zuckt ein Muskel. »Das war eine totale Ausnahmesituation. Die Polizei war im Anmarsch, und wir hatten keine Ahnung, was passiert war. Wir mussten schnell eine Entscheidung treffen, und das haben diejenigen von uns, die *bei Bewusstsein* waren, auch getan. Tut mir leid, wenn du dich anders entschieden hättest, aber es war leider nicht möglich, dich nach deiner Meinung zu fragen.«

Ich öffne den Mund, um eine spitze Bemerkung zu machen, lasse es dann aber, weil mir klar wird, dass das ihm gegenüber nicht fair wäre. In der Middleschool, als wir drei noch befreundet waren, war er der Einzige, der jedes Mal, wenn wir zusammen in der Carlton Mall unterwegs waren, von den Security Leuten immer scharf im Auge behalten wurde. Einer hat sogar einmal völlig grundlos seinen Rucksack durchsucht. Mateo stand nur mit versteinerter Miene daneben, während der Typ zerfledderte Schulhefte, Stifte, ein Paar hoffnungslos verheddere Kopfhörer und einen Hoodie auspackte, bevor er ihm alles ohne ein Wort der Entschuldigung wieder zurückgab. Deswegen verstehe ich – auch wenn es etwas gedauert hat –, warum er nicht auf die Polizei warten wollte. Trotzdem tigere ich immer noch aufgewühlt zwischen dem Tisch, an dem Cal sitzt, und der Theke hin und her. »Okay. Aber wir sollten irgendjemandem sagen, dass wir gesehen haben, wie Boney in das Gebäude ...«

Mateos Miene erstarrt, als ich Boneys Namen erwähne. Ich bleibe abrupt stehen und mein Ärger wird von kaltem Grauen ersetzt. »Was ist?«, sage ich.

»Der Typ, den wir dort liegen sehen haben ...« Mateo richtet sich auf und schluckt schwer. »Wer auch immer das war ... Er lebt nicht mehr.«

Ich habe das Gefühl, den Boden unter den Füßen zu verlieren, und klammere mich an der Theke fest. »Das war Boney.«

»Woher weißt du das so sicher?«, fragt Mateo.

»Die Sneakers«, sage ich schwer atmend. »An denen hab ich ihn erkannt.«

Als ich wie gelähmt in der Tür des Atelier stand, war ich mir nicht sicher. Aber als ich jetzt daran zurückdenke, wie Boney letzte Woche für unser Rededuell auf die Bühne der Aula geschlurft ist ... doch, ich bin mir ganz sicher. Ich erinnere mich an seine leuchtend violetten Schuhe. *Warum muss er immer um jeden Preis auffallen,* hat sich die kleinkartierte Spießerin in mir gefragt – der klar gewesen war, dass sie die Wahl haushoch verlieren würde.

Ich war so unfassbar wütend auf ihn. Und als ich ihn dann

heute Morgen in dem Gebäude verschwinden sah, konnte ich es nicht erwarten, ihm endlich mal so richtig die Meinung zu sagen. Noch während ich über die Straße stürmte, hatte ich schon eine empörte Rede im Kopf, für die ich noch nicht mal Notizen gebraucht hätte. Scheiße. Ich vergrabe den Kopf in den Armen und presse meine glühende Stirn ein paar Sekunden lang auf die kühle Theke. Kaum spüre ich Mateos Hand auf meinem Ellbogen, hebe ich den Kopf wieder. Ich darf jetzt nicht weinen, weil ich nämlich nicht weiß, wann ich es schaffen würde, wieder damit aufzuhören. Mein Instinkt sagt mir, dass ich die Tränen zurückdrängen und einen kühlen Kopf bewahren muss.

»Ivy«, sagt Mateo sanft, aber ich zucke zurück, als hätte er mich angeschrien. *Bitte nicht!* Ein einfühlsamer Mateo ist das Letzte, was ich jetzt brauche. Sonst ist der Nervenzusammenbruch vorprogrammiert.

»Woher …« Meine Stimme klingt belegt, und ich muss ein paarmal schlucken, bevor ich weitersprechen kann. »Woher wisst ihr, dass er tot ist?«

»Wir haben es eben in den Nachrichten gehört.« Mateo deutet über meine Schulter. Ich drehe mich um und sehe erst jetzt den an der Wand hinter mir befestigten großen Flatscreen. Das Bild ist eingefroren. Ich will mich wieder zu Mateo drehen, als ich stutze.

»Dale Hawkins?«, sage ich.

Mateo kommt hinter der Theke hervor und geht zu Cal an den Tisch. »Redest du von dem Reporter?«

»Ja, genau.« Ich gehe auch zum Tisch zurück. »Meine Eltern kennen ihn. Ich bin ihm ein paarmal auf verschiedenen Benefizveranstaltungen begegnet.« Dale war früher bei einem der öffentlichen Fernsehsender in Boston, ist nach irgendwelchen Streitigkeiten um Verträge aber zu einem lokalen Kabelsender gewechselt, wo er eine eigene Nachrichtensendung bekommen hat. Wobei mein Vater der Meinung ist, dass Dale den Begriff »Nachrichten« ziemlich lose definiert. »Reißerisches Infotainment trifft es wohl eher«, sagt er gern.

Seine Einschätzung ist vielleicht nicht ganz objektiv. Dale hat ein paar nicht sehr schmeichelhafte Features über Dads Projekte gebracht, alle unter dem Motto *Mächtige Player walzen einheimische Kleinunternehmer nieder.* »Keine Spur von differenzierter Berichterstattung«, hatte Dad sich beschwert. »Billige Effekthascherei. Und das von diesem Heuchler.« Dale Hawkins lebt nämlich auch in Carlton, und hat dort einen alten Bungalow abreißen und sich stattdessen eine protzige Villa hinstellen lassen, was Dad maßlos aufregt.

Das eingefrorene Bild zeigt Dale vor einem etwas heruntergekommenen ehemaligen Fabrikgebäude. Er schaut mit diesem eindringlichen Blick in die Kamera, den er auch jedes Mal aufsetzt, wenn er über *Shepard Properties* berichtet. Aber als ich das Graffiti über seiner rechten Schulter und die grüne Eisentür hinter ihm sehe, erstarre ich. Er steht vor dem Gebäude, in dem wir eben gewesen sind.

Mateo liefert mir die Bestätigung. »Das ist der Bericht über das, was in dem Atelier passiert ist.« Er greift nach der Fernbedienung und richtet sie auf den Flatscreen. »Moment, ich spiel alles noch mal von vorn ab.« Dale Hawkins erwacht auf dem Bildschirm zum Leben und spricht mit ernstem Gesicht in die Kamera. »Wir befinden uns gerade live vor Ort in einem ruhigen Gewerbegebiet nördlich von Faneuil Hall, das heute Morgen zum Schauplatz einer schrecklichen Tragödie wurde.«

Mateo, Cal und ich hören Dale schweigend zu, bis er sagt:
»... weshalb die Polizei die Bevölkerung aufruft, sich zu melden, sollte jemand irgendwelche Hinweise auf eine junge Frau haben, die sich zum fraglichen Zeitpunkt in der Gegend aufgehalten haben könnte und als blond, attraktiv und ungefähr Anfang zwanzig beschrieben wird.« Mateo drückt wieder auf Pause. »Bis hierhin hatten wir geschaut, als du wieder zu dir gekommen bist.«

»Okay«, sage ich und frage mich, ob ich es mir nur einbilde, dass er seinen Blick eine Spur zu lange auf mir ruhen lässt. »Dann lass uns weiterschauen, was er noch zu sagen hat.«

Aber Dale nennt nur noch die Telefonnummer der Polizei und verabschiedet sich dann, nicht ohne noch mal mit dem durchdringenden Blick, für den er bekannt ist, in die Kamera geschaut zu haben. Wir sind alle einen Moment still, bis Mateo ausspricht, was wir alle denken.

»Okay ... Die Polizei sucht also nach einer blonden Frau.«

Ich ziehe meinen Pferdeschwanz über die Schulter nach vorn und kämme mir mit den Fingern durch die Spitzen, während Mateo und Cal schweigend darauf warten, dass ich etwas sage. »Damit kann aber nicht ... Damit können sie nicht mich meinen, oder?«

Die beiden bleiben stumm. »Ich bin nicht Anfang zwanzig«, sage ich und schaue von Cals aufgewühltem Gesicht zu dem von Mateo, das ausdruckslos ist. Es macht mich total fertig, dass ich nie weiß, was er denkt. Jetzt gerade zum Beispiel – findet er, dass die Beschreibung auf mich passt oder dass ... *attraktiv* als Beschreibung nicht auf mich passt? Der Gedanke ist so dermaßen unpassend, dass ich mich dafür mental ohrfeigen will.

Mateo zuckt mit den Achseln. »Gibt viele Leute, die total

hoffnungslos sind, wenn es darum geht, das Alter von anderen zu schätzen.«

»Ja meinetwegen, aber …« Ich höre Dale Hawkins Stimme als Dauerschleife in meinem Kopf. »Selbst wenn mich jemand an der Tür zum Atelier stehen gesehen hätte, kann er unmöglich gedacht haben, ich hätte Boney irgendwas *gespritzt*. Ich war zu keinem Zeitpunkt in seiner unmittelbaren Nähe.« Plötzlich bin ich Mateo und Cal – wenn auch mit Verspätung – wahnsinnig dankbar dafür, dass sie mich weggebracht haben, bevor die Polizei den Tatort erreicht hat. Ich kann mich an nichts erinnern, was irgendwie nützlich wäre, und wenn ich dort erwischt worden wäre … Tja, dann wäre die Tatsache, dass ich den Tag ruiniert hätte, an dem Mom als Carltons Bürgerin des Jahres ausgezeichnet werden sollte, noch mein kleinstes Problem gewesen.

»Vielleicht hat dich jemand die Treppe hochgehen sehen und die falschen Schlüsse gezogen«, sagt Mateo.

Cal reibt sich die Schläfen. »Haltet ihr es für möglich, dass Boney … sich das selbst angetan hat? Dass er sich eine Überdosis gespritzt hat? Ich meine, das ist doch in letzter Zeit ständig Thema, oder? Dass die harten Drogen in Carlton mittlerweile zu einem echten Problem geworden sind.«

»Aber wir sind hier nicht in Carlton«, wende ich ein. »Warum sollte Boney um zehn Uhr morgens nach Boston fahren, um sich eine Dröhnung zu verpassen? Das hätte er auch zu Hause machen können.«

Ich schaue zu Mateo, ob er meiner Meinung ist, aber er blickt auf den Boden. »Hast du sonst noch jemanden in dem Gebäude gesehen?«, fragt er leise.

Ich schüttle den Kopf. »Nein.«

»Oder gehört?«, lässt er nicht locker.

Ich will wieder *Nein* sagen, halte dann aber inne und denke nach. Ich war voller Adrenalin, als ich in das Gebäude gestürmt bin, um Boney zur Schnecke zu machen, und obwohl ich keine Ahnung hatte, wo er hingegangen ist, bin ich zielstrebig nach links abgebogen und vier Stockwerke hochgelaufen. Warum habe ich das gemacht? »Hm ... vielleicht«, sage ich und wickle das Ende meines Pferdeschwanzes fest um meine Finger. »Ich glaub ... da war ein Geräusch, dem ich bis nach oben gefolgt bin. Schritte oder so.« Meine Erinnerung wird deutlicher und meine Stimme fester. »Ja. Es hat sich angehört, als ob dort oben jemand wäre.«

»Gut, dass du diesem jemand nicht in die Arme gelaufen bist«, sagt Mateo grimmig.

Mir läuft es kalt den Rücken hinunter. Ich sehe Cal an, der mit gesenktem Kopf auf sein Handy starrt, und plötzlich fällt mir etwas ein. »Moment mal«, sage ich. Mein scharfer Unterton lässt ihn aufschauen. »Dieses Mädchen, das du kennst. Die, die das Atelier mitbenutzt. Ist die zufällig blond?« Cal wird blass, und ich würde mir am liebsten an die Stirn klatschen, dass ich nicht früher darauf gekommen bin. »Ja, ist sie, oder?«

»Sie war nicht da«, sagt er schnell.

»Ob sie *blond* ist, hab ich gefragt.«

Cal durchläuft mir bislang unbekannte Stadien der Blässe und wird kalkweiß. »Sie ... Ich ... Ich hab übrigens dein Handy«, sagt er.

Okay, er versucht abzulenken. »Wie bitte?«

Cal greift in seine Tasche und zieht ein iPhone der letzten Generation in einem dicken schwarzen Case heraus. »Du hast es fallen lassen, als du ohnmächtig geworden bist, aber ich hab es mitgenommen. Hier.«

Ich nehme es mit spitzen Fingern entgegen. »Das ist nicht meins.« Ich ziehe den Reißverschluss meiner Umhängetasche auf und hole mein eigenes Handy raus, das in einem roségolden karierten Case steckt. »Meins war die ganze Zeit hier drin. Dann muss das hier ...«

»Shit.« Mateo nimmt es mir aus der Hand. »Das muss von Boney sein.«

Cal schluckt. »Oder es gehört demjenigen, der ihn umgebracht hat.«

Wir starren einen Moment schweigend auf das Handy. »Das ist ... ein Beweisstück«, sage ich langsam. »Das müssen wir zurückbringen.«

Mateo zieht die Brauen zusammen. »Du meinst, an den Tatort? Und wie sollen wir das deiner Meinung nach bitte anstellen?«

»Vielleicht könnten wir es ... per Post schicken? Zusammen mit einer kurzen Nachricht?«, schlage ich vor.

Cal rutscht geräuschvoll mit seinem Stuhl nach hinten und steht auf. »Ich müsste mal zur Toilette«, sagt er.

Mateo deutet über die Schulter hinter sich. »Die Tür links neben dem Fernseher.«

»Danke. Bin gleich wieder da.«

Ich schaue Cal hinterher, bis die Schwingtür zuklappt, bevor ich mich wieder Mateo zuwende. »Was ist mit ihm *los*?«, zische ich.

»Keine Ahnung«, sagt er kopfschüttelnd. »Aber mit diesem Mädchen aus dem Atelier ist irgendwas im Busch. Er weigert sich, über sie zu reden. Beantwortet noch nicht mal die einfachsten Fragen.«

Er hält immer noch das Handy in dem schwarzen Case in der Hand, und ich weiß, dass ich entweder weiter versuchen sollte, ihn davon zu überzeugen, es irgendwie zur Polizei zu schicken, oder darüber spekulieren sollte, was mit Cal los ist. Aber ich kann mich nicht dazu durchringen, irgendwas zu sagen. Ich bin zu unruhig, zu durcheinander und viel zu erschöpft. Stattdessen schaue ich auf die hinter der Bar aufgereihten Flaschen und sage: »Bin ich eigentlich die Einzige hier, die einen Drink vertragen könnte?«

Mateo lacht, und in seinen Wangen bilden sich die Grübchen, die immer nur dann sichtbar werden, wenn ihn irgendetwas überrascht. Mit dreizehn, als meine Verliebtheit am heftigsten war, habe ich praktisch für nichts anderes gelebt, als ihm dieses Lächeln zu entlocken. »Ivy Sterling-Shepard. Alkohol noch vor der Mittagszeit? Ich muss mich wundern.«

»In diesem Fall gelten mildernde Umstände«, sage ich, nicht sicher, ob er mich ernst nimmt – oder ob ich es überhaupt ernst *gemeint habe* –, aber er geht tatsächlich hinter die Theke und zeigt mit ausholender Geste auf die Spirituosen.

»Was darf es sein?«

»Marker's Mark«, sage ich.

»Bourbon, ja?« Sein Mund verzieht sich zu einem kleinen Grinsen. »Du steckst voller Überraschungen.«

»Nur einen kleinen.« Ich trinke nicht wirklich oft was, und für Carlton-High-Maßstäbe könnte ich auf Partys sogar als Abstinenzlerin durchgehen. Aber seit Daniel und ich beide sechzehn sind, lassen unsere Eltern uns von allem kosten, was sie selbst trinken, weil sie der Meinung sind, dass ein Verbot nur dazu führen würde, dass wir es heimlich ausprobieren und womöglich übertreiben würden. Die Strategie hat funktioniert, jedenfalls insofern, als Daniel festgestellt hat, dass ihn Alkohol gar nicht interessiert, und ich, dass mir außer dem weichen, würzigen Whiskey, den mein Vater am liebsten trinkt, nichts schmeckt.

»Keine Sorge. Du kriegst nur einen winzigen Schluck, alles andere würde dem Barkeeper auch auffallen.«

Das mit dem winzigen Schluck meint er wortwörtlich. Die bernsteinfarbene Flüssigkeit bedeckt kaum den Boden des kleinen Schnapsglases, mit dem er zu mir zurückkehrt.

»Was ist mit dir?«, frage ich, als er es mir hinhält.

»Lieber nicht«, sagt Mateo, und ich bekomme sofort ein schlechtes Gewissen, weil er sich eindeutig Sorgen macht, dass sein Chef was merken könnte. Wahrscheinlich sollte ich ihm den Shot zurückgeben, aber ich bin mir sicher, er würde abwinken und sagen, dass das schon okay ist, und dann würde es ein kleines Hin-und-Her geben und die Sache würde unnötig kompliziert und ...

... und außerdem läuft mir der Whiskey schon die Kehle runter.

In meinem Brustkorb breitet sich Wärme aus. Es ist das gleiche wohlige Gefühl, wie wenn Dad und ich zusammen im Wohnzimmer sitzen. Er an seinem Schreibtisch in seine Arbeit vertieft, ich mit einem Buch in einen Sessel gekuschelt. Sicher und geborgen. Ich denke an Boneys Eltern, für die dieser Tag bestimmt wie jeder andere angefangen hat, und das Gefühl verpufft schlagartig. Wahrscheinlich haben sie sich morgens wie die meisten Eltern gehetzt und im Kopf schon bei den tausend Dingen, die zu erledigen sind, auf den Weg zur Arbeit gemacht, ohne den Hauch einer Ahnung, was für eine entsetzliche Nachricht sie in ein paar Stunden erreichen wird.

Hinter meinen Augen baut sich Druck auf und ich kneife sie kurz zusammen. *Nicht jetzt,* ermahne ich mich. Zusammenbrechen kann ich später immer noch, erst mal müssen wir uns aus der Scheiße holen, in der wir sitzen. Ich atme ein paarmal tief durch, dann frage ich Mateo:»Okay. Was sollen wir machen?«

»Ich weiß es nicht.« Er dreht nachdenklich das Smartphone in dem schwarzen Case hin und her. »Aber du hast recht. Wir müssen irgendwie dafür sorgen, dass die Polizei dieses Handy bekommt. Falls es von Boney ist, sind vielleicht Nachrichten oder Anrufe drauf, die erklären würden, warum er in dem Gebäude war.«

»Schau doch mal, ob du es entsperren kannst«, sage ich. »Ich wette, er hat eine total leicht zu knackende PIN. Versuch es mit 1-2-3-4.«

Mateo tippt die Zahlen ein und schüttelt den Kopf. »Negativ.«

»Sein Name?«, schlage ich als Nächstes vor, aber bevor Mateo es probieren kann, kommt Cal von der Toilette zurück. Er rollt langsam die Ärmel seines Hemds nach oben, ein alter Tick von ihm, wenn er sich bereit macht, etwas zu sagen, von dem er weiß, dass es nicht gut ankommen wird.

Er räuspert sich. »Ich muss mal kurz weg.«

»Weg?«, wiederholen Mateo und ich gleichzeitig und sehen ihn entgeistert an. »Wohin?«, schiebe ich hinterher. Als Cal nicht sofort antwortet, steigt Wut in mir hoch. »Sag mal, spinnst du? Du kannst jetzt nicht einfach weg. Wir stecken bis zum Hals in Schwierigkeiten.«

»Ich kann machen, was ich will.« Cal gibt den schmollenden Vierjährigen, wie immer, wenn jemand versucht, ihm eine blöde Idee auszureden.

»Triffst du dich mit *ihr*?«, frage ich. »Mit der Blonden, die in einem Gebäude ein und aus geht, in dem Leute umgebracht werden?«

»Ich hab nie gesagt, dass sie blond ist.«

»Das war auch nicht nötig«, schnaube ich. »Kennt sie Boney?«

»Sie ... Hör zu, es ist kompliziert. Ich kann es euch erklären, aber vorher muss ich mit ihr reden.« Er zieht sein Handy aus der Hose. »Ich treffe mich kurz mit ihr, komme wieder zurück und dann überlegen wir, was wir als Nächstes machen. Die U-Bahn-Station Haymarket ist doch direkt hier um die Ecke, oder?«

Als er gehen will, springe ich auf und blockiere ihm den Weg. »Das kann nicht dein Ernst sein«, protestiere ich, aber bevor ich richtig Fahrt aufnehmen kann, legt Mateo mir eine Hand auf den Arm.

»Ist schon okay, Ivy. Lass ihn gehen.«

»Wie bitte?« Ich sehe ihn fassungslos an, was Cal dazu nutzt, sich an mir vorbeizuschieben.

»Wir sind alle mit den Nerven am Anschlag«, sagt Mateo. »Und es wird nicht besser, wenn wir jetzt auch noch anfangen, uns gegenseitig fertigzumachen.« Er nimmt mein leeres Schnapsglas und geht damit hinter die Theke, um es auszuspülen. Cal folgt ihm. »Wenn Cal sagt, dass er kurz weg muss, hat er bestimmt einen triftigen Grund dafür.«

»Den hab ich«, sagt Cal. Er öffnet eine Tür, die mir bis dahin gar nicht aufgefallen ist. Scheint so eine Art Hintereingang zu sein. »In spätestens einer Stunde bin ich wieder bei euch, eher früher. Soll ich, ähm, dreimal klopfen, damit ihr wisst, dass ich es bin?«

Mateo, der gerade das Glas abtrocknet, unterdrückt ein Stöhnen. »Schreib uns einfach eine Nachricht, Cal.«

»Alles klar.« Cal verschwindet die Treppe hinunter und die Tür fällt ins Schloss.

Ich stehe mit verschränkten Armen da, fühle mich hilflos und weiß nicht, was ich sagen soll. Das heißt, ich weiß es schon, schaffe es aber nicht, es auszusprechen. Mateo ist mein Kryptonit, und das nicht nur, weil ich vor Jahren in ihn verliebt war. »Und wir warten jetzt einfach hier, oder was?«

Mateo stellt das Glas an seinen Platz zurück, faltet sorgfältig das Geschirrtuch zusammen und verstaut es unter der Theke. »Natürlich nicht«, sagt er seelenruhig. »Wir gehen ihm hinterher.«

8

MATEO

Cals leuchtend rote Haare machen es uns verfolgungstechnisch ziemlich einfach. Ivy und ich schließen nur ein paar Straßen vom Garrett's entfernt zu ihm auf, als er gerade an dem Bauernmarkt vorbeikommt, der hier jedes Wochenende stattfindet. Ich kenne die Ecke ganz gut, weil meine Mutter, die in der Bronx geboren und aufgewachsen ist, im Herzen ein Stadtmensch geblieben ist und mit mir von klein auf regelmäßig nach Boston gefahren ist. Meistens waren wir nur zu zweit, beziehungsweise – nachdem Autumn zu uns gekommen ist – zu dritt unterwegs. Aber zwischendurch hat uns auch mein Dad immer mal wieder begleitet oder wechselnde Mitglieder von Mas riesiger Familie, die uns zweimal im Jahr besucht hat.

Meine Großmutter hat diese Ausflüge gern als eine Art Abwerbungskampagne genutzt. Jedes Mal, wenn wir mit ihr hier waren, blieb sie irgendwann stehen, schaute sich um und sagte mit einem kleinen Schnauben: »Ganz nett, aber keine echte Stadt. Das muss dir schrecklich fehlen, Elena.«

Ma ist als Einzige von ihren Geschwistern aus New York weggegangen, hat ein Softball-Stipendium am Boston College angenommen und ist geblieben. Nach Mas Heirat hat meine Großmutter sich zusammengerissen und ihrer Tochter nicht ständig damit in den Ohren gelegen, dass sie wieder nach New York zurückkommen soll, aber als meine Eltern sich scheiden ließen und mein Dad sich auf seinen Selbstfindungstrip machte, meldete sie sich wieder häufiger. Und seit das »Spare Me« schließen musste und Ma die Arthrose-Diagnose bekommen hat – wobei sie meiner Großmutter nie gesagt hat, wie schlimm es wirklich steht – ruft sie fast täglich an. »Lass dir doch von der Familie helfen, Liebes«, heißt es dann immer. »Komm nach Hause.«

Mas Antwort ist jedes Mal dieselbe. »Ich *bin* zu Hause. Meine Kinder sind hier geboren.« Sie sagt, *meine Kinder,* hat nie einen Unterschied zwischen Autumn und mir gemacht. Und obwohl Autumn keine Blutsverwandte ist, hat meine Großmutter das auch nie infrage gestellt. Im Gegenteil. Gram empfindet es ganz genauso.

Insgeheim denke ich, dass meine Großmutter nicht ganz unrecht hat. Würden wir in New York leben und hätten die Unterstützung der ganzen Familie, würde weniger Druck auf Autumn und mir lasten (und sie wäre von Loser-Gabe weg). Aber ich würde mich nie im Leben gegen meine Mutter stellen. Deshalb sage ich jedes Mal, wenn Gram oder eine meiner Tanten oder einer meiner Onkel mich beiseitenehmen, dasselbe wie Ma. *Uns geht es gut.*

»Was macht eigentlich dein nichtsnutziger Vater, um euch zu unterstützen?«, hat Gram mich bei ihrem letzten Anruf gefragt.

»Er zahlt Unterhalt für mich«, habe ich wahrheitsgemäß geantwortet. Dass es nur fünfzig Dollar im Monat sind, braucht sie nicht zu wissen. Dad beteuert ständig, er sei auf der Suche nach einem Job in der Nähe, damit er nach

Carlton zurückziehen und uns unter die Arme greifen kann, aber das ist nichts, was ich meiner Großmutter erzählen würde. Ihr wäre genauso klar wie mir, dass das bloß leeres Geschwätz ist.

»Ach, Mateo«, hat sie geseufzt, als wir uns verabschiedet haben. »Du bist genauso ein Sturkopf wie sie. Eines Tages bringst du mich noch ins Grab.«

Zum Glück hat sie keine Ahnung, was hier gerade los ist, sonst könnte aus dieser Redensart womöglich bitterer Ernst werden.

Ivy geht schweigend neben mir her und scheint in ihre eigenen Gedanken versunken zu sein, bis unsere Handys plötzlich beide gleichzeitig plingen. Ihres steckt in der Tasche, die über ihrer Schulter hängt. Während sie danach kramt, ziehe ich meines aus der Hosentasche. Auf dem Display sehe ich eine ganze Reihe von Nachrichten von Carmen und von meinem Freund Zack:

Zack: Wo steckst du, Mann? Boney Mahoney ist TOT.

Zack: Wurde erstochen oder so was.

Zack: Keine Ahnung, was genau passiert ist, aber hier kursieren die wildesten Gerüchte.

Scheiße. Wie kommt es, dass alle schon Bescheid wissen? In den Nachrichten ist Boneys Name, soweit ich weiß, nicht erwähnt worden. Aber vielleicht haben sie mittlerweile weitere Informationen preisgegeben.

Zack: Ishaan & ich bringen während der Mittagspause eine Carlton-Speaks-Sondersendung.

Zack: Weiß aber keiner, behalt's also für dich.

Zack und ein anderer Typ aus unserer Klasse haben letztes Frühjahr in ihrem Wahlfach Mediengestaltung einen You-Tube-Kanal gestartet, auf dem sie über Schulereignisse berichtet haben. Das Projekt ist so gut angekommen, dass sie weitergemacht haben. Allerdings dürfen sie nichts ohne die Zustimmung eines Lehrers senden, und ich bin mir sicher, dass irgendwelche Spekulationen über Boney auf keinen Fall von der Schule abgesegnet werden würden.

Carmen: Hey, alles okay bei dir???

Carmen: Kein guter Tag, um in der Schule zu fehlen. Boney ist auch nicht hier, und ich hab jetzt schon von einigen Leuten gehört, dass er angeblich in Boston umgebracht worden ist (weinendes Emoji).

Carmen: Ivy ist heute übrigens auch nicht in der Schule … was echt ein schräger Zufall ist.

Ich schaue zu Ivy, die mit großen Augen auf ihr Display starrt. »Okay. Emily hat geschrieben.« Ihre Stimme klingt hoch und angespannt. »Sie sagt, dass sie in den Nachrichten Boneys Namen erwähnt haben und an der Schule sofort die Hölle ausgebrochen ist. Alle rätseln, wer die blonde Frau sein könnte, von der in dem anonymen Hinweis die Rede ist. Und darüber, warum ich nicht in der Schule bin. Ich fasse es nicht. Heißt das, die Leute stellen sich ernsthaft vor, ich könnte Boney aus Rache wegen der Wahl *umgebracht* haben?«

»Quatsch, jetzt übertreib mal nicht. Das denkt niemand«, gebe ich zurück, als auf meinem Handy die nächste Nachricht ankommt.

Carmen: Du würdest nicht glauben, was für irre Gerüchte die Leute über sie verbreiten.

»Ach ja?« Ivy deutet mit hochgezogenen Brauen auf mein Handy. »Von deinen Freunden hat mich niemand erwähnt?«

»Nope.« Ich stecke mein Handy weg, bevor sie danach greifen kann. »Hör auf, deine Nachrichten zu checken, okay?

Das bringt dich nur schlecht drauf. Zum Glück sitzen wir gleich in der U-Bahn, da gibt es sowieso kein Netz. Du weißt doch, wie die Leute sind. Bis wir da angekommen sind, wo Cal hinfährt, werden sie sich über irgendwas anderes das Maul zerreißen.« Nicht dass ich das auch nur eine Sekunde glaube, aber wenn Ivy jetzt die Nerven verliert, kommt sie aus dem Zustand womöglich nie wieder raus.

»Scheiße, stimmt, da gibt es kein Netz! Aber ich ... ohhh. Okay. Puh.« Sie hält mit unendlich erleichtertem Ausdruck im Gesicht ihr Handy hoch. »Die Maschine von meinen Eltern ist gerade gestartet.«

»Die Maschine von deinen Eltern?«, frage ich, als vor uns die U-Bahn-Station Haymarket in Sicht kommt.

»Die beiden waren für ein verlängertes Wochenende in San Francisco. Zu ihrem zwanzigsten Hochzeitstag. Und heute Abend wird Mom in der Mackenzie Hall als Bürgerin des Jahres der Stadt Carlton geehrt und ich soll die Laudatio auf sie halten. Ihr Flug landet in sechs Stunden.« Ivy steckt entschlossen ihr Handy weg. »Bis dahin *muss* ich die Sache in Ordnung gebracht haben.«

Als die Bahn hält, steigen wir in den Wagen hinter dem von Cal, sodass wir ihn durch die verglaste Abteiltür im Auge behalten können. Er steht mit dem Rücken zu uns, hat die Schultern hochgezogen und wirkt so niedergeschlagen, dass sich unwillkürlich mein Beschützerinstinkt aktiviert. Der Cal, mit dem ich früher fast jeden Tag abhing, war immer total offen, freundlich und unbeschwert. Ich habe keine Ahnung, wer dieses Mädchen ist, mit dem er sich trifft, aber falls sie der Grund dafür ist, dass es ihm gerade so beschissen geht, ist sie mir jetzt schon unsympathisch.

Andererseits habe ich Cal vielleicht nie wirklich gut gekannt. Wahrscheinlich gab es ein paar Dinge in seinem Leben, die komplizierter waren, als ich es damals begriffen habe.

Ivy klammert sich so krampfhaft an der Haltestange fest, dass die Knöchel weiß hervortreten. »Er fährt bestimmt nach Cambridge«, sagt sie, als wir an der Haltestelle North halten und Cal keine Anstalten macht, auszusteigen. Bis zur Endhaltestelle sind es nur noch zwei Stationen: Science Park und Lechmere in East Cambridge. Sie tritt unruhig von einem Fuß auf den anderen. »Sollten wir ... sollten wir vielleicht ein paar Dinge besprechen?«

»Was für *Dinge*?«, sage ich vorsichtig und frage mich, ob sie womöglich Gedanken lesen kann. Aber auch wenn meine Gedanken immer wieder in die Vergangenheit zurückreisen, habe ich kein Bedürfnis, mit Ivy über früher zu reden. Je mehr Zeit ich allein mit ihr verbringe, desto sicherer bin ich mir in dem Punkt.

»Du weißt schon.« Sie senkt die Stimme. »Zum Beispiel ... was erzählen wir den Leuten? Ich meine, wenn jemand wissen will, wo wir heute waren und ... das alles.«

Das alles. Genau. Ich fange erst jetzt an zu begreifen, um was wir uns *alles* kümmern müssen. Zack und Carmen, die keine Ahnung haben, wo ich stecke, werden darauf warten, dass ich reagiere. Gut möglich, dass Autumn auch nachfragt, wo ich war, und was soll ich ihr dann sagen? Wir haben keine Geheimnisse voreinander. Nicht mal, wenn sie Dinge tut, von denen ich lieber nichts wissen will. Was in letzter Zeit ständig der Fall ist.

Das ist so ein verdammter Albtraum, in den wir da hineingeraten sind, dass mir der Kopf dröhnt. »Ein Schritt nach dem anderen, okay? Lass uns zuerst rausfinden, wo Cal hin-will. Über alles andere machen wir uns später Gedanken.« Ehrlich gesagt, weiß ich gar nicht, wie sehr es mich über-haupt interessiert, was Cal vorhat, aber das ist wenigstens etwas, das wir herausfinden können. Für das, was mit Boney passiert ist, gilt das nicht.

»Und was ist, wenn wir …«

»*Später*, Ivy«, unterbreche ich sie gereizt. Wir sind nicht mehr in der achten Klasse, als ich für sie noch alles getan hätte.

Ein paar andere Fahrgäste schauen in unsere Richtung.

»Okay, okay«, murmelt Ivy und rückt ein Stück von mir ab. Sie sieht alles andere als glücklich aus, aber hey …

Kurz vor der Haltestelle Science Park fährt die Bahn aus dem Tunnel, und ich sehe durchs Fenster, wie wir uns dem Museum of Science nähern. Es ist eins der beliebtesten Aus-flugsziele der Lehrer an Carltons Schulen, weshalb ich be-stimmt schon ein halbes Dutzend Mal dort war. Das letzte Mal in der siebten Klasse. Damals haben wir eine interaktive Ausstellung besucht, und an einer der Stationen wurden die körperlichen Reaktionen getestet, die man beim Betrachten von Aufnahmen verschiedener Tiere zeigte. Bekam man er-weiterte Pupillen oder fing der Puls an zu rasen, bedeutete das, dass man vor dem jeweiligen Tier Angst hatte.

Ivy und ich reagierten, wie zu erwarten war, auf die klas-sischen Furcht einflößenden Tiere – eine zischende Schlan-ge, ein Krokodil mit aufgerissenem Maul –, aber Cal zeigte schon körperliche Angstsymptome, wenn er nur ein Kanin-chen in einem Blumenbeet sah. Ivy hat sich damals vor Lachen nicht mehr eingekriegt. »Du hast Angst vor Häs-chen, Cal!«

»Hab ich nicht!«, protestierte er. »Bei dem Test muss irgendwas schiefgelaufen sein.«

»Bei uns hat er funktioniert«, sagte ich, während sich Ivy weiter kaputtlachte.

Dann wurde sie plötzlich nachdenklich und hat gesagt: »Zum Glück haben wir das Zeitalter der Jäger und Sammler hinter uns gelassen. Du würdest in der Wildnis keinen Tag überleben, Cal. Du hast vor den falschen Dingen Angst.« So ist Ivy; sie stellt Beobachtungen an, die erst mal nicht sonderlich tiefgründig wirken, aber am Ende denkt man noch Jahre später darüber nach. Wohin auch immer Cal unterwegs ist, ich würde glatt die Hand ins Feuer dafür legen, dass ihn dort nichts Gutes erwartet und er sich darüber nicht im Klaren ist.

Cal steigt auch an der Haltestelle Science Park nicht aus, und eine Minute später verkündet eine Stimme über die Lautsprecher »Lechmere, Endstation«. Ivy und ich halten uns schwankend an der Stange über uns fest, bis die U-Bahn schließlich kreischend zum Stehen kommt. Nachdem die Türen sich geöffnet haben, strömen wir mit den anderen Fahrgästen nach draußen. Wir lassen uns ein Stück zurückfallen, als Cal der Menge durch ein Drehkreuz Richtung Straße folgt und an einer roten Ampel stehen bleibt. Hier gibt es praktisch keine Möglichkeit mehr, uns zu verstecken. Cal müsste nur den Kopf drehen, um uns zu sehen. Aber das tut er nicht. Weder an der Ampel noch als er die Straße überquert. Auch nicht, als wir ihm hinterhergehen, bis er vor einem gedrungenen blauen Backsteingebäude anhält, an dem ein Schild mit der Aufschrift *Second Street Café* hängt.

»Aha«, raunt Ivy, als Cal darin verschwindet.

Ich bin noch nie hier gewesen, aber das Café eignet sich

perfekt zum unauffälligen Spionieren. Es ist ziemlich groß und wirkt wie eine ehemalige Industriehalle mit dicken Leitungsrohren an der Decke und abstrakten Gemälden an den Wänden. Im Hintergrund läuft Bluesmusik, die sich mit dem Stimmengewirr der Gäste mischt. Cal bleibt kurz stehen, schaut sich um und steuert dann auf einen Ecktisch zu, an dem ein blondes Mädchen mit Baseballkappe sitzt. Sobald sie ihn sieht, hebt sie die Hand.

»Ich wusste, dass sie blond ist«, zischt Ivy. »Ich *wusste* es.« Dann zieht sie verwirrt die Brauen zusammen. »Moment mal. Ist das nicht …«

Das Mädchen neigt den Kopf zur Seite, sodass ich ihr Gesicht sehen kann. Ich bleibe wie angewurzelt stehen, weil erstens … Ja, wir kennen sie. Und zweitens … *Mädchen* beschreibt nicht ganz ihre Altersklasse. Frau trifft es eher.

»Doch«, sage ich. »Das ist sie.«

»Warum trifft er sich hier mit *ihr*?«, fragt Ivy verblüfft. »Geht es um irgendwas Schulisches oder kennt sie Cals mysteriöse Freundin oder …« Ivy klappt die Kinnlade runter, als Cal nach der Hand der blonden Frau greift und seine Finger mit ihren verschränkt. Er drückt einen Kuss auf ihre Fingerknöchel, und als sie ihre Hand wegzieht, macht sie nicht den Eindruck, als wäre sie von Cal überrumpelt worden. Der Ausdruck auf ihrem Gesicht sagt nicht *Was erlaubst du dir?*, sondern *Nicht hier.*

Was. Zum. Henker.

Ich lasse mich auf einen Stuhl an einem freien Tisch sinken, Ivy setzt sich neben mich. Die Gereiztheit, die ich ihr gegenüber eben in der U-Bahn empfunden habe, löst sich in Nichts auf. Das Einzige, worauf ich mich noch konzentrieren kann, ist das seltsame Paar, das wir beide fassungslos anstarren. »Hat Cal gerade Händchen mit unserer *Kunstlehrerin* gehalten?«, fragt sie.

Hat er. Unsere junge, heiße Kunstlehrerin Ms Jamison hat vor zwei Jahren direkt nach ihrem Collegeabschluss an der Carlton High angefangen und alle waren sofort hin und weg von ihr. Die meisten unserer Lehrer sind mittleren Alters oder stehen kurz vor der Pensionierung. Die einzige Lehrerin, die vor Ms Jamison immerhin die Bewertung »nicht unattraktiv« bekommen hat, ist Ms Meija. Sie unterrichtet Spanisch, ist mindestens dreißig und sieht aus wie eine nette Mom aus einer TV-Serie. Gut, aber nicht so übertrieben gut, dass man ihre Kurse belegen würde, wenn man es nicht müsste.

Ms Jamison dagegen sieht exakt auf die eben beschriebene Art und Weise gut aus. Die Zahl der Bewerber, die sich zum Kunstkurs angemeldet haben, war noch nie höher.

Ich selbst hatte noch nie etwas mit ihr zu tun. Es wäre nur einmal fast zu einer Begegnung gekommen, als mein Dad letzten August zwischen zwei Roadie-Gigs in der Stadt war und mir unbedingt ein paar neue Sachen für den bevorstehenden Schulbeginn kaufen wollte. Ich habe nichts gebraucht und wollte auch nichts, dachte aber, ich tue ihm den Gefallen – und behalte die Quittungen, damit ich die Sachen später zurückgeben kann. Wir waren bei Target, und er begutachtete gerade Lavalampen, als würde ich ans College wechseln und müsste mir mein Zimmer im Wohnheim einrichten, als Ms Jamison an uns vorbeiging. Sie hat auf ihrem Handy herumgewischt und nichts um sich herum wahrgenommen. Ganz im Gegensatz zu Dad, der sofort in den Jagdmodus geschaltet hat.

»Oh-oh, ich hab plötzlich das deutliche Gefühl, dass ich

dringend neue Handtücher brauche«, hat er gemurmelt, als sie auf die Abteilung mit den Heimtextilien zusteuerte. »Nein«, sagte ich knapp. Nach diesem Schema laufen ungefähr sechzig Prozent unserer Gespräche ab, weil ich zu verhindern versuche, dass er irgendeine peinliche und/oder anstößige Nummer abzieht. Die Tatsache, dass er begonnen hat, mich wie seinen besten Kumpel zu behandeln, als ich fünfzehn wurde und anfing, ihn größenmäßig zu überragen, hat es nur noch schlimmer gemacht.

»Warum nicht?« Dad war schon dabei, unseren Einkaufswagen in die andere Richtung zu drehen.

»Weil sie an der Carlton High unterrichtet«, zischte ich. »Autumn ist in ihrem Kurs.« Das hat ihn zum Glück davon abgehalten, sie anzubaggern, was er garantiert getan hätte, weil Ms Jamison in dem Moment kehrtmachte und wieder an uns vorbeiging. Sie hat meinen Vater höflich angelächelt und mir einen Blick zugeworfen, als würde ich ihr vage bekannt vorkommen, kam dann aber wohl zu dem Schluss, dass sie sich irren musste – ich war in dem Sommer ziemlich in die Höhe geschossen –, und schlenderte weiter.

Als ich gerade aufatmete und dachte, wir hätten diese Klippe erfolgreich umschifft, sagte Dad plötzlich laut: »Zu *meiner* Schulzeit waren sie noch nicht so gebaut.« Was uns einen etwas längeren Blick über die Schulter von Ms Jamison einbrachte, bevor sie endlich außer Sichtweite verschwand. Ich kann bis heute nicht sagen, ob sie in dem Moment eher genervt oder amüsiert war. Ich weiß nur, dass ich mich bis auf die Knochen blamiert fühlte. Seitdem meide ich Ms Jamisons Kurse wie die Pest.

Womit ich allerdings eine Ausnahme darstelle. Die Hälfte aller Typen an der Schule haben ihre Kurse belegt und hoffen darauf, sich Ms Jamison irgendwie freundschaftlich annähern zu können. Ein paar – hauptsächlich dumpfe Sporttypen – behaupten sogar, sie wären ihr richtig nahe gekommen. Aber die gehören alle zu der Sorte, die man nicht ernst nehmen kann, weshalb ich nie was auf ihr blödes Geschwätz gegeben habe. Außerdem ist Ms Jamison seit letztem Winter mit Coach Kendall, dem Lacrosse-Trainer der Carlton High, verlobt, der sozusagen das menschliche Äquivalent zu einem Golden Retriever ist. Fröhlich, gutmütig und total beliebt. Nach allem, was ich von den beiden so mitbekommen habe, scheinen sie glücklich zu sein.

Aber jetzt sitzt Cal hier – ausgerechnet *Cal* –, beugt sich so weit zu ihr vor, wie der Tisch es zulässt, und sieht aus, als würde er sie jeden Moment küssen.

»Das geht echt überhaupt nicht«, sagt Ivy.

»Sehe ich auch so«, sage ich. »Was macht sie überhaupt hier? Müsste sie nicht in der Schule sein?«

»Dienstags findet doch kein Kunstunterricht mehr statt. Budget-Kürzungen, schon vergessen?«

Ich kann mich gerade so davon abhalten, die Augen zu verdrehen. Typisch Ivy. Als ob sich außer ihr sonst noch jemand für so was interessieren würde. »Bist du in ihrem Kurs?«

Sie schüttelt den Kopf. »Ich habe schon seit der Neunten kein Wahlfach mehr belegt. War immer zu sehr damit beschäftigt …« Sie zögert kurz und sagt dann: »Mit dem normalen Schulstoff hinterherzukommen«, aber ich bin mir ziemlich sicher, dass sie eigentlich »mit Daniel mitzuhalten« sagen wollte. Seit ihr Bruder nach irgendwelchen Intelligenztests als hochbegabt eingestuft wurde – damals waren Ivy und ich noch befreundet –, dreht sich bei ihr praktisch alles nur noch um die Schule. Als könnte sie jeden Leistungsunterschied zwischen ihnen beiden mittels reiner Disziplin und Willenskraft ausgleichen. »Und du?«

»Hm?« Ich war so in Gedanken versunken, dass ich sie verständnislos ansehe.

»Bist du in einem von ihren Kursen?«

»Nein«, sage ich bloß, weil ich ihr auf keinen Fall erzählen will, warum nicht. »Aber Autumn hatte bei ihr Kunst und fand sie sehr nett. Sie meinte, Ms. Jamison hätte so eine ermutigende Art.«

Ivy verschränkt die Arme und schaut finster zu Cal hinüber. »Stimmt. *Total ermutigend.*«

»Glaubst du, dass Cals Väter Bescheid wissen?«, frage ich.

»Ist das dein Ernst? Die würden tot umfallen, wenn sie davon wüssten. Vor allem Wes«, sagt sie.

»Warum Wes?« Mir ist Henry damals immer viel strenger vorgekommen.

»Weil er Dekan am Carlton College ist. *Hallo?*« Ivy wedelt mit der Hand vor meinem Gesicht, als ich nicht reagiere. »Schaust du denn keine Nachrichten?«

»Weißt du doch.«

»Das College hat gerade erst einen Dozenten gefeuert, der mit einer seiner Studentinnen geschlafen hat. Das war eine Riesensache und Wes ist mehrmals dazu interviewt worden. Wenn jetzt das hier rauskommen würde, würde er wie ein Heuchler dastehen. Oder wie ein ahnungsloser Vater, der keinen Plan hat, was bei seinem Sohn los ist. Für den Dekan eines Colleges wäre beides schlecht.«

Plötzlich verstehe ich, warum Cal vorhin solche Angst hatte, von jemandem gesehen zu werden. »Kein Wunder, dass er so schnell aus dem Atelier weg wollte.«

Ivy kaut auf ihrer Unterlippe. »Cal hat gesagt, dass sie heute nicht dort war, oder?« Ich nicke. »Aber er hat *auch* gesagt, dass sie normalerweise jeden Dienstag da ist. Sie ist blond und sie kennt Boney. Das sind drei Treffer. Plus ein Zusatztreffer für …« – sie deutet zum Tisch – »*das* da. Gut, dass wir ihm gefolgt sind. Er hat eindeutig ein Interesse, an ihre Unschuld zu glauben, weshalb er bestimmt nicht die richtigen Fragen stellen wird.«

»Sollen wir näher ran? Vielleicht kriegen wir ja mit, worüber sie reden.«

»Das könnten wir machen«, sagt Ivy. »Sollten wir auch. Aber ich hätte da noch eine andere Idee.«

YOUTUBE-KANAL »CARLTON SPEAKS«

Ishaan und Zack, die vorne in einem Wagen sitzen, winken in eine Handykamera.

ZACK: Hey, hier sind mal wieder Zack Abrams und Ishaan Mittal live für euch aus *(schaut sich um)* Ishaans Auto. In dem es – ich sage es euch, wie es ist – ziemlich versifft aussieht.

ISHAAN: Du wolltest die Sendung unbedingt hier aufnehmen. Ich war für Angelo's Pizzeria.

ZACK: Zu laut. Jedenfalls lassen wir gerade unsere Mittagspause für einen Sonderbericht von *Carlton Speaks* sausen, in dem es um ein Thema geht, über das heute die ganze Schule spricht: den schockierenden Tod unseres Mitschülers Brian »Boney« Mahoney aus der Oberstufe. In den Nachrichten wurden noch nicht viele Einzelheiten bekannt gegeben, aber allem Anschein nach ist Boney in einem leer stehenden Gebäude in Boston gestorben.

ISHAAN: Er ist nicht einfach gestorben. Er wurde *umgebracht*. Und zwar von einer Perle mit blonden Haaren.

ZACK, *mit gereiztem Blick zu Ishaan:* Du prescht mal wieder viel zu weit vor. Dieses Detail ist bis jetzt noch nicht mal offiziell bestätigt worden. *(Schaut wieder in die Kamera.)* Also. Wie alle wissen, ist Boney gestern zum Jahrgangssprecher gewählt worden und sollte heute Vormittag um zehn seine Antrittsrede halten. Wir waren alle in der Aula und haben gewartet. *(Dramatische Pause.)* Aber Boney ist nie aufgetaucht.

ISHAAN, *beugt sich an Zack vorbei zur Kamera:* Und wisst ihr auch, wer heute außerdem nicht aufgetaucht ist?

ZACK: Nicht so schnell, Ishaan ...

ISHAAN, *laut:* Ganz genau. Eine Perle mit blonden Haaren. Und zwar die Perle, die bei der Wahl gegen ihn verloren hat.

ZACK: Echt jetzt, Ishaan. Immer musst du mir in mein Intro reinpfuschen.

ISHAAN: Weil du immer ewig brauchst, um zum Punkt zu kommen. Aber ist doch seltsam, oder? Ivy Sterling-Shepard, die bis heute kein einziges Mal den Unterricht verpasst hat, fehlt ausgerechnet an dem Tag, an dem der Typ stirbt, der ihr die größte Schlappe ihres Lebens verpasst hat? Und niemand weiß, wo sie steckt. Weder ihr Bruder, noch ihre beste Freundin ...

ZACK: Ich bin nicht sicher, ob wir hier Namen nennen sollten. Das sind natürlich alles reine Spekulationen ...

ISHAAN: Kann sein. Aber dieses Mädchen steht permanent unter Hochspannung. Und zu viel Spannung führt früher oder später immer zu einem Kurzschluss, falls ihr versteht, worauf ich hinauswill ...

ZACK, *nach einer kleinen Kunstpause:* Tja. Ich würde sagen, das kann man gar nicht *nicht* verstehen.

9

CAL

Ich weiß nicht, warum ich nach ihrer Hand gegriffen und sie geküsst habe. In aller Öffentlichkeit und in Anbetracht der Umstände, meine ich. Wahrscheinlich eine Mischung aus Gewohnheit – auch wenn wir uns erst seit ein paar Wochen außerhalb der Schule treffen – und dem verzweifelten Bedürfnis nach irgendeiner Art von Trost.

Ich sehe Lara an, dass ihr das unangenehm war, und fühle mich sofort noch mieser. »Tut mir leid.« Ich lehne mich zurück und spiele mit dem zerrissenen Papier ihres Strohhalms. Sie trinkt irgendwas Rosafarbenes mit Eiswürfeln und lächelt etwas nervös, bevor sie einen Schluck davon nimmt.

»Schon okay. Wir sitzen hier nur ziemlich auf dem Präsentierteller, weißt du?«

Ich weiß. Und ich weiß, wie das hier für andere aussehen muss.

Ich hätte nie gedacht, dass ich jemals was mit einer Frau haben würde, die älter ist als ich. Oder mit einer fast verheirateten Frau. Oder einer Lehrerin. Nicht dass ich irgendwas davon geplant hätte. Ich war letztes Jahr in Laras Kurs und hab mich total in sie verliebt, aber ich hätte mir nie träumen lassen, dass irgendwann mal etwas zwischen uns passieren könnte. Erst recht nicht, nachdem sie sich dann verlobt hat.

Aber seit ich sie zu Beginn des Schuljahrs mal gefragt habe, ob sie mir vielleicht ein paar Tipps zu Colleges geben kann, an denen ich Kunst studieren könnte, haben wir uns öfter privat unterhalten. Kurze Zeit später hat sie mir dann ihre Handynummer gegeben, falls ich mal außerhalb des Unterrichts Fragen hätte. An dem Abend saß ich drei Stunden in meinem Zimmer und habe an einer Nachricht gefeilt, die ich hundert Mal umgeschrieben habe, bevor ich endlich den Mut hatte, sie abzuschicken.

Es endete damit, dass wir uns fast zwei Stunden lang hin- und herschrieben, was wir von da an täglich gemacht haben. Zuerst ging es hauptsächlich um meine College-Bewerbung, Kunst im Allgemeinen, Musik, Filme und Literatur, aber irgendwann dann auch über unsere Hoffnungen und Träume und Zukunftspläne. Ich war total besessen von ihr und musste ständig an sie denken, selbst wenn ich mit Noemi zusammen war. Ich hab mir nur noch Songs aufs Handy geladen, in denen es um unerfüllte Liebe ging. Anfang des Monats, als ich gerade mal wieder in traurigen Lovesongs abgetaucht war, hat sie zum allerersten Mal angerufen.

»Hallo?« Mir schlug das Herz bis zum Hals.

»Hi, Cal. Ich habe gerade an dein Gesicht gedacht.«

»Ähm, sorry?« Ich war mir sicher, sie falsch verstanden zu haben.

»Ich finde, du hast unglaublich interessante Gesichtszüge«, sagte sie. »Im Ernst. Ich würde dich wahnsinnig gerne mal zeichnen.«

So bin ich das erste Mal in ihrem Atelier gelandet. Sie geht gelegentlich auch abends unter der Woche hin, also habe ich meinen Eltern gesagt, ich würde mich mit einer

Lerngruppe in der Bibliothek treffen und bin nach Boston gefahren. Ich glaube, ich habe mich noch nie so lebendig gefühlt wie an diesem Abend, als ich vor ihr auf einer Holzbank saß, während sie mich zeichnete. Alles in mir war hellwach. Zwischendurch hat sie immer mal Block und Stift sinken lassen und mir eine Hand an die Wange oder ans Kinn gelegt, um meine Haltung leicht zu verändern. Davon abgesehen ist an dem Abend und auch danach nichts passiert, aber ich habe das Gefühl, dass das nur noch eine Frage der Zeit ist.

Ich bin nicht bescheuert. Mir ist klar, dass sie verlobt ist, dass sie meine Lehrerin ist und dass sie älter ist als ich. Aber nur sieben Jahre. Zwischen meiner Tante und meinem Onkel liegen zehn Jahre, und das interessiert niemanden. Ja, okay, sie haben sich kennengelernt, als Onkel Rob fünfunddreißig und Tante Lisa fünfundvierzig war, und sie waren auch keine Arbeitskollegen oder so was, das ist also nicht wirklich das Gleiche. Aber sollen Menschen bloß wegen irgendwelcher von der Gesellschaft auferlegten Normen darauf verzichten, ihr Glück mit einem potenziellen Seelengefährten zu finden?

Wahrscheinlich unnötig zu erwähnen, dass meine Dads das niemals als Argument gelten lassen würden. Wes weiß, wie gesagt, ziemlich viel aus meinem Leben – aber von der Sache hier habe ich ihm nichts erzählt. Zumal sie am Carlton College erst vor Kurzem einen Dozenten feuern mussten, der etwas mit einer seiner Studentinnen hatte.

»Aber die beiden sind erwachsene Menschen«, habe ich zu ihm gesagt, als wir darüber geredet haben. Ich habe dabei an Lara gedacht und daran, dass ich nächstes Frühjahr achtzehn werde.

»Im Verhältnis zwischen Lehrer und Schüler gibt es immer ein Machtgefälle«, hat Wes dagegengehalten. »Deswegen kann ich in der Angelegenheit nur nach der Null-Toleranz-Politik entscheiden.« Er hat die Lippen zusammengepresst und geseufzt. »Ganz egal, wie die Vorschriften sind, würde ich das Urteilsvermögen und die Motive eines erwachsenen Menschen, der sich mit einem Minderjährigen einlässt, *immer* infrage stellen. Was falsch ist, bleibt falsch.«

Ich weiß, dass das alle sagen würden. Und genau der Satz hallt mir auch immer durch den Kopf, wenn ich im Flur an Coach Kendall vorbeigehe und er mich fröhlich grüßt, obwohl ich keinen Mannschaftssport mache und er mich kaum kennt. *Was falsch ist, bleibt falsch.* Aber wenn ich dann eine Nachricht von Lara bekomme und mein ganzer Körper von warmen Glücksgefühlen durchflutet wird, frage ich mich: *Ist das Leben wirklich so schwarz-weiß?*

Laras Räuspern reißt mich aus meinen Gedanken. Sie rückt sich die Baseballkappe auf ihren gewellten blonden Haaren zurecht, und mir wird klar, dass ich wahrscheinlich gut dreißig Sekunden lang wie ein Idiot vor mich hin gestarrt habe. Das passiert mir öfter. »Also, was ist los, Cal?«, fragt sie. »Was ist so dringend, dass es nicht warten konnte? Und vor allem: Warum bist du nicht in der Schule?«

Gott. Ich kann es nicht leiden, wenn sie mit mir redet, als wäre ich irgendein x-beliebiger Schüler. »Ich habe heute mit zwei Freunden beschlossen blauzumachen«, sage ich. Als sie mich erschrocken ansieht, schiebe ich schnell hinterher: »Keine Sorge, sie sind nicht hier. Ich hab mich in Downtown von ihnen abgeseilt, um mich mit dir treffen zu können und ...« Ich verstumme, weil ich nicht weiß, was ich als Nächstes sagen soll. Sie verhält sich so normal, als hätte sie keine Ahnung, was mit Boney passiert ist. Klar, es ist erst ein paar Stunden her und sie hat heute ihren freien Tag, aber … Boney lag tot in ihrem Atelier. *Das ist es, Cal,* denke ich, *genau das ist der perfekte Einstieg,* aber ich kriege die Worte nicht raus. Stattdessen frage ich:»Wo warst du heute Morgen?«

Lara zieht die Brauen zusammen.»Das hab ich dir doch geschrieben. Im Töpferkurs.«

»Ja, aber du hast gesagt … als wir uns gestern Abend darüber unterhalten haben, dass wir heute zusammen frühstücken könnten, hast du gesagt, du würdest danach ins Atelier fahren.«

»Stimmt.« Sie nimmt noch einen Schluck von ihrem Drink.»Und dann ist im Kurs kurzfristig ein Platz frei geworden und ich habe spontan zugesagt.«

Mir ist plötzlich unangenehm warm, und ich kremple die Ärmel meines Hemds ein Stück weiter hoch, während ich darauf warte, dass sie noch irgendwas sagt. Was sie nicht tut.

»Die Sache ist die …«, sage ich.»Ich war heute Morgen im Atelier und …«

»Moment mal«, unterbricht sie mich stirnrunzelnd.»Du warst im Atelier? Cal, das geht nicht. Es tut mir leid, dass ich heute Morgen absagen musste und dass du enttäuscht warst, aber du kannst nicht einfach so nach Boston fahren und nach mir suchen. Erst recht nicht mit deinen Freunden im Schlepptau. Was hast du dir dabei gedacht?«

»Ich hab nicht nach dir gesucht«, sage ich. Wobei … unbewusst vielleicht doch. Habe ich deswegen vorgeschlagen, dass wir uns in der Nähe des Ateliers einen Kaffee holen oder bei dem Laden für Kunstbedarf vorbeigehen könnten? Weil ich gehofft habe, sie irgendwo zu sehen? Egal. Ich schiebe den Gedanken weg. »Darum geht es aber gar nicht. Es geht darum, dass Boney Mahoney auch dort war.«

Lara blinzelt verwirrt. »Wer?«

»Boney Mahoney. Ich meine, Brian. Brian Mahoney aus der Schule.«

Ich gebe es nicht gern zu, aber als ich heute Morgen gesehen habe, wie Boney in dem Gebäude verschwunden ist, bin ich eifersüchtig gewesen. In meinem Kopf war nur noch ein einziger Gedanke – dass er dort war, weil Lara ihn eingeladen hatte. *Boney ist nicht ihr Typ,* habe ich mir immer wieder gesagt, bis mir klar wurde, dass andere auch nie denken würden, ich könnte ihr Typ sein.

Aber bevor ich mich zu sehr in die Sache reinsteigern konnte, ist die Scheiße so richtig ins Rollen geraten.

»Ach so, natürlich, ja.« Lara sieht immer noch verwirrt aus. »Was ist denn mit Brian?«

Ich atme tief durch. Ich kann nicht fassen, dass ich derjenige bin, der es ihr sagen muss, aber … »Er ist heute Morgen gestorben.«

»Oh mein Gott.« Lara presst sich beide Hände auf die Wangen und sieht mich mit großen Augen an. »Das ist ja schrecklich. Wie ist das passiert?«

Ich schlucke schwer. Weil ich keine Ahnung habe, wie ich den ganzen Rest verpacken soll, rede ich einfach drauflos. »Das ist noch nicht so ganz klar, aber nach allem, was ich in den Nachrichten gehört habe, ist er wohl umgebracht worden. Vielleicht mit einer Überdosis, die ihm jemand gespritzt hat. In deinem Atelier.«

»Umgebracht?«, flüstert Lara und wird kreidebleich. »In meinem … in dem Ateliergebäude?«

»Nicht bloß in dem Gebäude. In deinem Atelier.« Ich sehe

sie einen Moment aufmerksam an, bevor ich hinzufüge: »Und jemand hat der Polizei einen anonymen Tipp gegeben, dass es eine blonde Frau gewesen sein soll, die ihm die Spritze verpasst hat.«

Lara reibt sich über den Mund. Ich sehe, dass ihre Hand leicht zittert. »Bitte sag mir, dass das alles bloß ein makabrer Scherz von dir ist.«

Wäre ich in der Lage, wütend auf sie zu sein, würde diese Bemerkung ausreichen. »Ganz bestimmt nicht«, sage ich verletzt. »Über so was würde ich nie Witze machen.«

»Ich wollte nicht ... Ich bin nur ... Ich ...« Lara presst sich kurz eine Hand an die Stirn und greift dann unter dem Tisch nach ihrer Tasche. Nachdem sie ihr Handy herausgeholt hat, wirft sie die Tasche auf die Bank neben uns, entsperrt das Handy, beginnt zu scrollen und wird noch blasser. »Oh mein Gott, das ist ... Ich kann es gar nicht glauben. Du hast recht, Brian ist ... oh mein Gott, Cal. Und du bist dort gewesen? Was ist passiert?«

Ich versuche, ihr die Situation so knapp wie möglich zu schildern, muss am Ende aber ein paar Dinge wiederholen, bis sie das ganze Ausmaß verstanden hat. Währenddessen sitzt sie wie erstarrt da und lässt nur immer wieder den Blick zwischen mir und ihrem Display hin- und herwandern. Als ich fertig bin, wirft sie das Handy auf den Tisch und vergräbt das Gesicht in den Händen.

Ich betrachte sie schweigend und suche nach irgendeinem Anzeichen dafür, dass ihre Reaktion nicht echt ist. Das alles sieht nicht gerade gut aus für Lara, das ist mir klar. Andererseits kann ich mir keinen einzigen Grund vorstellen, warum sie Boney etwas antun hätte sollen. »Dann bist du also ...«, beginne ich zögernd, »die ganze Zeit in diesem

Töpferkurs gewesen? Und der Hinweis auf die blonde Frau ...«

Lara hebt den Kopf und der Ausdruck auf ihrem Gesicht wird hart. »... hat absolut nichts mit mir zu tun. Ich war im Zentrum für Erwachsenenbildung auf der Mass Avenue. Jedenfalls bis ...«, sie schaut auf ihre Uhr, »vor ungefähr zwanzig Minuten.«

Bevor ich etwas darauf sagen kann, ertönt links von uns ein lautes Scheppern. Wir zucken erschrocken zusammen, und als ich mich umdrehe, sehe ich einen Kellner zu dem Gestell für benutzte Tabletts stürzen und einen kleinen Pulk Gäste verscheuchen, der davor steht. Lara wirkt fast erleichtert über die Ablenkung. »Die Leute stapeln ihr Geschirr immer viel zu hoch.«

»Stimmt«, sage ich, obwohl ein paar zerbrochene Teller gerade das Letzte sind, was mich interessiert. »Lara ... was ist mit dem Freund von dir, der dich das Atelier mitbenutzen lässt? Würde er ... glaubst du, er könnte irgendwas damit zu tun haben?«

»Er ... nein. Er ist gar nicht in der Stadt und ...« Ihre Augen weiten sich erneut. »Cal, warte mal. Du hast gesagt, dass du mit deinen Freunden dort gewesen bist, oder?« Ich nicke. »Wer sind die beiden?«

»Ivy Sterling-Shepard und Mateo Wojcik.«

»Was?« Sie wirkt kurz verwirrt. »Die Freunde aus deinem alten Webcomic? Hast du nicht gesagt, dass du keinen Kontakt mehr zu ihnen hast?«

Für die Story von der Wiedervereinigung der Protagonisten vom *Genialsten Tag aller Zeiten* auf dem Schulparkplatz ist keine Zeit. »Ab und zu sehen wir uns noch«, antworte ich ausweichend. »Jedenfalls hatten die beiden auch keinen

Bock auf Schule, also haben wir spontan beschlossen, blauzumachen.«

»Hm.« Sie lässt die Information kurz sacken. »Wissen sie … Du hast ihnen aber doch nichts von mir erzählt, oder?«

»Nein«, sage ich, und sie atmet erleichtert aus.

»Oh, Gott sei Dank, Cal.« Sie nimmt meine Hände zwischen ihre und drückt sie fest, bevor sie sie wieder loslässt. »Ich weiß, dass es viel verlangt ist, dich darum zu bitten … aber könntest du das weiter für dich behalten? Ich muss erst mit dem Freund, der das Atelier ursprünglich gemietet hat, darüber sprechen, was passiert ist. Die Situation ist ziemlich heikel für uns. Ich meine, wir dürfen das Gebäude ja eigentlich gar nicht mehr nutzen. Und die Tatsache, dass du und ich uns dort ein paarmal getroffen haben, könnte unter diesen Umständen … falsch interpretiert werden.«

»Okay.« Ich empfinde eine seltsame Mischung aus Erleichterung und Enttäuschung. Irgendwo tief drinnen hatte ich die kleine Hoffnung, Laura würde vielleicht irgendeine Lösung einfallen, die es mir ersparen würde, weiter alle Leute anlügen zu müssen, die ich kenne. Aber im Grunde war mir klar, dass das reines Wunschdenken war. »Es ist nur … Ich bin nicht sicher, ob es so klug von uns war, abzuhauen, als die Polizei gekommen ist, verstehst du? Das Ganze war noch dazu meine Idee, weil …« *Weil ich dich beschützen wollte.* Das war zwar nicht der einzige Grund – ich hatte Panik, konnte nicht mehr klar denken und hatte Schiss, verhaftet zu werden –, aber er hat doch ziemlich viel Gewicht gehabt.

Lara greift wieder nach meinen Händen und drückt sie. »Das klingt alles nicht so, als hättet ihr noch irgendetwas für Brian tun können. Ehrlich gesagt glaube ich, dass es die

Polizei nur unnötig abgelenkt hätte, wenn du mit deinen Freunden dort geblieben wärst. Die müssen sich jetzt vor allem auf die Beweise konzentrieren, die sie dort finden, und nicht auf drei Leute, die nur zur falschen Zeit am falschen Ort waren.«

Genau wie Boney, denke ich. Meine Augen fangen an zu brennen, und ich blinzle so schnell, dass Lara mich mitfühlend ansieht. »Ich bin mir sicher, dass sich irgendwie alles aufklärt, Cal. Brauchst du ein Taschentuch? Warte kurz, ich gebe dir eins.« Ich blinzle immer noch und sehe alles nur verschwommen, als sie ruft: »Das gibt's doch nicht. Wo ist meine Tasche?«

Ich wische mir über die Augen. »Hattest du die nicht neben dich gelegt?«, frage ich mit Blick auf die leere Bank, wo ich sie zuletzt gesehen habe. »Ist sie vielleicht runtergefallen?« Ich sehe unter dem Tisch nach, aber da ist sie auch nicht.

»Oh mein Gott. Hat die etwa jemand geklaut?« Lara springt mit geröteten Wangen auf und schaut sich hektisch im Café um. »Entschuldigen Sie«, sagt sie zu einer älteren Frau, die zwei Tische weiter allein eine Tasse Tee trinkt. »Haben Sie vielleicht irgendwo eine rote Tasche gesehen? Eine Tote Bag, etwa so groß?« Sie hält die Hände ungefähr dreißig Zentimeter auseinander.

»Nein, tut mir leid«, sagt die Frau. »Aber ich bin auch gerade erst gekommen.«

»Wer klaut anderen Leuten mitten in einem Café die Tasche?« Lara stemmt die Hände in die Hüften und sieht sich verzweifelt um. »Da sind meine Schlüssel drin! Wie soll ich denn jetzt nach Hause kommen?« Plötzlich scheint ihr klar zu werden, wie viel Aufmerksamkeit sie auf sich zieht, und sie atmet tief durch. Als sie weiterspricht, klingt ihre Stimme wieder ruhiger. »Okay. Ein Schritt nach dem anderen. Ich frage an der Theke nach. Vielleicht hat der Kellner sie da deponiert, weil er dachte, jemand hätte sie aus Versehen liegen gelassen.«

»Hey, das kann echt sein«, sage ich und bete, dass es so ist und dieser grauenhafte Tag nicht noch grauenhafter wird, während ich ihr zur Theke folge. Dort stehen gerade sechs Leute an, aber Lara schiebt sich zielstrebig an ihnen vorbei und gibt dem Typen, der die Bestellungen aufnimmt, ein Zeichen. Er ist ein paar Jahre älter als ich, hat die Arme zutätowiert und lächelt, als sein Blick auf Lara fällt.

»Entschuldige, tut mir leid, dass ich so dazwischenplatze«, sagt sie außer Atem. »Ich möchte nichts bestellen, aber ich vermisse meine Tasche und wollte fragen, ob sie vielleicht jemand hier abgegeben hat?«

Statt den Kopf zu schütteln, wie ich es eigentlich erwartet hatte, fragt der Typ: »Wie sieht sie denn aus?«

»Rotes Leder, brauner Riemen? Mit einer goldenen Schnalle an der kleinen Vordertasche.«

»Kommt mir bekannt vor.« Er greift unter die Theke und zieht schwungvoll ihre Tasche hervor. Lara atmet erleichtert aus, als er sie ihr reicht. »Die hat ein Mädchen hier abgegeben. Sie meinte, sie hätte aus Versehen die falsche Tasche mitgenommen«, sagt er.

»Gott sei Dank!« Lara öffnet den Reißverschluss und holt erst ihr Portemonnaie und dann ihre Schlüssel heraus, bevor sie beides wieder darin verstaut. »Alles da. Tausend Dank!«

»Immer gern.« Der Typ grinst, glücklich, dass er den Helden spielen konnte, obwohl er gar nichts gemacht hat, außer sich zufällig kurz mal als Fundbüro zu betätigen.

»Puh. Das war ein ganz schöner Schock.« Lara presst sich

eine Hand auf ihr Herz, dann hängt sie sich die Tasche um und zieht mich von der Theke in eine ruhigere Ecke in der Nähe der Toiletten. »Der Vormittag heute ist ein absoluter Albtraum. Es tut mir wahnsinnig leid, Cal, aber ich muss los und mich um ein paar Dinge kümmern. Danach schauen wir, wo es hingeht, okay?«

»Was soll das heißen?«, frage ich.

Bevor sie antworten kann, klingelt ihr Handy. Sie schaut aufs Display und hält den Zeigefinger hoch. »Moment, das ist der Freund, der mich das Atelier mitbenutzen lässt. Da gehe ich besser dran. Bitte sprich mit niemandem darüber, bis wir uns wieder gehört haben, ja? Es wird sich alles finden, versprochen.« Ich nicke, und sie küsst mich flüchtig auf die Wange, bevor sie sich mit dem Handy am Ohr umdreht. »Dominick? Dominick bist du das? Ich verstehe dich kaum. Warte kurz, ich nehme dich mit nach draußen.« Sie steuert auf den Ausgang zu und ich lasse mich mit dem Rücken gegen die Wand fallen. Keine Ahnung, ob ich mich noch schlimmer fühle, nachdem ich mit Lara geredet habe, oder einfach nur nicht besser.

Was falsch ist, bleibt falsch.

Und was jetzt? Zurück ins Garrett's? Sind Mateo und Ivy überhaupt noch dort? Und wenn ja, was sage ich ihnen? Ich gehe aus dem Café, trotte wie ferngesteuert zur Haltestelle Lechmere zurück und scrolle dabei durch mein Handy. Die letzte Nachricht ist von Lara, als sie mir geschrieben hat, dass wir uns im Café treffen können; von den Leuten aus der Schule hat sich niemand gemeldet, um mich zu informieren, dass Boney tot ist. Das sagt alles, oder? Meinen sogenannten Freunden ist wahrscheinlich noch nicht mal aufgefallen, dass ich nicht in der Schule bin.

Als ich an der Haltestelle angekommen bin und mich durchs Drehkreuz schiebe, steht schon eine Bahn mit geöffneten Türen da. Ich steige ein, schaue mich kurz in dem zur Hälfte gefüllten Wagen um und entscheide mich für einen Fensterplatz im vorderen Bereich. Erschöpft lasse ich mich auf einen der Hartschalensitze fallen und starre in den leuchtenden Herbsttag hinaus. In meinem Kopf kreisen tausend Fragen, auf die es keine Antwort zu geben scheint.

»Hey, Cal.«

Jemand tippt mir auf die Schulter, und ich rutsche vor Schreck fast vom Sitz, als ich mich umdrehe und Ivy sehe. Sie und Mateo sitzen direkt hinter mir, und im ersten Moment bin ich so froh, ihre vertrauten Gesichter zu sehen, dass ich gar nicht auf die Idee komme, mich zu fragen, was sie hier machen. Aber dann fällt mein Blick auf Ivys ernste Miene und mein Lächeln erlischt.

»Wir sind dir gefolgt«, sagt sie.

10

IVY

»Ihr seid ... was?«, fragt Cal entgeistert, als die Türen sich schließen und die Bahn losfährt. Er dreht sich in seinem Sitz ganz zu uns um. »Wohin seid ihr mir gefolgt?«

»In das Café«, sage ich. »Wo du ... verabredet warst.« Als er nichts erwidert, schiebe ich hinterher: »Mit Ms Jamison.« Cal senkt den Kopf. »Ihr habt mir hinterherspioniert«, sagt er tonlos.

Ich werfe Mateo einen schuldbewussten Blick zu. Wir haben sogar noch viel mehr getan, aber das ist jetzt vielleicht nicht der beste Moment, um ihm das zu gestehen. »Wir haben uns Sorgen um dich gemacht«, sage ich stattdessen.

»Keine Panik.« Cal rollt die Ärmel seines Hemds hinunter. Immer wenn er sich unwohl fühlt oder nach Ausflüchten sucht, macht er an seinen Ärmeln herum. Mittlerweile müsste er eigentlich selbst wissen, wie verräterisch diese Geste ist. »Meine Verabredung ist nicht gekommen. Zufällig saß Ms Jamison am Nebentisch und wir haben uns kurz über mein Projekt für die Zwischenprüfung unterhalten.«

Mateo und ich tauschen einen ungläubigen Blick aus. Ich hätte niemals damit gerechnet, dass Cal uns so krass anlügen würde. »Komm schon, Alter«, sagt Mateo, während ich immer noch so fassungslos bin, dass ich Cal nur stumm anstarren kann. »Wir haben gesehen, was Sache ist.«

»Ihr habt gesehen, wie wir uns über die Schule unterhalten haben«, gibt Cal stur zurück. Mateo wirft mir einen hilflosen Blick zu, als wollte er sagen, *Okay, ich hab's versucht. Jetzt bist du wieder dran.*

»Cal, für den Fall, dass du es noch nicht kapiert hast«, sage ich streng. »Wir haben dich und Ms Jamison nicht bloß flüchtig durchs Fenster gesehen. Erinnerst du dich an den Riesenfarn, der neben eurem Tisch stand?« Cal sieht mich ratlos an. Klar. Er war viel zu sehr damit beschäftigt, Ms Jamison anzuhimmeln. Wahrscheinlich hätte er es noch nicht mal mitbekommen, wenn ich als Clown verkleidet an ihnen vorbeigesteppt wäre. »Wir haben an dem Tisch dahinter gesessen und eure komplette Unterhaltung gehört. Wir wissen, dass sie die Frau ist, die das Atelier mitbenutzt, und wir haben gesehen, wie du ihre Hand geküsst hast.« Cal zuckt zusammen, als hätte er inständig gehofft, wir wären erst danach aufgetaucht. »Sie ist deine geheimnisvolle Freundin. Also hör endlich auf so zu tun, als hättest du uns – kurz nachdem ein Mitschüler von uns gestorben ist – in einer Kneipe hocken lassen, um dich mit ihr über irgendein *Schulprojekt* zu unterhalten.«

Cal hat immerhin den Anstand, rot zu werden. »Okay, sorry«, murmelt er. »Es ist nur wirklich wahnsinnig kompliziert. Niemand weiß von mir und ihr, weil …«

»Weil es kein du und sie *geben* sollte«, unterbreche ich ihn. »Sie ist deine Lehrerin und außerdem viel zu alt für dich.«

Cals Miene versteinert. »Wir haben nichts getan.«

»*Sie* schon«, sage ich. Auch wenn ich keine Einzelheiten kenne, weiß ich, dass sie eine Grenze überschritten hat.

»Ich wusste, dass du das nicht verstehen würdest. Niemand versteht das«, presst Cal hervor.

Mir reißt endgültig der Geduldsfaden. »Noch nicht mal ihr Verlobter?«

Zum Schutz meiner Selbstachtung versuche ich mich aus den schulischen Aktivitäten meines Bruders möglichst rauszuhalten, trotzdem habe ich Coach Kendall im Lauf der letzten Jahre ganz gut kennengelernt. Er gehört zu den Lehrern, die meine Eltern am meisten schätzen, und seit Daniel und ich auf die Carlton High gehen, kommt er jedes Jahr zu dem Weihnachtsumtrunk, den meine Eltern bei uns zu Hause veranstalten. Er bringt immer das Gleiche mit – unbeholfen dekorierte Plätzchen – und vergisst nie, sich bei mir zu erkundigen, wie es in der Schülermitverwaltung läuft. Im Gegensatz zu den meisten Erwachsenen wird sein Blick niemals abwesend, wenn ich antworte.

Worauf ich hinauswill ist – so was hat er nicht verdient.

»Du bildest dir vielleicht ein, das wäre eine echte Beziehung, aber das ist keine echte Beziehung. Noch nicht mal ansatzweise.«

»Ach ja? Noch nicht mal *ansatzweise*?«, wiederholt Cal sarkastisch. »Du musst es ja wissen.« Er presst die Lippen aufeinander, und ich weiß, dass ich zu weit gegangen bin. Cal wird in Auseinandersetzungen so gut wie nie persönlich, aber wenn er es tut, sollte man besser in Deckung gehen.

Er löst seine Arme und fängt langsam an zu klatschen. »Ladies and Gentlemen, darf ich vorstellen – Ivy Sterling-Shepard. *Die* Expertin in Beziehungsfragen. Hilf mir mal kurz – wie lange ist *deine* letzte Beziehung noch mal her?« Ich würde am liebsten sterben, als er den Blick zu Mateo wandern lässt. »War das in der Achten, als du Mateo geküsst hast und er danach nie mehr auch nur ein einziges Wort darüber verloren hat? Ich kann es ihm nicht übelnehmen. Wahrscheinlich hat er keine Lust gehabt, sich die Story immer und immer wieder in allen quälenden Einzelheiten anzuhören, so wie ich es zwei ganze Monate gemacht habe.«

Oh. Mein. Gott. Dass er es mir so heftig heimzahlt, hätte ich nicht gedacht.

Das Gefühl der Demütigung, das sich seit Jahren in mir aufgestaut hat, lässt meine Wangen brennen. Mateo spannt neben mir jeden Muskel an, als Cal abrupt aufspringt und uns wütend anfunkelt. »Wisst ihr was, Leute? Leckt mich. Ich werde mich jetzt woanders hinsetzen, am Government Center aussteigen, den Wagen holen und nach Hause fahren. Ihr könnt von mir aus die Bahn zurück nach Carlton nehmen. Und wenn ihr irgendjemandem von Lara erzählt …« Seine Lippen werden schmal und sein Blick heftet sich auf mich. »Dann werde ich sagen, dass ich keine Ahnung habe, was zwischen dir und Boney vorgefallen ist, bevor ich nach oben gekommen bin.«

Ich sehe mit offenem Mund zu, wie Cal sich umdreht und auf den hinteren Teil des Wagens zusteuert. Die U-Bahn ruckelt so stark hin und her, dass es ihn fast der Länge nach hinschlägt, was seinen dramatischen Abgang ruiniert hätte, aber er schafft es, das Gleichgewicht zu halten, und lässt sich – so weit wie möglich von uns entfernt – auf einen Sitz fallen. Mateo und ich sitzen schweigend da, und es ist ein verdammt unbehagliches Schweigen.

Okay. Ich war diejenige, die dafür gesorgt hat, dass Cal die Beherrschung verloren hat, also muss ich wohl auch als Erste den Mund aufmachen. »Ähm … dieser kleine Ausflug in die Vergangenheit tut hier gerade eindeutig nichts zur Sache ...«, beginne ich.

»Was hat er damit gemeint, dass ich kein einziges Wort verloren hab?«, unterbricht Mateo mich.

Bitte nicht. Wir müssen diese Sache nicht noch mal durchleben oder versuchen, die Geschichte neu zu schreiben.»Schon gut, Mateo. Vergiss es einfach. Das ist so lange her. Ich denke gar nicht mehr daran.«

Lügen, alles Lügen. Erst vorhin habe ich noch daran gedacht, als wir in der schaukelnden Bahn standen und uns an der Stange über uns festhielten. Dabei hat mein Arm immer wieder den von Mateo gestreift, der mittlerweile viel muskulöser ist als noch in der Middleschool, und ich hatte wieder dieses Kribbeln im Bauch, das in dem Sommer damals mein ständiger Begleiter war. Mateo sieht jetzt noch viel besser aus als früher und war den ganzen Vormittag der Fels in der Brandung, der mich vor einem Nervenzusammenbruch bewahrt hat. Wären die Umstände anders, würde ich mich bestimmt wieder in ihn verlieben.

Ich werfe Mateo einen verstohlenen Seitenblick zu. Er hat die Stirn gerunzelt.»Ich ja auch nicht«, sagt er. Was ... *autsch.* »Aber es stimmt nicht, dass ich nie ein Wort darüber verloren habe. Ich hab dir doch einen Brief geschrieben.«

Mein Herz setzt einen Moment lang aus. »Was für einen Brief?«

»Ich hab ihn auf eure Veranda gelegt. Zusammen mit einer Packung Sugar Babies.« Er schnaubt, als ich ihn mit großen Augen anstarre. »Sag bloß, du hast ihn nie bekommen?«

»Nein«, sage ich. Sugar Babies, mein Gott.

In mir steigen Erinnerungen hoch. Plötzlich bin ich wieder dreizehn und schlendere mit Mateo von dem Eckladen in der Innenstadt zu mir nach Hause. Cal war an dem Tag nicht dabei; ich weiß nicht mehr, ob er keine Zeit hatte oder ob ich ihm nicht Bescheid gegeben hatte. Mateo hatte Unmengen von Süßkram gekauft und machte sich schon unterwegs darüber her. »Skittles?«, fragte er und hielt mir die Tüte unter die Nase.

Ich zog eine Grimasse. »Du weißt genau, dass ich Skittles hasse.«

»Du verpasst was. Gib wenigstens den Roten noch mal eine Chance. Die sind tausendmal besser als deine Sugar Daddies.«

»Sugar *Babies*«, korrigierte ich ihn. Mateo hat mich damals ständig damit aufgezogen, dass ich Sugar Babies so mochte – altmodische, superlangweilige Kaubonbons, deren Namen er total pervers fand.

»Ivy Sterling-Shepard«, sagte er kopfschüttelnd. Irgendwann hatte er angefangen, mich mit vollem Namen anzusprechen, wenn wir herumalberten, was mein Herz jedes Mal schneller schlagen ließ. Das hat sich für mich immer so angefühlt, als würde er mit mir flirten. »Diese Sugar Babies gibt es schon seit hundert Jahren. Warum kannst du nicht *einmal* was Neues ausprobieren?«

»Ich probiere ständig neue Sachen aus.« Was eine so dreiste Lüge war, dass wir beide lachen mussten.

»Komm schon.« Er hielt mir ein rotes Skittle hin. »Erweitere deinen Horizont. Los.«

»Von mir aus.« Ich nahm es ihm seufzend aus der Hand, steckte es mir in den Mund, kaute das nach künstlichem Fruchtaroma schmeckende, klebrig-süße Ding und verzog das Gesicht. »Vielen Dank. Das war ekelhaft«, sagte ich, als ich es endlich runtergeschluckt hatte. »Ich bleib bei meinen Sugar Babies.«

»Du bist echt komisch. Dir ist schon klar, dass du wahrscheinlich der letzte Mensch auf der Welt bist, der die Dinger immer noch isst, oder?«, sagte Mateo, während wir von der Hauptstraße auf den Trampelpfad durch den Bird Park abbogen, der eine Abkürzung zu mir nach Hause ist. Es war später Nachmittag an einem Samstag und in dem sonst gut besuchten Park war kaum was los. »Ohne dich hätten die mit Sicherheit schon längst Pleite gemacht.« Er schüttete sich die letzten Skittles in den Mund, steckte das zerknitterte leere Tütchen in die Plastiktüte mit dem Rest seiner Beute, kramte darin herum und zog eine Schachtel Zimtbonbons heraus. »Kann ich dich vielleicht wenigstens zu einem Red Hot überreden?«

»Urgh, nein!« Ich schüttelte mich. Mittlerweile waren wir bei den Schaukeln am Spielplatz angekommen und ich steuerte auf die mit dem Gummisitz zu. Als Daniel und ich klein waren, haben wir sie immer die *Riesenschaukel* genannt, weil sie viel höher hing als die anderen und man sich als Kind nicht ohne Hilfe eines Erwachsenen draufsetzen konnte. Selbst jetzt musste ich mich an den Ketten auf den Sitz hochhieven, wodurch sie anfing, vor und zurück zu schwingen. »Für heute habe ich genügend neue Dinge ausprobiert.«

Mateo ließ die Tüte mit den Süßigkeiten fallen, stellte sich vor mich und hielt die Ketten der Schaukel mit ausgestreckten Armen fest. »Bist du sicher?«, fragte er.

Auf der Schaukel sitzend war ich fast genauso groß wie er, es fehlten nur ein paar Zentimeter. Er hatte die Finger direkt über meinen um die Ketten geschlossen und unsere Knie berührten sich beinahe. Mir wurde warm, als ich in seine dunklen, fragenden Augen schaute. Seit ein paar Wochen gab es immer wieder solche kleinen Momente. In der einen Sekunde unterhielten wir uns noch ganz normal und in der nächsten verwandelte sich die Energie zwischen uns plötzlich ohne Vorwarnung in etwas Neues. Ich wusste nur nie, wohin mit diesem pulsierenden, vibrierenden Gefühl.

Bis zu diesem Moment. »Nein«, sagte ich. Und dann beugte ich mich vor und küsste ihn. Er nahm eine Hand von der Kette, schob sie in meinen Nacken und zog mich näher an sich. Er duftete nach frischer Wäsche und schmeckte nach Kirsch-Skittles, die ich plötzlich kein bisschen ekelhaft mehr fand.

Was ich fühlte, war ziemlich toll für einen ersten Kuss. Als wir uns irgendwann voneinander lösten, waren wir beide verlegen, konnten aber auch nicht aufhören zu lächeln.

Ich war mir ganz sicher, dass das ein Anfang gewesen war, kein Ende. Aber es ging nie weiter.

Jedenfalls habe ich das bis jetzt gedacht.

»Sugar Babies?«, sage ich verblüfft. Die Bahn fährt in die Station Haymarket ein, kommt zum Stehen und öffnet zischend ihre Türen. »Die du zusammen mit einem Brief auf unsere Veranda gelegt hast?« Mateo nickt. »Aber davon weiß ich nichts. Wo genau hast du ihn denn hingelegt?«

»Auf das Tischchen auf der Veranda.«

Die Veranda vor unserem Haus ist wie ein Wintergarten rundum mit Glas verkleidet. Man muss hindurchgehen, um zur Eingangstür zu kommen. Mir fällt nur ein Mensch ein, der etwas wegnehmen würde, was jemand dort für mich deponiert ha, ohne mir etwas zu sagen … »Daniel«, zische ich. »Ich wette, er hat sich die Sugar Babies gekrallt und den Brief einfach weggeschmissen. Dieses *Arschloch*.«

»Wow.« Mateo schüttelt den Kopf. »Okay. Das erklärt so einiges. Ich hab mich noch gewundert, weil das total untypisch für dich war. Du weißt schon … dass du so gar nichts dazu gesagt hast.«

»Ich hätte mich doch zumindest bei dir bedankt!« *Nachdem ich vor Freude wild herumgehüpft wäre,* denke ich. Gott! Wenn ich mir vorstelle, wie anders mein gesamtes Highschool-Leben hätte verlaufen können … »Ich hab mich immer gefragt, warum du danach so getan hast, als wäre nie was zwischen uns passiert.«

Mateo sieht mich kopfschüttelnd an. »Du hättest mich doch einfach darauf ansprechen können.«

Er hat recht. Das hätte ich vielleicht auch getan, wenn ich damals nicht so wahnsinnig unsicher und voller Selbstzweifel gewesen wäre. Das war das Jahr, in dem meine Eltern sich entschlossen hatten, Daniel für einen Hochbegabten-Test anzumelden. Das wusste ich natürlich, aber Mom und Dad haben das Ergebnis nie ausführlich vor Daniel und mir besprochen. Mir war nicht klar, *wie* besonders mein Bruder ist, bis ich ein paar Wochen später bei einer meiner nächtlichen Kühlschrankplünderungen zufällig ein Gespräch zwischen meinen Eltern aufgeschnappt habe.

Ich war gerade auf dem Weg nach unten und blieb auf der Treppe stehen, als ich meine Mutter sagen hörte: »Es ist eine Riesenverantwortung, ein so intelligentes Kind richtig zu begleiten und zu unterstützen.« Ich hörte Papier rascheln. »Wenn ich mir die Ergebnisse so anschaue, frage ich mich, wie wir zu diesem Jungen gekommen sind. Ich meine, wir beide sind keine Dummköpfe, aber Daniel ist …«

»Außergewöhnlich«, beendete Dad den Satz. In seiner Stimme lag ein staunender Unterton, so als hätte er gerade erfahren, dass es Magie wirklich gibt. Ich konnte nichts dagegen tun, dass mich in dem Moment ein brennendes Gefühl der Eifersucht durchfuhr. Bis dahin war mir nicht klar gewesen, wie sehr ich mir gewünscht hätte, dass mein Vater so über mich sprechen würde.

»Er muss an der Schule eindeutig stärker gefördert werden«, sagte Mom. »Kein Wunder, ist es dieses Jahr immer wieder so schwierig mit ihm gewesen. Der Arme langweilt sich zu Tode, und für jemand mit seiner Intelligenz kann Langeweile gefährlich sein. Trotz allem ist er immer noch ein Kind. Wir sollten ihm nicht zu viel zumuten und darauf achten, dass er auch weiter mit Jugendlichen aus seiner Altersgruppe Kontakt hat. Und natürlich müssen wir auch an Ivy denken.« Ich spannte alle Muskeln an und atmete kaum, als sie hinterherschob: »Ivy darf auf keinen Fall das Gefühl bekommen, Daniel wäre etwas Besonderes und sie nicht.«

Sobald sie den Satz ausgesprochen hatte, stieg exakt dieses Gefühl in mir hoch – obwohl es genau das Gegenteil von dem war, was Mom wollte.

Und so ging es dann weiter. Ich durchschaute die gespielte Ungezwungenheit, wenn meine Eltern mit mir darüber sprachen, dass Daniel die achte Klasse überspringen und zusammen mit mir auf die Highschool wechseln würde, oder wenn mit der Post Bewerbungsunterlagen für das Sommerprogramm des MIT zu uns nach Hause geschickt wurden. Daniel *war* etwas Besonderes und ich war es *nicht*. Und deshalb war ich zwar enttäuscht, als ich dachte, Mateo würde so tun, als hätte es unseren Kuss nie gegeben, aber ich war nicht überrascht. Es passte zu dem Bild, das ich von mir selbst hatte.

Die Bahn rumpelt schaukelnd weiter, während Mateo auf

eine Antwort wartet, aber die Wahrheit kann ich ihm nicht sagen. »Was stand denn drin?«, frage ich stattdessen.

»Hm?«

»Du hast doch gesagt, dass du mir zusammen mit den Sugar Babies einen Brief dagelassen hast. Was stand da drin?«

»Ach so, ja. Ich hatte gefragt, ob wir dir für die Premiere von *Avengers: Infinity War* als Proviant die Jumbo-Packung besorgen sollen.«

Eine Einladung zu einem Date. So unfassbar süß und originell, dass ich am liebsten den Kopf gegen das Fenster knallen würde. Ich habe mir *Avengers: Infinity War* tatsächlich angeschaut. Mit Daniel. Ausgerechnet mit meinem verflucht besonderen Bruder, der mir meine Sugar Babies und meine Träume geklaut hat.

»Oh Mann. Ich hätte den so gern mit dir gesehen«, murmle ich und lasse mich in meinen Sitz zurückfallen. Ich würde Mateo ja fragen, warum er mich nicht noch mal darauf angesprochen hat, aber ich glaube, ich kenne die Antwort. Er hatte damals vielleicht nicht so eine massive Krise in Sachen Selbstvertrauen wie ich, aber es tut trotzdem weh, zu denken, man hätte sich geöffnet und sei ignoriert worden. Eigentlich kein Wunder, dass unsere Freundschaft danach nie mehr dieselbe war.

»Nächster Halt Government Center«, reißt mich die Lautsprecheransage wieder in die Gegenwart. Von den letzten beiden Haltestellen habe ich kaum etwas mitbekommen. Ich drehe mich hektisch in meinem Sitz nach Cal um. »Shit. Meinst du, er haut wirklich ohne uns ab?«

»Sieht ganz so aus«, sagt Mateo, als Cal aufsteht.

Ich werfe einen Blick auf die Benachrichtigungen auf meinem Handy, und mein Herz setzt einen Schlag aus, als ich lese, was Emily geschrieben hat: *Direktor Nelson hat eben durchgesagt, dass die Polizei später kommt, um die Schüler zu befragen.* Ich weiß genau, was die Leute ihnen erzählen werden.

Und der einzige uns bekannte Mensch, der eine Verbindung zu der Person hat, die *wirklich* verdächtig ist – eine blonde Frau, die Boney kennt und in dem Atelier arbeitet, in dem er gestorben ist –, ist gerade kurz davor, sich davonzumachen. »Wenn wir uns jetzt trennen, sind wir geliefert«, sage ich und stehe auf. Mateo ist zu höflich, um mich darauf hinzuweisen, dass die Einzige, die geliefert ist, ich bin. Er dreht sich bloß zur Seite, damit ich mich an ihm vorbeischieben kann.

Auf dem Weg zu Cal denke ich fieberhaft nach. Ich bin immer noch sauer, dass er so unter die Gürtellinie gegangen ist. Ja, okay, vielleicht bin ich moralisch nicht immer ein leuchtendes Vorbild, vor allem nicht in letzter Zeit, aber in *diesem* Punkt habe ich recht. Ich möchte eine Entschuldigung, aber wenn ich ihm das jetzt sage, lässt er mich garantiert abblitzen. Und wenn ich ganz, ganz ehrlich zu mir selbst bin, muss ich zugeben, dass ich mich bei dem Gespräch vorhin vielleicht nicht sonderlich geschickt angestellt habe.

Du kannst in der Sache recht haben, sie aber trotzdem falsch angehen, hat Mom oft zu mir gesagt, wenn ich mal wieder frustriert war, weil sich die anderen im Schülerrat mir bei meinen Projektideen nicht anschließen wollten. *Niemand lässt sich gern von einer Dampfwalze überrollen.* Ich habe immer nur die Augen verdreht, weil ich nicht verstanden habe, warum man jedes Wort immer auf die Goldwaage legen und Zeit verschwenden soll, wenn man doch genau weiß, was zu tun ist. Selbst als ich die Wahl gegen Boney verloren habe, habe ich mir gesagt, dass nicht ich das Problem war, sondern meine Mitschüler. Und er.

Wäre der Tag heute anders verlaufen, wenn ich nicht so eine schlechte Verliererin wäre? Hätte Boney die Wahl dann ernster genommen und wäre heute zur Schule gekommen? Ich blinzle die Tränen weg, die mir in die Augen steigen, und tippe Cal auf die Schulter. Als er sich umdreht und mich kühl ansieht, rede ich hastig drauflos. »Cal, bitte geh nicht. Können wir vielleicht erst mal alles kurz sacken lassen? Es war nicht okay, was ich über dich und …« Er presst die Lippen aufeinander und ich verkneife es mir, ihren Namen auszusprechen. »Ich hätte das eben nicht sagen sollen. Und wahrscheinlich hätten wir dir nicht folgen sollen, aber wir haben uns Sorgen gemacht. Mir ist klar, dass das nicht in Ordnung war, und das …«

Nein. Das bringe ich nicht über die Lippen. Ich kann Cal nicht sagen, dass mir das leidtut, wenn mir in Wirklichkeit bloß leidtut, dass er mir gegenüber deswegen so fies geworden ist. Also beende ich den Satz mit: »Es kommt nicht wieder vor.«

Er hat den Blick auf den Boden geheftet, wirkt aber nicht mehr ganz so angespannt. Vielleicht haben meine Worte von vorhin in ihm gearbeitet, während er allein hier hinten saß. Cal ist eher der gefühlvolle, romantische Typ, aber er ist auch ein kluger Kopf. Auf irgendeiner Ebene muss ihm klar sein, dass das, was mit Ms Jamison läuft, nicht okay ist. Vielleicht braucht er nur jemanden, mit dem er darüber reden kann.

»Können wir uns vielleicht irgendwo was zu essen besorgen?«, frage ich. Nach dem Skype-Gespräch mit meinen Eltern heute Morgen habe ich das Frühstück komplett ausfallen lassen. Ich weiß nicht, ob mir deswegen so flau ist oder ob es an dem liegt, was heute alles passiert ist, aber lange halte ich so nicht mehr durch. »Ich glaube, wir sind alle unterzuckert und total durch und können nicht mehr wirklich klar denken. Jedenfalls geht's mir so.« Cal starrt noch einen Moment auf den Boden. Als er endlich den Kopf hebt und mich ansieht, liegt in seinen Augen ein reumütiger und erleichterter Ausdruck. »Kann gut sein«, sagt er. »Jetzt, wo du's erwähnst ... mir hängt der Magen schon *unter* den Kniekehlen.« Ich lächle und atme innerlich auf und Cal wird rot. »Ähm, hör zu. Du und Mateo ... Ich weiß nicht, warum ich nach all der Zeit davon angefangen hab.«

Ich bin hier eindeutig nicht die Einzige, der es schwerfällt, sich zu entschuldigen. »Schon okay«, sage ich. »Das hatte was von einem reinigenden Gewitter.« Ich drehe mich zu Mateo um. Er ist aufgestanden und schaut an den Sitz gelehnt zu uns rüber. Ich winke ihn zu uns, als die Bahn gerade in die Haltestelle Government Center einfährt. »Hast du eine Idee, wo wir was essen könnten?«, frage ich Cal, während Mateo auf uns zusteuert.

»Ich glaube ja.« Er bringt beinahe so was wie ein Lächeln zustande. »Versprich mir nur eins, okay?«, fügt er hinzu, als die Bahn kreischend zum Stehen kommt. »Keine weiteren Überraschungen mehr.«

»Okay«, sage ich.

Nur dass ich dieses Versprechen schon gebrochen habe. Aber darum kümmern wir uns später.

11

MATEO

Cal bringt uns zu einem total schrägen Donut-Laden, in dem es die abgefahrensten Kreationen gibt. Beim Reinkommen springt einem sofort eine riesige Menütafel entgegen, auf der Donuts abgebildet sind, die aussehen, als wären sie von einem kleinen Kind im Zuckerrausch zusammengestellt worden. Ich mag Donuts normalerweise nicht. Noch weniger, wenn Körner, Fleisch oder – wie auf einer der Abbildungen – eine ganze Chilischote mit im Spiel sind. Während ich noch mit fasziniertem Gruseln auf den Chili-Donut starre, geht Cal an mir vorbei zur Theke.

»Mit dem da würde ich lieber nicht anfangen«, rät er mir und stellt sich hinter einem älteren Mann in die Schlange. Seine Laune hat sich merklich gebessert, seit wir hier sind, und obwohl es schon Nachmittag ist und ich bereit wäre, für etwas *Richtiges* zu essen einen Mord zu begehen, werde ich mich wohl mit Donuts begnügen müssen.

Ich scanne die Auslage, als wäre es das Interessanteste, was ich je gesehen habe, weil es mir immer noch unangenehm ist, Cal anzuschauen. Er und Ivy unterhalten sich über das Angebot, aber ich kann nur eines denken: *Wie hat er sich bloß auf so was einlassen können?*

Cal ist der letzte Mensch, von dem ich gedacht hätte, dass er jemals versucht sein könnte, auf diese Weise einer Lehrerin nahezukommen, erst recht nicht *dieser* Lehrerin. Wobei ich ihr zugestehen muss, dass sie ehrlich geschockt wirkte, als sie gehört hat, was mit Boney passiert ist. Andererseits scheint sie gut genug schauspielern zu können, um die gesamte Schule und ihren Verlobten zu täuschen, deswegen ist es schwer zu sagen, was wirklich in ihr vorgegangen ist. Während ich die beiden beobachtet habe, ist mir der Gedanke gekommen, dass Cal ganz schön einsam sein muss. Er hat zu Hause keinen Bruder wie Ivy oder eine Cousine wie ich und hat auch den ganzen Tag kein einziges Mal irgendwelche Freunde erwähnt. Für mich hat es den Eindruck, als hätte er sich in den letzten Jahren in jemanden verwandelt, der so ziemlich alles tun würde, nur um das Gefühl zu haben, irgendwie dazuzugehören.

Und ich glaube, dass Ms Jamison das sehr genau weiß.

»Wisst ihr schon, was ihr nehmt?« Ivy schaut sich in dem Laden um, der aussieht, als wäre er einer Comicwelt entsprungen: Die Tische sind orange, der Boden ist bunt gefliest und von der Decke hängt ein riesiger Kronleuchter, an dem Plastikdonuts baumeln. Die Wand neben uns ist mit einem Zerrspiegel verkleidet, und darin sieht mein Kopf aus, als wäre er in zwei Hälften gespalten, was lustig ist, weil er sich genauso anfühlt. »Ich glaub, ich nehme den Blaubeerkuchen-Donut«, sagt sie. »Der hat vielleicht noch einen gewissen Nährwert und keine merkwürdigen Toppings.«

»Ich weiß noch nicht« sage ich und lasse den Blick durchs Schaufenster auf die Straße wandern, um für einen Moment dem kleinen Overload an visuellen Reizen hier drin zu entkommen. Zu denen auch Ivy gehört.

Unsere Unterhaltung in der Bahn hat mich fast genauso aufgewühlt wie die Sache mit Cal und Ms Jamison. Ich muss meine komplette Vorstellung von Ivy über den Haufen werfen und an das anpassen, was damals in der Middleschool tatsächlich passiert ist. Das vorhin in der Bahn war die Wahrheit; ich verbringe meine Zeit nicht damit, über diesen Kuss nachzudenken. Nicht mehr. Aber Ivy war das erste Mädchen, das ich auf ein Date eingeladen habe, und klar hat es mich getroffen, dass sie die Einladung einfach ignoriert hat. Wenn ich ehrlich bin, war das sicher auch mit ein Grund, warum ich ihr gegenüber vorhin ungeduldiger war, als ich es sonst gewesen wäre, und warum ich immer beim ersten Zeichen von Zurückweisung dichtmache, wie Autumn mir gern unter die Nase reibt. Nicht nur was Mädchen angeht, sondern grundsätzlich. Das ist schon so lange ein wunder Punkt von mir, dass ich nie wirklich darüber nachgedacht habe, wie es überhaupt dazu gekommen ist.

Aber seit vorhin weiß ich: Es hat mit einem Missverständnis angefangen. Ich habe nur keine Ahnung, was ich mit dieser Erkenntnis jetzt machen soll.

Verdränge es einfach, höre ich Autumns Stimme in meinem Kopf. Das ist so ein Running Gag zwischen uns beiden, weil mein Dad alles, womit er nicht umgehen kann, einfach ausblendet. Er ist so gut im Verdrängen von Problemen, dass allein schon das Wort für ihn praktisch nicht existiert. Was einer der vielen Gründe dafür ist, warum er auf uns nie besonders erwachsen gewirkt hat, vor allem nicht im Vergleich zu Ma.

Der Witz war nicht mehr ganz so witzig, als diese Scheißkrankheit bei meiner Mutter ausgebrochen ist, aber für die jetzige Situation taugt er immerhin als guter Rat. »Ich glaube, den nehme ich auch«, sage ich zu Ivy.

»Die Donuts gehen auf mich«, sagt Cal. Scheint, als hätte er uns verziehen. »Wenn ihr wollt, können wir …«

»Hey, Cal!«, unterbricht ihn die Frau an der Kasse mit einem breiten Grinsen. Sie ist wahrscheinlich so um die vierzig, hat blaue Strähnchen in den Haaren und trägt ein Ramones-T-Shirt und eine Schmetterlingsbrille. »So schnell wieder hier? Und dann auch noch mitten am Tag?«

»Hi, Viola«, erwidert Cal lächelnd, und die Vertrautheit zwischen den beiden bringt Ivy dazu, mir einen nervösen Blick zuzuwerfen. »Wir wollen uns bloß einen kleinen Snack besorgen. Zwei Blaubeerkuchen und einen Haselnuss-Bacon bitte.«

»Kommt sofort.« Viola dreht sich zu der Auslage mit den Donuts.

Ivy beugt sich zu Cal und zischt: »Warum gehst du mit uns in einen Laden, wo man dich kennt? Wir haben uns noch gar nicht überlegt, welche Geschichte wir erzählen. Nicht dass du am Ende irgendwem sagst, du hättest den ganzen Tag krank im Bett gelegen!«

»Viola ist cool.« Cal zieht seine Karte aus der Hosentasche, um zu zahlen. Ivy wirkt nicht überzeugt. »Keine Panik«, sagt Cal. »Sie hat eine total subversive Ader und hält nichts von Autoritäten. Du würdest nicht glauben, wie oft dieser Laden schon wegen Verstößen gegen das Lebensmittelgesetz angezeigt worden ist.«

»Wie bitte?« Ivy wird blass. »Und warum holen wir uns dann ausgerechnet hier was zu essen?«

»Warte kurz.« Cal bezahlt und nimmt eine weiße Papiertüte von Viola entgegen, die Ivy und mir einen neugierigen

Blick zuwirft. Sie sieht fast so aus, als würde sie glauben, uns zu kennen, wüsste aber nicht, woher.

»Schau bald mal wieder bei uns rein, Cal«, sagt sie. »Und bring das nächste Mal auch wieder deine Freunde mit.«

»Mach ich.« Cal greift sich ein paar von den Servietten, die auf der Theke liegen, bevor er sich zur Tür dreht und sie für Ivy aufhält. »Nicht wegen echter Verstöße«, raunt er ihr zu. »Es ist nicht so, als würden sie hier nicht auf Sauberkeit oder so achten. Sie lassen sich nur ständig neue kreative Toppings einfallen, die manchmal keine Nahrungsmittel im herkömmlichen Sinn sind, weshalb die Stadt ihnen immer wieder Stress macht.«

»Will ich Genaueres über diese Toppings wissen?«, frage ich, als wir nach draußen treten.

»Wahrscheinlich eher nicht.« Cal reicht uns unsere Donuts und jeweils eine Serviette. Ausgehungert beiße ich ein großes Stück von meinem ab und bin total überrascht … er ist viel besser, als ich gedacht hätte – saftig, voller frischer Blaubeeren und mit einer Cremefüllung, die nach Zitrone schmeckt. Ich habe ihn verschlungen, noch bevor wir an der Ampel angekommen sind.

»Möchtest du noch was von meinem?« Ivy hält mir mit einem kleinen Lächeln ihren Donut hin, von dem sie noch keine zwei Bissen genommen hat, und mein Herz schlägt plötzlich ein bisschen schneller. Es war bequem, all die Jahre einen kleinen Groll gegen Ivy zu hegen und mir zu sagen, dass ich noch mal mit einem blauen Auge davongekommen bin, weil sie eine unfassbare Nervensäge sein kann und noch nicht mal besonders süß ist. Letzteres stimmt nicht. Und Ersteres?

Ist wahr. Aber das hat mich nie gestört.

»Ist okay«, sage ich. »Ich hol mir später noch irgendwas anderes.« Der Zucker scheint seine Wirkung zu tun, weil die Kopfschmerzen, die ich habe, seit wir aus dem Atelier abgehauen sind, endlich abklingen. Ich klopfe mir auf die linke Hosentasche und sage: »Wir müssen uns noch was wegen Boneys Handy überlegen.«

»Oh, stimmt.« Ivy schaut sich um, während wir weiter die Straße entlanglaufen. »Das Atelier ist doch ganz in der Nähe, oder? Wir könnten in die ungefähre Richtung gehen und es einfach ... irgendwo ablegen und der Polizei dann einen anonymen Hinweis geben? Vielleicht über eins dieser Prepaid-Handys? Gibt es die Dinger überhaupt noch?«

Cal zieht besorgt die Brauen zusammen. »Ich glaube nicht, dass wir zum Atelier zurückwollen«, sagt er.

»Nicht ins *Gebäude*«, sagt Ivy. »In die *Nähe*.«

»Und was dann?«, frage ich. Endlich kann ich wieder so klar denken, dass mir bewusst wird, dass ich ja auch einfach ... nach Hause gehen könnte. In der Schule bin ich entschuldigt, und es besteht kein Grund, warum irgendjemand misstrauisch werden sollte. Es gibt nichts, was ich für Boney tun kann, außer irgendwie dafür zu sorgen, dass sein Handy als Beweismittel gesichert werden kann. Ansonsten bin ich für die Polizei uninteressant – im Gegensatz zu Ivy und Cal, die wahrscheinlich nicht um eine Befragung herumkommen werden.

Wohingegen ich das Risiko, womöglich auch in ihren Fokus zu rücken, unbedingt vermeiden muss.

»Warum ist hier eigentlich plötzlich so viel los?«, fragt Cal. Ich schaue blinzelnd auf und sehe, dass er recht hat. Vor uns hat sich eine dicke Menschentraube gebildet, die uns zum Stehenbleiben zwingt.

Ivy stellt sich auf die Zehenspitzen. »Ist das da vorne ein Kamerateam?«

Ich bin der Einzige, der groß genug ist, um über die Menge schauen zu können. Als ich den Blick über das Meer aus Köpfen wandern lasse, entdecke ich den Reporter, den wir heute Vormittag im Garrett's im Fernsehen gesehen haben. Er scheint Leute von der Straße zu interviewen und hält sein Mikro gerade einem Typen mit einer Patriots-Basketballkappe hin. »Ist das nicht dieser Dave ... wie hieß er noch gleich?«, sage ich. »Der Reporter, den du kennst?«

»Dale Hawkins?« Ivy erstarrt. »Oh nein. Wir müssen sofort hier weg.«

Kaum hat sie das gesagt, passieren hintereinander drei Dinge: Das Interview ist zu Ende, die Leute vor uns treten zur Seite und Dale Hawkins Blick wandert von dem Patriots-Typen zur Kamera, von der Kamera auf die Menschenmenge und landet direkt auf Ivy.

Er stutzt und Ivy zögert nicht eine Sekunde. Sie dreht sich abrupt um und marschiert mit schwingendem Pferdeschwanz in die entgegensetzte Richtung davon.

»Hey!«, ruft Dale Hawkins. Cal, der hinter Ivy herläuft, schaut über die Schulter zurück, und ich versuche, mit der Umgebung zu verschmelzen. Dale gibt seinem Kameramann ein Zeichen und will den beiden nachsetzen, kommt aber wegen der vielen Leute um ihn herum nur ein paar Schritte weit, als Ivy und Cal auch schon um die nächste Ecke verschwinden. Während Hawkins ihnen nachschaut, verstecke ich mich hinter einem Laternenpfahl und sehe wahrscheinlich noch absurder aus als Cal heute Morgen.

»Ich kenne das Mädchen«, höre ich Dale zu seinem Kameramann sagen. *Fuck.*

154

Für mich hat er zum Glück keinen einzigen Blick übrig. Er schüttelt den Kopf, dann wendet er sich einer älteren Frau zu, und während er sie interviewt, bildet sich um ihn herum wieder ein Kreis von Schaulustigen. »Zu meiner Zeit wäre so was undenkbar gewesen. Was da passiert ist, ist einfach entsetzlich«, sagt die Frau laut.

Mein Bedürfnis, nach Hause zu gehen, ist größer denn je. Was hat Ivy heute Morgen als Entschuldigungsgrund angegeben? Dass ich Halsschmerzen habe? Ich hole mein Handy raus und suche Carmens letzte Nachricht, um ihr zu schreiben, dass ich schon den ganzen Tag krank zu Hause liege. Carmen gehört zu den Menschen, die total connected sind und Gott und die Welt kennen; in spätestens einer halben Stunde wird meine Story in trockenen Tüchern sein. Ich muss jetzt einfach an mich selbst denken. Ivy und Cal werden das schon verstehen. Den beiden fällt bestimmt auch noch irgendetwas ein, wie sie ihren Kopf aus der Schlinge ziehen können.

Außerdem ist es ja auch nicht so, als wären wir beste Freunde und müssten uns gegenseitig immer zur Seite stehen. Jedenfalls nicht mehr.

Als ich Carmen gerade schreiben will, kommt eine Nachricht von Ivy rein. *Sind wieder in dem Donut-Laden.*

Bevor ich mir überlegen kann, wie ich ihnen erkläre, dass ich aus der Sache raus bin und nach Hause fahre, schickt sie eine zweite Nachricht hinterher: *Ich will Cal zeigen, was wir im Café gefunden haben.* Ich verziehe das Gesicht, weil das auf jeden Fall Stress bedeutet, als eine dritte Nachricht kommt: *Ich muss mir irgendeine Story ausdenken, falls Dale Hawkins mich erkannt hat.*

Ich spiele kurz mit dem Gedanken, ihr zu schreiben, dass

er sie definitiv erkannt hat, aber das würde sie in Panik versetzen, und was würde das nützen? Der Typ ist mit seiner Aufmerksamkeit mittlerweile schon wieder woanders. Also tippe ich stattdessen: *Ich bin raus.* Dann lösche ich die Nachricht wieder, weil das total nach abgebrühtem Scheißkerl klingt.

Hab beschlossen, nach Hause zu gehen ... Nein. Auch nicht viel besser.

Hör zu, es tut mir leid, aber ...

Seufzend stecke ich das Handy in meine Hosentasche zurück. Das Mindeste ist, es ihnen persönlich zu sagen.

Ich komme genau in dem Moment im Crave Doughnuts an, als Ivy dabei ist, alle Karten auf den Tisch zu legen.

Sie und Cal sitzen nebeneinander an einem Tisch – ein seltsamer Tick von den beiden, den ich nie verstanden habe. Warum setzt man sich nebeneinander, wenn man nur zu zweit ist? Ich lasse mich ihnen gegenüber auf die Sitzbank fallen, als Ivy gerade sagt: »Okay, Cal ...« Ihre Stimme ist kaum lauter als ein Flüstern, obwohl der Laden bis auf uns und die Frau hinter der Theke komplett leer ist. »Mir ist absolut klar, dass das keine besonders coole Aktion von uns war. Und dass wir uns damit auch noch strafbar gemacht haben. Aber ich glaube, wir sollten es uns trotzdem mal ganz unvoreingenommen anschauen für den Fall, dass wir irgendwelche Informationen finden, die uns helfen könnten, ein bisschen Licht in dieses Chaos zu bringen.«

»Hä?« Cal wirkt völlig ratlos und ich kann es ihm nicht verdenken. Für mich ist das alles auch immer noch total verwirrend, obwohl ich weiß, wovon Ivy redet.

Sie greift in ihre Umhängetasche und holt ein kleines

schwarzes Notizbuch heraus, auf dessen Umschlag in Gold die Worte *Daily Planner* eingeprägt sind. »Den haben wir im Café vorhin aus der Tasche von Ms Jamison genommen«, sagt sie. »Und ich glaube, wir sollten ihn uns mal genauer anschauen.«

»Ihr habt was?«, Cal blinzelt ungläubig, als sie den Planer aufschlägt. »Warte. Ist das … habt ihr … Dann seid ihr das gewesen, die in dem Café ihre Tasche geklaut haben?«

»Nur kurz ausgeliehen«, sagt Ivy beschwichtigend. Cal scheint eher erschüttert als wütend zu sein, was ich im Vergleich zu der Situation vorhin in der Bahn als Fortschritt werte.

»Aber wie … Ich hätte euch doch sehen müssen!«, sagt er.

»Ich hab sie mir in dem Moment geschnappt, in dem Mateo absichtlich gegen den Geschirrwagen gelaufen ist. Vielleicht hast du den kleinen Tumult mitgekriegt«, sagt Ivy.

»Dann bin ich damit auf die Toilette, hab sie durchsucht und das hier gefunden.« Sie tippt auf das Notizbuch. »Mein Dad hat auch so einen Kalender und er packt dort sein komplettes Leben rein. Also dachte ich … warum nicht einen Blick reinwerfen?«

»Warum nicht einen Blick reinwerfen?«, wiederholt Cal fassungslos. »Vielleicht weil das Diebstahl ist?«

»Ich hab dich ja schon vorgewarnt, dass unser Plan ein paar Haken hat«, erinnert ihn Ivy.

»Welcher *Plan*?«, sagt Cal laut. »Was soll das alles?«

»Schsch«, zischt Ivy. Die Frau hinter der Theke schaut auf, scheint zu dem Schluss zu kommen, dass wir ein bisschen Privatsphäre gebrauchen könnten, und zieht sich diskret in die Küche zurück, die sich hinter einer halb verglasten Tür neben der Theke befindet.

»Cal, hör zu«, klinke ich mich ein, weil Ivy wahrscheinlich alles nur noch schlimmer macht, wenn sie jetzt weiterredet. »Du hast recht. Die Aktion ist total idiotisch gewesen.« Ich ignoriere Ivys leises Schnauben. »Aber jetzt lässt es sich nicht mehr rückgängig machen. Und du kannst uns nicht wirklich vorwerfen, dass wir Ms Jamison unterstellen, mehr zu wissen, als sie sagt. Fakt ist, dass Boney in ihrem Atelier gestorben ist.«

»Es ist nicht *ihr* Atelier«, sagt Cal. »Ein Freund lässt es sie mitbenutzen. Und sie ist da nicht die Einzige. Außerdem hat das Gebäude vor Kurzem den Besitzer gewechselt, was bedeutet, dass ...« Er hebt die Hände, während Ivy dramatisch die Augen verdreht. »Ich will damit nur sagen, dass ziemlich viele Leute Zugang zu dem Atelier haben und ...«

»Kennt irgendjemand von denen Boney?«, unterbricht Ivy ihn, worauf er verstummt.

Ich spähe zu dem Planer in Ivys Hand und muss zugeben, dass ich neugierig bin. »Komm schon, Cal. Lass uns wenigstens einen Blick reinwerfen. Wenn wir nichts finden, sind wir eben Arschlöcher.«

»Das seid ihr sowieso«, brummt Cal, bleibt aber ruhig sitzen und macht auch keine Anstalten, Ivy den Planer aus der Hand zu reißen. Er scheint jeden Kampfgeist verloren zu haben, und ich glaube, dass ich mit meiner Ahnung recht habe: Er ist verdammt einsam. Wäre es anders, würde er nicht immer wieder in den Ring steigen, um Ms Jamison zu verteidigen. Ivy und ich sind vielleicht Arschlöcher, aber wir sind auch die einzigen Freunde, die er im Moment hat.

»Okay.« Ivy schlägt den Planer entschlossen auf und blättert zum Anfang. »Fangen wir ganz vorne an.«

Von meinem Platz aus kann ich nicht besonders viel erkennen, und Cal schaut trotzig woanders hin, also sitzen wir ein paar Minuten lang schweigend da, während Ivy die Seiten umblättert und leise vor sich hin murmelt. Anscheinend ohne etwas Interessantes zu finden, sonst hätte sie uns die entsprechende Stelle schon unter die Nase gehalten.

»Spannende Lektüre?«, fragt Cal schließlich. Er klingt beinahe amüsiert.

»Sie hat eine totale Sauklaue«, seufzt Ivy. »Man könnte fast auf die Idee kommen, dass sie absichtlich so unleserlich schreibt.« Als sie weiterblättert, fällt zwischen den Seiten etwas heraus. »Aha«, sagt Ivy.

»Was ist das?«, frage ich.

»Sieht wie eine Postkarte aus.« Sie hält sie mir hin. Auf der Vorderseite ist ein mit Blumen zugewuchertes Haus zu sehen. »Hübsch«, sagt sie, dreht die Karte wieder um und hält sie Cal hin. »Impressionismus.«

»*Garten in Bougival*«, sagt Cal. »Von Berthe Morisot. Das ist Laras Lieblingsbild.«

Ivy zieht die Brauen hoch – wahrscheinlich, weil er Ms Jamisons Vornamen benutzt –, sagt aber nur: »Schauen wir mal, was drin steht.« Sie klappt die Karte auf, räuspert sich und liest laut vor: »*Ich liebe dich so sehr, mein Engel. Lass es uns tun, D.*« Ihre Wangen färben sich rot und sie wirft Cal einen schnellen Blick zu. »Ähm. Also, das …«

Cal sieht aus, als müsste er sich übergeben. »Wahrscheinlich ist die von Coach Kendall.«

Ivy lächelt angespannt. »Coach Kendall heißt Tom mit Vornamen.«

»Vielleicht hat er einen Spitznamen, der mit D anfängt«, sagt Cal. »Oder die Karte ist schon was älter und von einem Ex-Freund. Jemandem aus ihrer Zeit am College oder so.«

Er sieht total … Oh Mann. Eigentlich dürfte es ihn nicht überraschen, dass Ms Jamison möglicherweise auch noch mit anderen Typen etwas nebenher hat, aber ihm ist anzusehen, wie heftig ihm der Gedanke zusetzt, und das tut mir in der Seele weh.

»Ja, vielleicht«, sagt Ivy ohne jede Überzeugung, bevor sie die Karte wieder zuklappt und in den Planer zurücksteckt. »Lasst uns das erst mal zu den Akten legen und …«

»Warte«, unterbreche ich sie, als mein Blick an einem Stück Papier hängen bleibt, das hinten aus dem Buch herausschaut. Als ich es ganz herausziehe, sehe ich, dass es ein paar lose Blätter sind, die an einer Ecke zusammengetackert und zweimal gefaltet sind. Ich falte sie auseinander. »*Carlton High, Namensliste der Oberstufe.* Sie scheint alphabetisch geordnet zu sein. Zack Abrams, Makayla Austin …«

»Zeig mal.« Ivy nimmt mir die Liste aus der Hand und überfliegt die erste Seite. Dann blättert sie weiter und keucht leise auf. »Boneys Name ist umkringelt.«

»Echt?« Cal und ich beugen uns beide vor und Ivy legt die Liste zwischen uns. Tatsächlich: Um *Brian Mahoney* ist ein dicker roter Kreis gemalt. »Das ist wirklich seltsam«, sagt Cal widerstrebend.

Ivy zieht die Liste wieder zu sich heran und blättert weiter. Ganz unten ist noch ein Name markiert, den ich aber nicht entziffern kann, weil die Buchstaben für mich auf dem Kopf stehen. »*Charlie St. Clair*«, sagt sie und runzelt ratlos die Stirn. »Warum hat Ms Jamison seinen Namen auch umkringelt?«

Ich starre auf die Seite. Charlie laufe ich an der Carlton High nicht oft über den Weg. Er gehört zu den Sportfreaks, hat einen älteren Bruder, der öfter Partys schmeißt, ist mit

Loser-Gabe befreundet und macht mit einer Puka-Shell-Halskette einen auf Surferboy, obwohl er sein ganzes Leben in Carlton verbracht hat und die totale Landratte ist.

Charlie St. Clair war nie jemand, der mich interessiert hat. Und er würde mich auch jetzt nicht interessieren, wenn heute Morgen, als wir auf der Veranda standen und Loser-Gabe unsere Ohren malträtierte, nicht plötzlich der Name *Charlie* auf Autumns Handydisplay zu sehen gewesen wäre.

Ist er einer von ihnen?, habe ich sie gefragt.

Je weniger du weißt, desto besser, hat sie geantwortet.

Mir fällt keine Erklärung dafür ein, warum es hier plötzlich eine Verbindung zwischen Boney, der Frau, in dessen Atelier er gestorben ist, und jemandem namens Charlie gibt.

Vielleicht hat es nichts weiter zu bedeuten.

Oder es ist der Schlüssel zu allem.

»Interessiert sich Charlie für Kunst?«, will Ivy von Cal wissen. Mein Pokerface scheint zu funktionieren, weil keiner der beiden mich beachtet.

Cal schüttelt den Kopf. »Ich glaub nicht. Jedenfalls war er nie in einem meiner Kunst-Kurse. Ist er mit Boney befreundet?«

»Nein«, sagt Ivy mit der Entschiedenheit eines Mädchens, das schon so oft Jahrgangssprecherin war, dass sie das Beziehungsgeflecht ihrer Mitschüler in- und auswendig kennt.

»Das ist echt komisch.« Cal tippt auf den unteren Rand des Blatts. »Tessa Sutton ist die Letzte der Liste. Oder geht sie noch weiter?«

»Ja.« Ivy dreht die Seite um.

Die Rückseite ist nur noch mit ein paar Namen beschrieben – den letzten im Alphabet. Ich entdecke sofort einen weiteren, der rot eingekreist ist, kann ihn allerdings wieder nicht entziffern. Aber Ivy und Cal lehnen sich ein Stück zurück und werfen sich einen erschrockenen Blick zu, also muss er ihnen etwas sagen.

»Wer ist es?«, frage ich.

Ivy dreht das Blatt zu mir. »*Mateo Wojcik.*«

12

CAL

Während draußen die Sonne hinter einer Wolke verschwindet und es in unserer Sitznische im Crave Doughnuts dunkler wird, sieht Ivy Mateo scharf an. »Warum hat Ms Jamison deinen Namen eingekreist?«

»Ich habe keine Ahnung«, antwortet er.

Das klingt ehrlich, aber die Sache ist, dass Mateo – im Gegensatz zu Ivy – ein guter Lügner ist. Zumindest war er es früher, als wir noch befreundet waren. Ms Reyes gehört zu diesen Müttern, die immer ein wachsames Auge auf ihre Kinder haben und denen kaum etwas entgeht, trotzdem hat Mateo es immer irgendwie geschafft, Dinge vor ihr geheim zu halten. Wir haben nie was wirklich Schlimmes angestellt – nur der normale Teenie-Kram, wie zum Beispiel uns Filme reinzuziehen, die wir uns noch nicht anschauen sollten, und zu viel Junkfood in uns reinzustopfen –, aber er ist nie erwischt worden.

»Ja, aber sie hat deinen, Charlies und *Boneys* Namen markiert«, lässt Ivy nicht locker.

»Hab ich gesehen.« Mateo zuckt mit den Schultern. »Aber ich hab keine Ahnung, warum.«

Wahrscheinlich sollte ich auch irgendwas sagen, aber ich

163

bin mit den Gedanken woanders. Sie kreisen immer noch um dieses »D.« auf der Karte, die in Laras Planer steckte. Auch wenn sie selbst namentlich nicht als Empfängerin erwähnt ist, kann ich mich selbst nicht davon überzeugen, dass sie nicht für sie bestimmt war. Der Absender ist offensichtlich vertraut genug mit ihr, um ihr Lieblingsbild zu kennen – das noch nicht einmal annähernd so berühmt ist, dass man es in jedem x-beliebigen Postkartenladen finden würde, wie zum Beispiel ... keine Ahnung ... Monets Seerosen-Motive. Nach dieser Karte von Berthe Morisot muss man richtig suchen. Das wäre etwas, was ich getan hätte, wenn ich jemals auf die Idee gekommen wäre, Lara eine Karte zu schicken. *Ich liebe dich so sehr, mein Engel. Lass es uns tun.* Die eine Hälfte meines Gehirns sucht nach plausiblen Erklärungen dafür, dass diese Worte wahrscheinlich überhaupt nichts zu bedeuten haben, die andere Hälfte grübelt verzweifelt darüber nach, wer dieser verdammte D. sein könnte. Und an den Rändern meines Bewusstseins flüstert mir eine Stimme zu, dass ich die Antwort schon kenne, was extrem frustrierend ist, weil ich sie *nicht* kenne.

Zumindest glaube ich nicht, dass ich sie kenne.

Ich werfe noch mal einen Blick auf die Liste in Ivys Hand; keiner der eingekreisten Namen lässt sich mit einem D. abkürzen. Gleichzeitig haben Boney, Charlie und Mateo aber alle drei das, was Lara wahrscheinlich »interessante Züge« nennen würde. Die Eifersucht von heute Morgen steigt wieder in mir hoch, als ich mir vorstelle, wie Lara Boney in ihrem Atelier zeichnet. Oder Charlie oder ... Gott ...

Bitte nicht Mateo.

»Oh nein.« Ivys Augen weiten sich. »Was, wenn das ihre *Todesliste* ist?«

»*Wie bitte?*« Ich spüre, wie ich rot werde, als mir klar wird, in was für komplett unterschiedliche Richtungen unsere Gedanken laufen.

Ivy sieht Mateo mit schräg gelegtem Kopf an und bekommt von meiner Verwirrung nichts mit. »Warum ist dein Name umkringelt? Was könnte Ms Jamison gegen dich haben?«

»Nichts«, antwortet er. »Ich hab euch doch gesagt, dass ich nie in einem ihrer Kurse war.«

»Aber es muss irgendeine Verbindung zwischen dir, Charlie und Boney geben«, sagt sie. »Bist du mit Charlie befreundet? Oder habt ihr zumindest ab und zu was miteinander zu tun?«

Mateo schüttelt den Kopf. »Nein.« Ich schaue wie bei einem Ping-Pong-Spiel zwischen den beiden hin und her und habe das gleiche Gefühl wie bei dem »D.« auf der Karte – als würde ich irgendwas übersehen. »Vielleicht ...«, sagt Mateo nachdenklich, »geht es dabei bloß um irgendwas Organisatorisches, um irgendwelchen schulinternen Kram, von dem wir keine Ahnung haben.«

Ivy zieht die Brauen zusammen. »Ich bin mir sicher, da steckt mehr dahinter. Es geht ja nicht nur darum, dass eure Namen auf der Liste markiert sind, sondern auch um die Tatsache, dass sie blond ist, jeden Donnerstag das Atelier nutzt und ...«

»Aber sie ist heute gar nicht dort gewesen«, unterbreche ich sie, obwohl ich mich gleichzeitig frage, wen ich hier eigentlich von Laras Unschuld zu überzeugen versuche. Ivy und Mateo oder mich selbst? »Sie war in einem Töpferkurs.«

»In einem Töpferkurs«, wiederholt Ivy, ohne eine Miene zu verziehen.

»Ja, das hatte sie mir geschrieben und im Café vorhin hat sie es noch mal bestätigt.«

»Ach so?«, sagt Ivy ironisch. »Dann ist ja alles geklärt. Ich meine, jemandem, der so ehrlich ist wie sie, kann man ruhig jedes Wort glauben.«

»Sie hat mir *gezeigt*, was sie getöpfert hat« Ich hole mein Handy raus, scrolle zu dem Bild mit der grünen Schale und halte Ivy das Display hin. »Das hat sie mir aus dem Kurs geschickt, als wir im Garrett's waren.«

»Super Beweis.« Ivy wirft kaum einen Blick darauf. »Das Foto hätte sie auch schon auf ihrem Handy haben können. Oder sie hat es von irgendeiner Seite heruntergeladen.«

»Warum sollte sie es riskieren zu lügen, wenn man ganz einfach überprüfen kann, ob sie in dem Kurs war?«, entgegne ich.

Ivy sieht mich mit hochgezogener Braue an. »Und? *Hast* du es überprüft?«

»Ich rede nicht von *mir*«, verteidige ich mich. »Seit wann bin ich für Alibis zuständig?«

Bevor sie etwas erwidern kann, klingelt ein Handy. Meins ist es nicht, und da Ivy keine Anstalten macht, nach ihrer Tasche zu greifen, kann es auch nicht ihres sein. Wir schauen beide Mateo an.

Er wird blass und zieht ein Handy in einem schwarzen Case aus seiner Hosentasche. Oh, fuck. Mein Puls beschleunigt sich, als ich das Handy aus Laras Atelier erkenne, von dem ich dachte, es würde Ivy gehören.

Das Handy, das höchstwahrscheinlich Boney gehört hat.

»Geh ran!«, sagt Ivy. Aber Mateo hält das Telefon in der Hand, als wäre es eine Bombe, die jeden Moment hochgehen könnte. Ich greife danach und Ivy beugt sich zu mir, um den Namen des Anrufers zu sehen. Sie schnappt nach Luft und ich lasse das Handy fast fallen.

Charlie.

Ich wische nach rechts, sage: »Hallo?«, und ahme dabei automatisch Boneys gedehnte Sprechweise nach.

»Boney!«, schreit der Anrufer mir aufgelöst ins Ohr. »Heilige Scheiße, Alter, ich hätte nie gedacht, dass ich mal so froh sein würde, deine Stimme zu hören. Hier behaupten alle, dass du *tot* bist. Was zum Henker ist bei dir los? Ist der Typ überhaupt aufgetaucht?«

»Äh ...« Ich habe keine Ahnung, was ich darauf sagen soll. Ivy gibt mir lautlos irgendwelche Anweisungen, die ich nicht decodieren kann. Ich wedle mit der Hand in ihre Richtung, damit sie aufhört und ich nachdenken kann. »Ähm, spreche ich mit Charlie St. Clair?«, frage ich.

Ein paar Sekunden lang ist am anderen Ende der Leitung bloß abgehacktes Atmen zu hören. »Wieso fragst du mich das?«, sagt der Anrufer und diesmal erkenne ich Charlies Stimme. Er klingt selbst dann noch wie die Schildkröte aus *Findet Nemo*, wenn er total nervös ist.

»Tja, die Sache ist die ... Hier ist nicht Boney ...«

»*Shit!*«, stößt Charlie hervor und legt sofort auf.

»Charlie ...« Ich schaue aufs Display, als könnte ich ihn dadurch irgendwie zurückholen, aber Boneys Handy ist wieder gesperrt. »Kacke«, stöhne ich frustriert und wische noch ein paar Sekunden erfolglos auf dem Display herum. »Er ist weg.«

»Lass mich mal«, sagt Ivy. Ich reiche ihr das Handy und sie sieht Mateo an. »Du hast es im Garrett's mit 1-2-3-4 versucht, oder?« Er nickt. »Fällt dir sonst noch was ein?«

»Nein.«

»Vielleicht sein Name.« Ivy murmelt B-O-N-E-Y vor sich hin, während sie die Buchstaben eintippt. Dann schüttelt sie seufzend den Kopf. »Auch nicht. Cal, was hat Charlie gesagt?«

Ich gebe das Gespräch so gut ich kann wieder. Was den letzten Teil betrifft, bin ich mir absolut sicher: Charlie hat gefragt: *Ist der Typ überhaupt aufgetaucht?* Als ich Ivy und Mateo davon erzähle, versuche ich neutral zu klingen, als hätte das nichts zu bedeuten, obwohl mir mein Gehirn sofort zusätzlichen Kontext schickt.

Der Typ. Nicht »sie«. Nicht Lara.

Ich will Ivy und Mateo aber nicht mit der Nase draufstoßen, sonst denken sie vielleicht, dass ich nur gehört habe, was ich hören wollte – oder noch schlimmer, dass ich sie anlüge. Trotzdem durchströmt mich Erleichterung bei dem Gedanken, dass Boney nicht dort war, um sich mit Lara zu treffen. Möglich, dass sie mir in vielen Dingen nicht die Wahrheit gesagt hat, aber was das angeht, hat sie nicht gelogen.

»Hast du nicht gesagt, Boney und Charlie wären nicht befreundet gewesen?«, sage ich zu Ivy.

»Waren sie auch nicht«, sagt sie. »Da bin ich mir ganz sicher. Jedenfalls ging es bei dem Anruf eben eindeutig um heute Morgen, oder? Als hätte Charlie gewusst, dass Boney ins Atelier wollte, um sich mit jemandem zu treffen. Aber er scheint mit niemand anderem darüber geredet zu haben, sonst wären an der Schule längst Gerüchte darüber in Umlauf. Außerdem hat Ms Jamison seinen und Boneys Namen eingekreist, hm … Ich glaub, wir müssen mit Charlie sprechen. Er ist vielleicht der Einzige, der Licht in die ganze Sache bringen kann. Weil der *Dritte* auf der Liste ja steif und fest behauptet, keine Ahnung zu haben, was er damit zu tun haben könnte.« Sie sieht Mateo an. »Oder ist dir mittlerweile irgendwas eingefallen, das uns weiterbringen könnte?«

»Sorry«, sagt er.

Ivy hakt nicht weiter nach, was ich nicht ganz verstehe. Mich hat sie vorhin nicht so leicht davonkommen lassen. Ich weiß, dass sie vor ein paar Jahren total in Mateo verliebt war, aber das kann nicht der einzige Grund dafür sein, dass sie ihn mit Samthandschuhen anfasst.

Sie greift nach ihrem Handy und schaut zwischen uns hin und her. »Okay. Hat einer von euch Charlies Nummer?«

»Nein«, antworten wir gleichzeitig.

»Hm.« Sie denkt kurz nach. »Vielleicht mein Bruder. Die beiden hängen mit denselben Leuten ab und haben früher in denselben Mannschaften gespielt, bevor Daniel entschieden hat, sich ganz aufs Lacrosse zu konzentrieren.« Sie entsperrt ihr Handy und verzieht das Gesicht. »Oh Gott, Daniel hat mir schon ungefähr tausend Nachrichten geschickt. Jetzt hat er wieder neuen Stoff. Toll.« Sie ahmt die Stimme ihres Bruders nach, als sie sie uns vorliest: »*Bist du eine Mörderin – ja oder nein? Sollte ich M&D erzählen, dass du vielleicht eine Mörderin bist – ja oder ja? Bist du außer Landes geflohen?* Echt zum Totlachen, Daniel. Weil das alles ja so unfassbar witzig ist.«

»Bist du sicher, dass du mit ihm reden willst?«, fragt Mateo.

»Nein.« Ivy fängt an zu tippen. »Aber mir fällt sonst niemand ein, der Charlies Nummer haben könnte. Und keine Sorge, ich werde ihm absolut nichts erzählen.«

Sie hat die Nachricht kaum zu Ende geschrieben, als ihr

Handy klingelt. »Ist das schon Daniel?«, frage ich überrascht. »Müsste er jetzt nicht im Unterricht sein? Die Mittagspause ist doch schon vorbei, oder?«

»Wahrscheinlich herrscht in der Schule heute der totale Ausnahmezustand.« Ivy schließt kurz gequält die Augen. »Ich hoffe, dass ich das nicht bereuen werde.« Sie nimmt den Anruf an und hält sich das Handy ans Ohr. »Hey.«

Ich rücke etwas näher zu ihr und höre Daniels Stimme. »*Fuck, Ivy.* Kannst du mir mal bitte erklären, was bei dir los ist?«

Ivy massiert sich die Schläfe. »Dazu kann ich gerade nichts sagen. Hast du zufällig Charlie St. Clairs Nummer?«

»Entschuldigung?« Der empörte Sarkasmus in Daniels Stimme hallt bis zu mir durch. »Nur damit ich das richtig verstehe ... Du machst an dem Tag in der Schule blau, an dem Boney Mahoney umgebracht wird, du entsprichst der Beschreibung der verdächtigen Person, du reagierst den ganzen Tag auf keine einzige Nachricht ... und jetzt willst du *Charlie St. Clairs Handynummer?*«

»Ja«, sagt Ivy. »Hast du sie?«

»Drehst du jetzt völlig durch? Ich will sofort wissen, was los ist.«

»Dann hast du sie also *nicht?*«

»Vielleicht hab ich sie, aber ohne Erklärung kriegst du von mir gar nichts«, gibt Daniel gereizt zurück. Ivy verdreht die Augen und raunt uns ein *Er hat sie nicht* zu. Wieder höre ich die Stimme ihres Bruders. »Davon abgesehen bringt der Typ nur Ärger. Also halt dich von ihm fern.«

»Wieso bringt er nur Ärger?«, fragt Ivy.

»Ist eben so.«

Bevor sie darauf reagieren kann, vibriert ihr Handy. Sie

nimmt es vom Ohr, um die Nachricht auf ihrem Display zu lesen.

Emily: Charlie St. Clair ist ABGEHAUEN. Ist einfach aus der Schule rausmarschiert. Alle hier sind komplett am Ausflippen.

Emily: Ich halte dich weiter auf dem Laufenden, egal, ob du dich meldest oder nicht.

Emily: Bitte melde dich.

Ivy gibt einen besorgten Laut von sich und hält sich das Handy wieder ans Ohr. »Okay«, unterbricht sie ihren Bruder, der weiter irgendwelche Vorwürfe von sich gegeben hat, während wir Emilys Nachrichten gelesen haben. »Dann gibt es nichts weiter zu besprechen. Ach so, außer dass es eine totale Arschlochnummer von dir war, dass du mir damals in der Achten die Sugar Babies von der Veranda geklaut hast.« Daniel antwortet irgendwas, worauf Ivy sagt: »Komm mir nicht damit. Du weißt selbst, was du getan hast.«

»*Sugar Babies?*«, frage ich, als sie das Handy weglegt.

»Ach, Mateo hat mir damals eine Packung auf unsere Veranda gelegt«, sagt Ivy und errötet leicht. Ich schaue Mateo an, der sich plötzlich brennend für das Donut-Angebot zu interessieren scheint. »Nachdem wir, ähm, kurz was miteinander hatten. Ich hab davon erst vorhin in der Bahn erfahren, als du ... als du gesagt hast ... was du gesagt hast.«

»Oh.« Ich schlucke schwer. Sie meint meinen kleinen Ausraster. Auf dieses Thema würde ich im Moment lieber nicht noch mal zurückkommen. »Daniel hat Charlies Nummer also auch nicht, hab ich das richtig verstanden? Und Charlie hat sich aus dem Staub gemacht?«

Mateo runzelt die Stirn. »Aus dem Staub gemacht?«

»Emily hat geschrieben, dass er aus der Schule abgehauen ist«, sagt Ivy, jetzt wieder ganz sachlich. »Vielleicht ist er nach Hause. Wir könnten zu ihm fahren und versuchen, persönlich mit ihm zu reden. Die St. Clairs wohnen nur ein paar Straßen von uns entfernt.«

»Einen Versuch ist es wert«, sage ich. Lara hat sich nach unserem Treffen im Café nicht mehr gemeldet, obwohl sie genügend Zeit hatte, sich zu überlegen … wie hat sie es ausgedrückt? *Wo es hingeht.*

Tja, fürs Erste scheint es zu Charlie St. Clair zu gehen. Falls Lara sich in der Zwischenzeit einen anderen Plan ausgedacht hat, hätte sie mir eben Bescheid geben müssen.

»Vorher brauche ich aber dringend noch irgendwas zu essen, ich sterbe vor Hunger«, sagt Mateo. »Was *Richtiges*«, schiebt er mit einem Blick in meine Richtung hinterher, als wäre er sich sicher, dass ich ihm sonst noch einen Donut empfehlen würde. Was ich tatsächlich getan hätte. »Gegenüber ist ein McDonald's. Wollt ihr auch was?«

Ivy schüttelt den Kopf. »Nein danke.«

Ich bin viel zu angespannt, um irgendwas runterzukriegen. »Für mich auch nicht, danke.«

»Okay. Dann treffen wir uns gleich draußen.« Er steht auf und nimmt Boneys Handy vom Tisch. »Vielleicht sollten wir das Ding lieber ausschalten, bis wir eine Idee haben, wie wir es der Polizei übergeben können. Gut möglich, dass sie versuchen, es zu orten.«

Oh Mann, der Gedanke ist mir bis jetzt noch gar nicht gekommen, aber er hat natürlich recht. Als ob wir nicht schon genügend andere Probleme hätten. »Vielleicht können wir es bei Charlie lassen.« Ich schaue Ivy an, die völlig darin vertieft ist, alles einzusammeln, was aus Laras Planer gefallen ist. Sie sieht nicht so aus, als würde sie noch eine stressige Information verkraften können.

»Ja, vielleicht«, sagt Mateo vage. Als er sich auf den Weg nach draußen macht, kommt Viola mit einem Lappen in der Hand aus der Küche. Sie beginnt, die Theke abzuwischen und schaut immer wieder nachdenklich in unsere Richtung. Ich überlege, ob ich rübergehen und ein bisschen mit ihr quatschen soll, wie ich es sonst auch tun würde, als plötzlich zum ersten Mal an diesem Tag mein Handy klingelt.

Es ist Wes. Natürlich ist es Wes. Wer würde mich sonst auch anrufen.

Kurz spiele ich mit dem Gedanken, die Mailbox anspringen zu lassen, aber Dad ruft sonst nie während der Unterrichtszeit an. Also weiß er entweder, dass ich blaumache, oder er hat von der Sache mit Boney gehört. Es nützt nichts, wenn ich seinen Anruf jetzt ignoriere. Früher oder später muss ich mich seinen Fragen sowieso stellen. »Hey, Dad«, melde ich mich.

»Cal. Hallo.« Seine Stimme klingt besorgt und in meiner Kehle wird es eng. »Ich habe gehört, was mit deinem Mitschüler passiert ist. Was für eine entsetzliche Geschichte. Dein Vater und ich sind erschüttert.« Wes muss Henry Bescheid gegeben haben, bevor er mich angerufen hat, weil Henry auf keinen Fall von selbst davon erfahren hat. Er ist der totale Technikdinosaurier und benutzt immer noch ein Klapphandy. »Wie geht es dir?«

»Ich bin okay. Stehe nur ein bisschen unter Schock.«

»Das ist eine unfassbare Tragödie. Ich will mir gar nicht vorstellen, was seine armen Eltern gerade durchmachen. Wie geht es deinen Freunden?«

»Na ja.« Ich werfe einen Blick zu Ivy, die sich ihre Tasche über die Schulter gehängt hat und mich abwartend ansieht. »Den Umständen entsprechend.«

»Haben sie in der Schule dafür gesorgt, dass ihr psychologisch betreut werdet? Sind Leute da, mit denen ihr reden könnt?«

»Ähm …« Bis jetzt habe ich ihn noch nicht wirklich angelogen, sondern nur unterschlagen, dass ich nicht in der Schule bin. Aus irgendeinem Grund ist mir diese Unterscheidung wichtig. »Ich brauche mit niemandem zu reden, Dad.«

»Solltest du aber, Cal. Auch wenn du jetzt glaubst, es wäre nicht nötig.«

»Ich kann doch mit dir reden, wenn du später zu Hause bist.«

»Ich könnte früher nach Hause kommen. Ich hätte eigentlich noch ein Treffen mit jemandem, der das College finanziell unterstützen möchte, aber das kann ich verschieben.«

»Nein!« Ich schreie fast und zwinge mich, wieder leiser zu sprechen. »Ich meine, danke! Aber gerade ist es mir irgendwie lieber, wenn alles so normal wie möglich weiterläuft. Lass uns heute Abend reden.«

»Aber heute Abend ist doch die Preisverleihung«, erinnert mich Wes.

Oh Mann, auch das noch. Daran habe ich überhaupt nicht mehr gedacht. Die Preisverleihung, bei der Ivys Mutter als Bürgerin des Jahres von Carlton ausgezeichnet wird – die höchste Ehrung, die unsere Stadt zu vergeben hat. Während der Veranstaltung wird garantiert nicht zur Sprache kommen, dass die Hälfte meiner Mitschüler der Meinung ist, ihre Tochter hätte Boney Mahoney umgebracht. »Dann eben danach«, sage ich.

»Wie du meinst«, sagt Wes zweifelnd. »Aber es wäre für mich wirklich kein Problem, mein Treffen zu verschieben.«

»Im Ernst. Triff dich mit dem Typen. Schnapp dir die

Kohle.« Oh Gott. Was rede ich hier eigentlich für einen Quatsch? Höchste Zeit, dieses Gespräch zu beenden. »Okay, Dad, ich muss dann mal wieder. Aber danke, dass du angerufen hast.«

»Ist doch selbstverständlich. Melde dich bitte, wenn du irgendetwas brauchst. Ich hab dich lieb.«

»Ich dich auch.« Ich lege auf und fühle mich wie ein Riesenarschloch. Der mitfühlende Blick, den Ivy mir zuwirft, macht es nicht besser.

»Dein Dad ist so nett«, sagt sie.

»Ich weiß«, seufze ich. Viola schaut wieder besorgt zu mir rüber, als wir aufstehen und zur Tür gehen. Ich winke ihr zu und hoffe, es kommt einigermaßen lässig rüber. »Bis dann, Viola.«

Sie sieht nicht überzeugt aus. »Passt auf euch auf, Kids.«

»Immer!«, antworte ich und mache, dass ich aus der Tür komme.

Sobald Ivy und ich draußen sind, breitet sich ein unbehagliches Schweigen zwischen uns aus, und ich überlege fieberhaft, was ich sagen könnte. Unser Streit in der U-Bahn setzt mir zu; nicht nur wegen der hässlichen Dinge, die ich gesagt habe, sondern auch wegen dem, was ich *nicht* gesagt habe. Ich bin Ivy noch ein anderes Gespräch schuldig, und obwohl mir schon beim bloßen Gedanken daran speiübel wird, ist das jetzt wahrscheinlich der richtige Zeitpunkt.

»Hör zu«, sage ich. »Was ich da in der U-Bahn alles gesagt habe …«

»Schon okay«, unterbricht Ivy mich. »Ich will nicht darüber reden.«

Ich mustere ihr angespanntes Gesicht und versuche, ihre Reaktion einzuschätzen. »Über was genau willst du nicht reden?«, frage ich. »Über das, was ich gesagt habe, oder über dich und Mateo?«

»Es *gibt* kein ich und Mateo.« Ivy wird rot und verrät damit mehr, als sie will.

»Du magst ihn immer noch«, sage ich und komme mir vor wie der letzte Idiot, weil ich es nicht früher gecheckt habe. Natürlich mag sie ihn noch; das ist der Grund, warum sie ihn mit Samthandschuhen anfasst. »Und er …« Als ich daran zurückdenke, wie aufmerksam sich Mateo um Ivy gekümmert hat, seit wir nach Boston gefahren sind – und damit meine ich nicht nur, dass er sie buchstäblich auf Händen getragen hat – sehe ich den Tag mit anderen Augen. Er ist ihr die ganze Zeit nicht von der Seite gewichen, hat ihr den Rücken gestärkt und sie angeschaut, als wäre jedes Wort aus ihrem Mund spannender als alles, was er je gehört hat. Selbst in den Momenten, in denen sie die Nervensäge hat raushängen lassen. Wes sagt immer, dass Henry nicht über seine Gefühle sprechen kann, weshalb man umso mehr darauf achten muss, auf welche Weise er sie zeigt. Mateo ist genauso. »Er mag dich auch.«

Statt zu lächeln, wie ich es erwartet habe, presst Ivy die Lippen zusammen. »Nein, tut er nicht.«

»Ich glaube doch. Das ist jetzt vielleicht weder der richtige Zeitpunkt noch der richtige Ort, aber …«

»Es ist nicht nur das, da sind auch andere Dinge …« Ivy verstummt, als Mateo mit einer braunen Papiertüte aus dem McDonald's kommt. Aber er steuert nicht auf uns zu, sondern verschwindet im 7-Eleven eine Tür weiter. Sie lässt sich mit dem Rücken gegen die Hausmauer sinken und seufzt: »Was holt er denn jetzt noch? Wie kann jemand nur so viel essen?«

»Das ist Mateo, schon vergessen?«, sage ich. »Ein Fass ohne Boden. Ich hätte es besser wissen müssen, als ich ihm Donuts zum Mittagessen vorgeschlagen hab.« Ivy nickt nur und ich stupse sie leicht mit dem Handrücken am Arm an. »Was für ... andere Dinge?«

»Hmm?«

»Zwischen dir und Mateo.«

»Ach so.« Sie senkt den Blick. »Nichts weiter.«

»Das klang aber gerade noch ganz anders«, gebe ich – plötzlich neugierig geworden – zurück. Die Ivy, die ich von früher kenne, wäre diesem Gespräch nicht aus dem Weg gegangen; sie hätte jedes noch so winzige Detail einer genauen Analyse unterzogen, bis ich um Gnade gewinselt hätte. Aber in dem Moment schwingt die Tür zu dem 7-Eleven auf und Mateo kommt heraus. »Fortsetzung folgt«, sage ich.

»Oder auch nicht«, murmelt Ivy.

Mateo läuft mit seiner McDonald's-Tüte in der einen Hand und einer kleinen gelben Schachtel in der anderen auf uns zu. »Besser spät als nie«, sagt er und hält sie Ivy hin.

Es ist eine Packung Sugar Babies, und Ivy schmilzt förmlich dahin, als sie sie entgegennimmt.

YOUTUBE-KANAL »CARLTON SPEAKS«

Ishaan und Zack senden wieder aus Ishaans Wagen.

ZACK: Hey, hier sind Zack Abrams und Ishaan Mittal, die heute schon das zweite Mal live für euch am Start sind, weil praktisch niemand mehr in den Unterricht geht.

ISHAAN: Die sollten uns einfach nach Hause schicken.

ZACK: Absolut richtig, Dude. Jedenfalls melden wir uns mit einem Gast zurück, der ... Emily, willst du vielleicht kurz Hi sagen? *(Kameraschwenk zur Rückbank, wo ein Mädchen mit dunklen Haaren und ernster Miene sitzt.)*

EMILY, *ausdruckslos:* Hi.

ISHAAN: Emily Zhang ist die mutmaßlich beste Freundin von Ivy Sterling-Shepard –

ZACK: Wieso mutmaßlich? Sie ist tatsächlich ihre beste Freundin.

ISHAAN: Stimmt. Ich wollte sagen, Emily ist

die beste Freundin einer mutmaßlichen Mord-
verdächtigen …

EMILY, *beugt sich vor:* Deswegen bin ich hier. Ihr
seid beide echt so was von verantwortungslos.
Ihr könnt nicht einfach so Ivys Namen in den
Dreck ziehen, nur weil sie heute in der Schule
fehlt und nicht gut auf Boney zu sprechen war.

ISHAAN: Sorry, aber so sind nun mal die
Fakten.

EMILY: Wenn euch Fakten so wichtig sind,
dann solltet ihr hier über jeden reden, der
heute nicht in der Schule ist. Wer fehlt denn
sonst noch? *(Ishaan duckt sich aus dem Bild, Zack*
runzelt die Stirn.)

ZACK: Was spielt das für eine Rolle, wenn
von denen keiner ein nachweisliches Problem
mit Boney hatte?

EMILY: So was nennt man umfassende
Berichterstattung. Und Ivy hat kein »nachweisliches Problem« mit Boney. Sie hat eine Wahl
gegen ihn verloren, mehr nicht. Daran hätte
jeder zu knabbern. Wahrscheinlich hat sie sich
einfach einen Tag freigenommen.«

ZACK: Würdest du sagen, dass es Ivy ähnlich
sieht, sich einfach einen Tag freizunehmen?

EMILY: Nein, aber ...

ISHAAN, *lehnt sich wieder zur Kamera:* Hey, Leute, ich hab mal kurz unsere Statistik gecheckt. Wir kriegen gerade fett Zahlen rein.

ZACK: Was?

ISHAAN: Dreimal so viele Views wie sonst. Nein, warte ... *(Verschwindet erneut und taucht kurz darauf wieder auf.)* viermal so viele.

ZACK: Kein Scheiß?

ISHAAN: Wir gehen krass viral, Baby. Okay, vielleicht nicht viral, aber das hier schauen sich gerade fast fünfhundert Leute an.

EMILY, *einen entsetzten Ausdruck in den Augen:* Oh Gott.

13

IVY

Auf der Rückfahrt nach Carlton herrscht in meinem Kopf das totale Gedankenchaos. Meine praktisch veranlagte Seite erinnert mich daran, dass ich im Moment wesentlich größere Probleme habe als die Frage, ob Mateo mir die Sugar Babies als lustigen Privatwitz mitgebracht hat oder ob mehr dahintersteckt. Die Zwölfjährige in mir interessiert das nicht, sie hat sich in ein kreischendes Emoji mit Herzchenaugen verwandelt. Aber mein Gewissen ist noch lauter und sendet mir ununterbrochen dieselbe Botschaft:

Du musst es ihm sagen.

Es ist nicht so, als hätte ich nicht schon vor diesem Katastrophentag darüber nachgedacht. Seit ich aus Schottland zurück bin und mir klar geworden ist, was für einen Dominoeffekt ich mit dem, was ich letzten Juni getan habe, ausgelöst habe, arbeitet es in mir. Ich habe versucht, es auf Umwegen wiedergutzumachen. Was mir okay und ausreichend erschien, als Mateo noch jemand war, mit dem ich seit Jahren so gut wie nichts mehr zu tun gehabt habe. Aber jetzt weiß ich, dass es nichts anderes als Feigheit war – eine bequeme Ausrede, um nicht zugeben zu müssen, dass ich richtig Scheiße gebaut habe.

Heiße Scham steigt in mir hoch, als ich daran denke, wie selbstgerecht ich mich Cal gegenüber den ganzen Tag verhalten habe, wie ich über ihn geurteilt und es geradezu genossen habe, dass die Beziehung zwischen Ms Jamison und ihm so offensichtlich *verdammenswert* ist. Mir wird erst jetzt bewusst, dass ich mich vor allem deswegen auf das Fehlverhalten von Ms Jamison konzentriert habe, um von meinem eigenen abzulenken.

Ich kann noch nicht mal meine Sugar Babies genießen. Ich versuche sie lecker zu finden, weil ich nicht will, dass Mateo mich für undankbar hält, aber sie schmecken wie Pappe. Er und Cal teilen sich eine Tüte mit sauren Weingummis, und Cal ist wie üblich derjenige, der am meisten zur Unterhaltung beiträgt.

»Habt ihr eigentlich schon was von euren Eltern gehört?« Er setzt den Blinker, um die Ausfahrt nach Carlton zu nehmen. Es ist erst kurz nach halb zwei, weshalb kaum Verkehr herrscht.

»Meine sitzen doch im Flugzeug«, erinnere ich ihn. *Noch vier Stunden,* füge ich in Gedanken hinzu. Aber vier Stunden sollten reichen, um dafür zu sorgen, dass sich der Schulklatsch über mich nicht noch weiter ausbreitet. Erst recht, wenn Charlie eine Erklärung dafür liefert, welche Verbindung zwischen Ms Jamison und Boney besteht und der Fokus der Polizei damit auf sie gelenkt werden kann. Kurz gebe ich mich der Vorstellung hin, dass die Ermittler schon von selbst darauf gekommen sind und das nächste Update auf Boston.com ein Foto von ihr in Handschellen sein wird.

Eher unwahrscheinlich, ich weiß. Aber dann würde Boney die Gerechtigkeit bekommen, die er verdient hat, ohne dass Cal, Mateo und ich in die Geschichte hineingezogen werden würden und früher oder später zugeben müssten, dass wir in dem Atelier waren. All unsere Probleme würden sich einfach ... in Luft auflösen. Ich würde früh genug nach Hause kommen, um mich sogar noch ein bisschen hinlegen und rechtzeitig für die Preisverleihung fertigmachen zu können: duschen, Haare glätten, schminken und mich vergewissern, dass jeder der winzigen Knöpfe an meinem raffinierten belgischen Designerkleid richtig geschlossen ist. Der Gedanke löst einen wohligen Schauer der Erleichterung aus und plötzlich schmecken mir auch die Sugar Babies wieder.

»Meine Mom ist in New York«, sagt Mateo. »Zum Glück. Sonst wäre sie garantiert schon längst zur Schule gefahren, um nach mir zu schauen. Ihr wisst ja, wie sie ist.«

Das wissen wir und er hat recht. Sie ist die totale Löwenmutter. Obwohl Mateo schon mit zwölf größer war als sie, würde ich bei einem Zweikampf trotzdem immer auf sie wetten.

»Wo arbeitet deine Mom jetzt?«, fragt Cal, und ich drehe mich in meinem Sitz zu Mateo um.

»Sie hat mehrere Jobs«, antwortet er, »aber überwiegend arbeitet sie für Jeff Chalmer. Ihm gehört das Autohaus auf der Spring Street, kennt ihr bestimmt, oder? Sie macht den ganzen Bürokram für ihn.«

»Gefällt es ihr dort?«, fragt Cal.

Mateo zuckt mit den Achseln. »Es ist ein Job. Und körperlich nicht anstrengend. Genau, was sie im Moment braucht.« Er schaut aus dem Seitenfenster, als hätte er nicht mehr dazu zu sagen, schiebt dann aber noch hinterher: »Sie hat Arthrose, und ohne Medikamente ist praktisch jede Bewegung mit Schmerzen verbunden.«

»Sie hat *was*?« Ich ersticke fast an meinem letzten Sugar

Baby. Ich kann mir nicht vorstellen, dass Mateos dynamische, zupackende Mutter an derselben Krankheit wie mein Grandpa Sterling leiden soll. »Seit wann?«, frage ich.

»Was ist Arthrose?«, fragt Cal.

»Eine Erkrankung, bei der durch Abnutzung des Knorpels die Gelenke versteifen. Das müssen Höllenschmerzen sein«, sagt Mateo und verzieht das Gesicht. »Sie spürt es vor allem in den Knien. Normalerweise macht sich die Krankheit erst im Alter bemerkbar, und ihr Arzt ist nicht sicher, warum es sie so jung getroffen hat. Er meinte, dass es vielleicht was mit einer alten Softball-Verletzung zu tun hat oder dass sie einfach Pech hat. Die Medikamente dagegen helfen zwar ganz gut, das Problem ist nur ... Na ja, sie nimmt sie nicht immer so regelmäßig, wie sie sollte.« Er hält inne und zuckt wieder mit den Schultern, als wäre er selbst überrascht, wie viel er uns erzählt. Ich bin jedenfalls überrascht. Mateo ist es noch nie leichtgefallen, sich zu öffnen, besonders wenn es um seine Familie geht. Er hat schon immer alles mit Klauen und Zähnen verteidigt, was mit seiner Mutter und Autumn zu tun hatte, vor allem ihre Privatsphäre.

Er sieht mich an. »Die Diagnose hat sie im Juli bekommen. Kurz nachdem sie wegen diesem Unfall verklagt worden ist. War ein durch und durch beschissener Monat.«

Oh mein Gott, oh mein Gott, oh mein Gott. Plötzlich fühle ich mich so bleischwer, dass es mich nicht wundern würde, wenn ich jeden Moment durch den Wagenboden auf den nackten Asphalt krachen würde. Einen Moment lang wünsche ich mir, genau das würde passieren.

Du musst es ihm sagen.

Nein. Ich kann es ihm *unmöglich* jetzt sagen.

»Oh wow, das tut mir leid«, sagt Cal ernst. »Deine Mom ist so toll. Das ist echt verdammt hart, dass sie zusätzlich zu allem auch noch mit so was fertigwerden muss.«

»Aber …« Die Worte bleiben mir im Hals stecken und ich muss sie förmlich herauswürgen. »Mein Dad hat sich doch im August noch mit ihr getroffen … Davon hat er mir gar nichts erzählt …«

Ich denke an den Abend zurück, an dem ich total nervös zu Hause saß und auf Dad gewartet habe, um zu erfahren, wie sein Treffen mit Ms Reyes gelaufen ist. Er fand meine Idee toll, sie in das neue Projekt mit einzubeziehen, und hat mir danach erzählt, dass sie sich auch sehr über das Angebot gefreut hätte. »Vielleicht ist es am Ende sogar eine Verbesserung für sie«, sagte er. »Ihr Versicherungsschutz hat hinten und vorne nicht gereicht, das muss finanziell eine harte Zeit für sie gewesen sein. Sie wirkte ziemlich erschöpft.«

Damals hatte ich das dem Stress durch den Prozess zugeschrieben, was ja schlimm genug für sie war. Ich bin nicht auf die Idee gekommen, dass Ms Reyes vielleicht auch noch zusätzlich mit gesundheitlichen Problemen zu kämpfen hat. Das rückt die Tatsache, dass auch Mateo mittlerweile mehrere Jobs macht, in ein völlig anderes Licht. Er nimmt die Fahrerei nach Boston ins Garrett's tatsächlich nur deswegen auf sich, weil die Bezahlung dort besser ist und er das Geld dringend *braucht*.

»Sie redet nicht viel darüber.« Mateo sieht mich mit einem kleinen müden Lächeln an. »Und als dein Dad bei uns war, hat sie die ganze Zeit gesessen. Er hatte keinen Grund zu denken, dass irgendwas nicht stimmt.«

»Mateo, es tut mir *so* wahnsinnig leid.« Meine Stimme zittert und klingt belegt. Er sieht mich verwirrt an.

»Ist doch nicht deine Schuld, dass sie krank ist«, sagt er.

»Nein, aber ...« Mir schnürt es den Hals zu.

»Gleich musst du mir mit dem Weg helfen«, wirft Cal ein.

Ich wische mir über die Augen. »Was?«

»Um zu Charlie zu kommen«, antwortet er, und erst da wird mir bewusst, dass wir mittlerweile das Zentrum von Carlton erreicht haben. Gerade sind wir an der Bibliothek vorbeigefahren, wo ich als Kind praktisch meine gesamten Sommerferien verbracht habe, und nähern uns dem Eckladen, in dem Mateo vor vier Jahren die ganzen Süßigkeiten gekauft hat, die er mit mir teilen wollte. »Ist es derselbe Weg, wie wenn wir zu dir fahren würden?«

In meinem Gehirn herrscht nur noch statisches Rauschen. Mir fällt das Denken schwer, und ich bin froh, als Cal an einer roten Ampel halten muss. Ich schaue aus dem Fenster, und trotz der vertrauten Umgebung brauche ich einen Moment, bis ich weiß, wo wir sind. »Nicht ganz«, sage ich. »Schneller geht es, wenn wir nach dem Fußballplatz links abbiegen. Und dann an der Fulkerson rechts rein.«

Cal trommelt mit den Fingern auf dem Lenkrad. »Irgendwelche Vorschläge, was wir machen, falls Charlie nicht zu Hause ist?«

Nein. Vor fünf Minuten hatte ich vielleicht noch welche, aber mein Denkvermögen wird immer noch von weißem Rauschen boykottiert. »Er wird da sein.« Ich hole mein Handy raus, um mich davon abzuhalten, den Kopf verzweifelt gegen das Armaturenbrett zu schlagen, und sehe, dass Emily mir gerade noch mal geschrieben hat.

DU DARFST DIESE NACHRICHT AUF KEINEN FALL IGNORIEREN!!! RUF MICH AN.

Sie schickt einen YouTube-Link hinterher, und ich lasse

einen Moment den Daumen darüber schweben, bevor ich exakt das Gegenteil von dem mache, worum sie mich bittet, und das Handy wieder wegstecke. Ich weiß, wie beschissen es ist, dass ich mich schon den ganzen Tag nicht bei meiner besten Freundin gemeldet habe. Das Problem ist, dass ich nicht die leiseste Ahnung habe, was ich ihr sagen soll. Wie soll ich das alles erklären? Das Gespräch mit Daniel vorhin war schon schlimm genug. Bevor ich das Handy ans Ohr gehalten habe, hat ein kleiner Teil in mir gehofft, dass seine Stimme besorgt klingen würde. Dieser Teil kommt sich jetzt wie ein Volltrottel vor.

Manchmal frage ich mich, was für eine Beziehung ich zu meinem Bruder hätte, wenn er älter wäre und die Dynamik zwischen uns nicht komplett dadurch aus dem Gleichgewicht gebracht worden wäre, dass er mich von meiner, wie ich finde, rechtmäßigen Position innerhalb unserer Familie verdrängt hat. Als wir Kinder waren, ist er mir wie ein Schatten überallhin gefolgt. Aber das hat mir nie was ausgemacht, weil er lustig und fantasievoll und auf eine süße, unbeholfene Art anhänglich war. Er hat immer »Beste Schwester der Welt!« geschrien, wenn er sich auf mich gestürzt und versucht hat, mich zu Boden zu ringen, aber damals war er noch so klein und dünn, dass es sich für mich angefühlt hat, als würde sich ein Welpe auf mich werfen. Irgendwann wurde er mir dann körperlich überlegen, womit ich kein Problem hatte. Das war ja nicht anders zu erwarten gewesen. Schwierig wurde es erst, als er mich auch in der Schule immer mehr abhängte.

Wenn Daniel achtzehn und nicht sechzehn wäre, würde ich statt Eifersucht vielleicht Bewunderung für all das empfinden, was er erreicht hat. Vielleicht würde er sich mir gegenüber fürsorglich und hilfsbereit verhalten statt sich hämisch zu freuen, wenn bei mir was schiefgeht. Oder mich sogar selbst in peinliche Situationen zu bringen, einfach nur, weil es ihm Spaß macht.

Cal setzt den Blinker nicht, obwohl er abbiegen sollte. »An der Fulkerson rechts rein«, erinnere ich ihn und er reißt das Lenkrad herum.

»Weiß ich«, behauptet er.

»Okay, aber fahr ein bisschen langsamer«, sage ich. »Wir müssen gleich in die Avery Hill ... und zwar genau hier.«

Cal biegt in die von Bäumen gesäumte Straße, in der Charlie wohnt. Unsere sieht ganz ähnlich aus: Die Häuser sind stattlich, ohne protzig zu wirken, liegen relativ weit auseinander, mit viel Grün dazwischen. Das dunkelrot gestrichene Holzhaus von Charlies Eltern hebt sich deutlich von den weißen und grauen Nachbarhäusern ab. »Hier ist es«, sage ich, als es nach einer kleinen Kurve plötzlich neben uns auftaucht. Wir sind schon vorbei, als Cal abbremst.

»Ich drehe da vorne einfach um«, sagt er. Als wir kurz darauf auf der gegenüberliegenden Straßenseite parken, fragt er: »Und jetzt?«

In der Einfahrt steht ein roter SUV. »Er scheint zu Hause zu sein«, sage ich. »Ich glaub jedenfalls, dass das sein Wagen ist. Vielleicht sollten wir einfach ... klingeln?«

Cal verzieht das Gesicht. »Bist du sicher, dass das eine gute Idee ist? Was ist, wenn die Person, die Boney umgebracht hat, jetzt hinter Charlie her ist? Er hat am Telefon ganz schön panisch geklungen.«

»Dann braucht er vielleicht Hilfe«, sagt Mateo und löst seinen Gurt. »Warum wartet ihr nicht einfach hier und ich rede mit ihm?«

»Allein?« Ich drehe mich verwirrt und gleichzeitig besorgt zu ihm um. »Auf keinen Fall! Das ist viel zu riskant.«

»Ich kann schon auf mich aufpassen.« Er steigt aus, wirft die Tür hinter sich zu und steuert auf das Haus zu, bevor ich noch mal widersprechen kann.

Cal schaut ihm nachdenklich hinterher, als er die Einfahrt zu den St. Clairs hochgeht. »Wir sollten uns mal kurz darüber unterhalten, wie seltsam Mateo sich benimmt, findest du nicht auch?«, sagt er.

»Was meinst du mit seltsam?«, frage ich.

»Zum Beispiel, dass er überhaupt nicht darauf eingegangen ist, warum sein Name auf dieser Liste markiert ist. Und dass er jetzt plötzlich ganz allein zu Charlie will. Was soll das?« Mateo hat mittlerweile die Haustür erreicht, klopft und drückt zusätzlich auf die Klingel.

»Er ist eben mutig«, sage ich. Cal treten förmlich die Augen aus dem Kopf.

»Das hast du über mich nicht gesagt, als ich heute Morgen allein losgezogen bin«, sagt er.

Darauf fällt mir keine gute Antwort ein. Ich konzentriere mich wieder auf Mateo, der an der Tür wartet. »Scheint, als wäre niemand zu Hause«, sage ich und sehe im gleichen Moment, wie Mateo den Türknauf dreht. Die Tür schwingt auf und er geht ins Haus und schließt sie hinter sich.

Cal beugt sich mit zusammengekniffenen Augen zur Windschutzscheibe. »Hat ihm jemand aufgemacht?«, fragt er. »Oder ist er ...«

»Einfach rein?«, beende ich den Satz. »Ich glaube, ja.« Mein Herz rast. So ein ungutes Gefühl wie in genau diesem Moment habe ich den ganzen Tag nicht gehabt, und das will was heißen.

»O...kay.« Cals Blick ist auf die Tür geheftet. »Sollen wir erst mal warten?«

»Vielleicht.« Wir verfallen in Schweigen. Ich starre auf die Uhr im Armaturenbrett, auf der die Zeit so langsam zu vergehen scheint, dass es die reinste Folter ist. Cal spielt währenddessen am Autoradio herum. Jedes Mal, wenn ihm ein Stück gefällt, dreht er die Lautstärke hoch und hört ein paar Sekunden zu, bevor er wieder leiser macht und von Neuem den Sender wechselt.

Fünf Minuten und gefühlte vierzig Songs später halte ich es nicht mehr aus. »Ich finde, wir sollten schauen, was da drin los ist«, sage ich.

Cal atmete aus – ich weiß nicht, ob vor Erleichterung oder aus Frust. »Du stehst echt drauf, Leute zu verfolgen, oder?«

»Nur unter bestimmten Umständen.« Ich strecke die Hand nach dem Türgriff aus. »Kommst du mit?«

»Klar.« Er schaltet den Motor aus, und in mir steigt Dankbarkeit hoch, bis er hinzufügt: »Nicht dass du noch denkst, ich wäre nicht *mutig*.«

Die Straße liegt völlig menschenleer und friedlich da. Das einzige Geräusch ist gelegentliches Vogelzwitschern. Charlie lebt in einer Gegend, die so teuer ist, dass sie sich nur Doppelverdiener leisten können, weshalb hier tagsüber kaum jemand zu Hause ist. Das einzige Auto in Sichtweite ist sein SUV.

»Moment noch.« Cal geht zum Kofferraum und holt zu meiner Überraschung einen Baseballschläger heraus. »Nur für alle Fälle«, sagt er. So wie er ihn in der Hand hält, bin ich mir ziemlich sicher, dass er noch kein einziges Mal in seinem Leben versucht hat, einen Ball damit zu treffen.

»Warum hast du den in deinem Kofferraum liegen?«, frage ich, während wir auf das Haus zugehen. »Requisite für einen neuen Web-Comic, an dem ich arbeite«, sagt er. »Über eine Spinne, die einen Baseballschläger auf einer Wiese findet und beschließt, ihre eigene Liga zu gründen.«

»So was wie Spiderman, aber mit Baseball?«

»Nein.« Cal verdreht die Augen. »Es hat überhaupt nichts mit Spiderman zu tun. Die Spinne ist nicht radioaktiv verseucht oder ein Superheld, und in dem Comic kommen auch keine Menschen vor. Nur verschiedene Insekten. Die Baseball spielen.«

Wir betreten die gleichmäßig asphaltierte Einfahrt der St. Clairs, die eine willkommene Abwechslung zum Kopfsteinpflaster ist, über das ich in Boston den ganzen Tag gestolpert bin. »Und wie schaffen die es, den Schläger zu halten?«, frage ich. Cal zieht fragend die Brauen hoch. »Na, die Insekten. Wenn sie keine Superkräfte haben, meine ich. Die sind doch viel zu klein und zu schwach.«

»Es ist ein Comic mit Fantasy-Elementen. Falls ich das noch nicht klar genug gemacht hatte.«

»Hm.« Ich lasse den Blick über das suburbane Traumhaus vor uns wandern, über dem eine trügerische Stille liegt.

»Was meinst du mit *hm*?«, fragt Cal.

»Ich weiß nicht. Wenn ich daran denke, was für Comics du vor ein paar Jahren gemacht hast, klingt das irgendwie ein bisschen ...« Ich wollte *harmlos* sagen, aber in dem Moment gehen wir an Charlies SUV vorbei, dessen Scheiben so sauber sind, dass wir uns darin spiegeln – und ich Cals verletzten Gesichtsausdruck sehen kann.

Mist. Ich war so damit beschäftigt mich von dem abzulenken, was Mateo über seine kranke Mutter erzählt hat, und dem, was uns womöglich gleich im Haus erwartet, dass ich nicht darüber nachgedacht habe, dass es nie gut ist, anderen seine ungefilterte Meinung zu sagen. »Ich fand die Sachen, die du früher gemacht hast, immer total genial«, beende ich den Satz hastig. »Wahrscheinlich muss ich mich nur daran gewöhnen, dass du deinen Style mittlerweile verändert hast.«

»Du klingst genau wie Lara«, murmelt Cal.

Ich deute warnend mit dem Zeigefinger auf ihn. »Hey. Werde ja nicht respektlos.«

»Na ja, bloß weil sie gesagt hat, dass ...« Wir haben die Haustür erreicht und Cal verstummt. Er sieht mich besorgt von der Seite an. »Sind wir gerade kurz davor, einen Einbruch zu begehen?«

»Nein. Wir wollen da drin nur schnell nach dem Rechten schauen.«

»Trotzdem. Hältst du das für eine gute Idee, einfach so in fremde Häuser zu spazieren?«

Der Schläger baumelt so locker in Cals Hand, als würde er ihn jeden Moment fallen lassen. Ich greife danach und schließe fest die Finger darum. »Wir haben keine andere Wahl«, sage ich und drücke entschlossen die Tür auf.

14

MATEO

Wirklich um sein Leben scheint Charlie nicht zu fürchten, wenn er sich noch nicht mal die Mühe macht, die Haustür abzuschließen.

Ich trete in eine große, verwaiste Diele und mache die Tür hinter mir zu. »Charlie? Bist du da?«, rufe ich und laufe ein Stück den Flur entlang. »Ich bin's. Mateo Wojcik. Ich muss mit dir reden.« Im Vorbeigehen werfe ich einen Blick in die Küche der St. Clairs und bleibe abrupt stehen.

Alle Schranktüren sind aufgerissen. Die Arbeitstheke und der Boden sind mit Aufbewahrungsdosen, Papiertüten und zerbrochenem Geschirr übersät. Vorsichtig schleiche ich weiter den Flur entlang, bis ich eine zweiflügelige Tür erreicht habe, die in ein Wohnzimmer führt. Dort herrscht dasselbe Chaos: Tische sind umgeworfen, Kissen liegen aufgeschlitzt auf dem Boden, dazwischen zerbrochene Lampen und Vasen. Das Regal am anderen Ende des Raums ist komplett leer geräumt. Selbst die Vorhänge des Panoramafensters sind heruntergerissen worden; die Stange hängt schief herunter.

Hier hat jemand ganz Arbeit geleistet und jeden Quadratzentimeter abgesucht. Und falls dieser jemand noch im Haus ist, habe ich mich ihm gerade selbst angekündigt.

Mein Verstand rät mir dringend, schleunigst den Rückzug anzutreten und mich in die Sicherheit von Cals Wagen zu retten. Aber das geht nicht. Weil ich jetzt nämlich *erst recht* rausfinden muss, ob Charlie St. Clair – dessen Name zusammen mit meinem und dem eines toten Mitschülers auf einer Liste eingekreist war und der vorhin völlig aufgelöst auf dem Handy dieses Mitschülers angerufen hat – derselbe Charlie ist, der heute Morgen versucht hat, Autumn zu erreichen.

Je weniger du weißt, desto besser, hat sie gesagt, nachdem sie den Anrufer weggedrückt hatte. Das gilt jetzt eindeutig nicht mehr.

Auf Zehenspitzen gehe ich Richtung Küche zurück und lausche angestrengt nach irgendwelchen Geräuschen. Bis auf das leise Summen einer Klimaanlage ist es still im Haus. Aus der Nähe betrachtet ist die Küche noch verwüsteter. Auf dem Boden gibt es praktisch keine freie Fläche mehr, und ich bin kurz davor, wieder umzudrehen, da entdecke ich gegenüber der Speisekammer eine Tür, die einen Spaltbreit offen steht. Ich bahne mir durch das Durcheinander einen Weg dorthin und nehme ein leises Rascheln wahr, als ich sie vorsichtig aufziehe.

Dahinter führt eine mit Teppich ausgelegte Treppe ins Kellergeschoss. Während ich einen Moment die Stufen hinunterstarre, überlege ich, wie selbstmörderisch die Idee ist, dem Geräusch zu folgen. Ich höre Autumns Stimme in meinem Kopf, so klar und deutlich, als würde sie neben mir stehen: *Extrem selbstmörderisch, Mateo. Die buchstäblich selbstmörderischste Entscheidung deines Lebens.*

Tja. Sie hat gut reden.

So leise ich kann, steige ich die Treppe hinunter. Meine

Schritte werden zum Glück von dem dicken Teppich gedämpft. Unten angekommen stehe ich in einem ausgebauten Keller, der genauso gründlich auseinandergenommen wurde wie das Haus oben. Allerdings gibt es hier weniger Möbel, weshalb das Chaos vor allem aus umgekippten Regalen und über den Boden verstreut liegenden Utensilien für verschiedene Sportarten besteht. Vom Kellerraum gehen vier Türen ab; eine steht offen und führt in eine Waschküche, die anderen drei sind zu. Hier unten herrscht dieselbe unheimliche Stille wie oben.

Vor mir liegt ein Basketball, den ich mit dem Fuß vorsichtig zur Seite schiebe. Er rollt gegen ein Metallregal, das leise scheppert. *Shit.*

Wieder ertönt das Rascheln. In einem der Räume hinter den geschlossenen Türen muss jemand sein. Alle Muskeln meines Körpers spannen sich an und ich lasse den Blick hektisch über den Boden wandern, um etwas zu suchen, womit ich mich verteidigen kann. Das Einzige, was ich entdecke, ist ...

»Arghhhh!«

Die Tür fliegt auf und jemand stürzt brüllend auf mich zu. Kurz sehe ich etwas Silbernes aufblitzen, in der nächsten Sekunde explodiert mein Schädel vor Schmerz und ich sacke in die Knie. Der nächste Schlag – etwas schwächer als der erste – trifft mich an der Schulter. Warme Flüssigkeit läuft mir in die Augen und nimmt mir die Sicht. Blind hechte ich nach vorn und bekomme ein Stück kaltes Metall zu fassen, das sich wie eine Stange anfühlt. Ich schließe die Finger darum, ziehe sie mit aller Kraft zu mir und ächze vor Schmerz, als mein Angreifer stolpernd auf mich fällt. Die Stange rutscht mir aus der Hand und fällt klirrend zu

Boden. *Ich hab ihn niedergerungen und entwaffnet,* denke ich wild triumphierend, während Adrenalin durch meine Adern pumpt.

Ein paar Sekunden lang wälzen wir uns als Knäuel aus ineinander verschlungenen Gliedern und fliegenden Fäusten auf dem Boden und landen Schläge, die nicht heftig genug sind, um ernsthaft zu verletzen. Ich habe mich schon seit Jahren nicht mehr geprügelt, aber ich schätze, das ist wie Radfahren – man verlernt es nicht. Ich bleibe in Bewegung und versuche, den anderen niederzudrücken, aber er windet sich immer wieder aus meinem Griff.

Meine Sicht ist weiter verschwommen und mir dröhnt der Kopf. Als der Angreifer mir seinen Finger in den Augenwinkel bohrt, schießt heiße Wut in mir hoch. Ich schaffe es, ihn am Handgelenk zu packen und es so fest nach hinten zu drücken, dass er mit einem gellenden Schmerzensschrei in sich zusammensackt. Sofort bin ich auf ihm und blinzle heftig, um endlich wieder klar sehen zu können, während ich ihm den Unterarm auf den Hals presse und mit meiner freien Hand zu einem Schlag aushole, der ihn hoffentlich ausknockt.

»Aufhören!«, schreit ein Mädchen hinter mir. »Mateo! Charlie! Hört auf!«

Charlie? Ich erstarre und wische mir mit der Hand über die Augen. Danach ist sie blutverschmiert, aber mein Blick ist wieder klar genug, um zu erkennen, dass Charlie St. Clair unter mir liegt und beide Hände gegen meine Brust stemmt. Ich rolle mich von ihm runter, drehe mich um und sehe Ivy am Fuß der Treppe stehen – einen Baseballschläger in der Hand. »Was zum Henker?«, sage ich mit rauer Stimme und drehe mich dann wieder zu Charlie, der sich auf dem Boden krümmt und sich wimmernd das Handgelenk hält. Ivy steigt über mich hinweg und hebt einen Golfschläger auf, der ein paar Meter von uns entfernt liegt.

»Shit, Charlie. Tut mir leid«, sage ich. »Ich wollte dir helfen.«

»Seltsame Art, das zu zeigen, Mann«, stöhnt Charlie. »Ich glaub, du hast mir das Handgelenk gebrochen.«

»Tut mir leid«, entschuldige ich mich wieder und wische mir die blutverschmierte Hand am T-Shirt ab. »Aber du bist mit einem Golfschläger auf mich los und ...«

»Du bist *bei mir zu Hause eingebrochen!*« Charlie setzt sich auf. Das Handgelenk scheint kein Thema mehr zu sein, als er seine Muschelkette ein Stück hochschiebt und vorsichtig seinen feuerroten Hals abtastet. Den hat er mir zu verdanken. Wäre ich nicht so panisch gewesen, hätte ich vielleicht mitgekriegt, dass ich es mit Charlie zu tun habe, als ich ihn zu Boden gedrückt und gespürt habe, wie sich die rauen Ränder der Muscheln an der Kette in meinen Unterarm gegraben haben. »Ich dachte, du bist ...« Er gestikuliert mit der Hand durch den Raum. »... der, der das hier angerichtet hat.«

»Die Haustür stand offen«, verteidige ich mich. »Ich hab nach dir gerufen und laut meinen Namen gesagt, als ich reingekommen bin.«

»Hier unten hört man keinen Ton. Ist alles schallisoliert«, sagt Charlie. »Aber wirklich beruhigt hätte mich das auch nicht, wenn ich mitgekriegt hätte, dass du es bist. Weil ... was zur Hölle machst du hier?« Sein Blick wirkt merkwürdig unfokussiert, als er von mir zu Ivy und anschließend zu Cal rüberschaut, der gerade die Treppe heruntergekommen ist. »Und du? ... und du?«

Ivy geht neben ihm in die Hocke und untersucht sein

Handgelenk. »Es sieht nicht geschwollen aus, aber wahrscheinlich solltest du es trotzdem lieber kühlen. Und dann ... oh Gott!« Sie schaut mich mit großen Augen an. »Du blutest total, Mateo.« Sie streckt eine Hand nach mir aus, aber ich zucke zurück. Jetzt, wo sich das Adrenalin verflüchtigt hat, brennt meine rechte Gesichtshälfte wie Feuer. »Wir müssen die Wunde dringend säubern und ...«

»Wir müssen vor allem dringend von hier *verschwinden*«, unterbricht Cal sie mit gepresster Stimme. »Was, wenn die Leute, die das hier getan haben, beschließen, zurückzukommen?«

Ich bin mir seltsamerweise sicher, dass das nicht passieren wird. Wer auch immer dieses Chaos angerichtet hat, ist wahrscheinlich mit der Suchaktion noch nicht fertig. Aber bevor ich aus diesem Gedanken eine logische Schlussfolgerung ziehen kann – *Wo sind sie als Nächstes hin?* –, sagt Ivy: »Guter Punkt. Wir könnten zu mir nach Hause gehen.«

Charlie lehnt an der Wand und betrachtet uns mit zusammengekniffenen Augen. »Seid ihr überhaupt real?«, fragt er mit schwerer Zunge und stupst Ivy stirnrunzelnd mit dem Zeigefinger in den Arm. »Hm?«

Ivy sieht mich mit hochgezogenen Brauen an. »Hast du ihm vielleicht einen Schlag auf den Kopf verpasst?«

»Nicht dass ich wüsste«, antworte ich, könnte es allerdings auch nicht beschwören.

Sie schaut zu Cal. »Hilfst du Charlie zum Wagen? Ich glaube nicht, dass er das allein schafft, so verwirrt, wie er ist. Hey. Kannst du vielleicht mal damit aufhören?«, sagt sie zu Charlie, der immer noch ihren Arm anstupst. »Was ist mit dir, Mateo? Fühlst du dich okay genug, um dich allein auf den Beinen zu halten?«

Ich rapple mich auf. »Klar.«

Ivy zuckt zusammen, als sie den dunklen Blutfleck auf dem hellen Teppich sieht. »Der muss wohl gereinigt werden.«

»Egal.« Charlie schüttelt sich die Haare aus den Augen und zuckt mit den Schultern. »Der hat schon Schlimmeres gesehen. Letztes Wochenende hat Trevor Bronson genau auf die Stelle gekotzt.«

»Igitt.« Ivy springt auf und schaut angewidert auf die Stelle, an der sie gerade gekniet hat. »Die Info hättest du mir gern ersparen können.«

Die Reaktion ist so typisch Ivy, dass ich trotz allem, was gerade passiert ist, fast lachen muss. Aber eben nur fast…

Spätestens, wenn Charlies und meine Wunden versorgt sind, werden Ivy und Cal wissen wollen, warum Charlies Haus auf den Kopf gestellt wurde. Eine Frage wird definitiv lauten: Wonach könnte der Eindringling gesucht haben?

Und ich fürchte, ich kenne die Antwort.

Kurze Zeit später sitze ich bei Ivy zu Hause im Badezimmer auf einem Hocker, während sie das Medizinschränkchen durchstöbert. Sie findet eine Familienpackung Paracetamol, drückt zwei Tabletten aus dem Blister und füllt einen Zahnputzbecher mit Leitungswasser. »Wie fühlst du dich?«, fragt sie besorgt.

»Ganz okay«, sage ich. Was größtenteils der Wahrheit entspricht. Die Stelle an meiner Schulter, an der Charlie mich mit dem Golfschläger erwischt hat, tut noch etwas weh, aber davon abgesehen habe ich bloß krasse Kopfschmerzen.

»Du hast noch Glück gehabt. Das hätte auch viel schlimmer ausgehen können.« Ivy reicht mir den Becher und die beiden Tabletten und wartet, bis ich sie geschluckt habe.

»Warum bist du nicht sofort wieder raus, als du gesehen hast, was bei Charlie zu Hause passiert ist?«

Ich trinke das restliche Wasser, um Zeit zu schinden, aber mir fällt trotzdem keine gute Antwort ein. »Warum bist *du* nicht raus?«, gebe ich zurück.

»Weil du irgendwo dort drin warst«, sagt sie.

Wieder spüre ich diesen seltsamen Schmerz in der Brust, der immer nur von Ivy ausgelöst zu werden scheint, und habe das Gefühl, den Kompass verloren zu haben, der mir helfen könnte, diese Unterhaltung in die richtige Richtung zu lenken. »Du hättest im Wagen warten sollen«, brumme ich. Ivy verschränkt die Arme vor der Brust, und mir ist klar, dass jetzt statt Vorwürfen eine Entschuldigung fällig wäre oder ein Dankeschön oder beides. Ja, definitiv beides. Aber mehr als »Woher hattest du den Baseballschläger?« kriege ich nicht raus.

Sie nimmt mir den leeren Becher aus der Hand. »Den hatte Cal im Kofferraum liegen.«

»Und was hattest du damit vor? Wolltest du jemandem den Schädel zertrümmern?«

»Charlie hatte einen Golfschläger zur Verteidigung und es hat funktioniert, oder? Zumindest halbwegs.« Ivy öffnet die Tür eines Wandschranks, in dem ordentlich gefaltete Handtücher liegen. Das Badezimmer sieht fast genauso aus wie früher, als ich noch regelmäßig bei Ivy ein und aus gegangen bin, nur dass es jetzt cremefarben statt blau gestrichen ist. Sie nimmt einen Waschlappen von einem Bord, macht ihn nass und wringt ihn etwas aus, bevor sie sich damit wieder zu mir umdreht. »Ich säubere jetzt erst mal die Platzwunde. Könnte ein bisschen wehtun.«

»Kein Problem.« Ich zwinge mich, nicht zusammenzuzucken, als sie meine Schläfe abtupft. Aus ihrem Pferdeschwanz haben sich ein paar Strähnen gelöst, die ihr ins Gesicht fallen. Sie hält kurz mit einem genervten Seufzen inne, um sie sich hinters Ohr zu streichen. Anscheinend bin ich schon auf dem Weg der Besserung, weil ich nur eine Sekunde davon entfernt war, es für sie zu tun. »Danke«, sage ich endlich.

»Keine Ursache.« Ivy fährt mit konzentriertem Ausdruck in den goldbraunen Augen fort, die Wunde zu säubern. »Scheint doch nicht so schlimm zu sein, wie ich zuerst dachte. Der Schnitt ist nicht wirklich tief und blutet kaum noch.« Sie wäscht den Waschlappen aus und beugt sich dann wieder über mich. Es tut gut, den kühlen Stoff und Ivys sanfte Berührungen auf meiner geschundenen Haut zu spüren. »Du musst dich nicht immer allein um alles kümmern.«

»Hm?« Ich war so in ihren Anblick versunken, dass ich ihr nicht sofort folgen kann.

»Du kannst auch mal andere um Hilfe bitten. Das ist kein Zeichen von Schwäche.«

Shit. Sie denkt, ich wäre aus reinem Edelmut allein ins Haus der St. Clairs gegangen und nicht, um meine eigene Haut zu retten. Ich bin hin- und hergerissen zwischen dem Bedürfnis, sie aufzuklären, und dem, der Typ zu bleiben, für den sie mich hält. Der Typ, für den ich mich *selbst* lange gehalten habe.

»Es ging mir nicht darum, dass ich nicht für schwach gehalten werden wollte«, antworte ich ausweichend und verlagere nervös mein Gewicht auf dem Hocker. Ich würde gern nach Charlie schauen, weil es mich unruhig macht, ihn mit Cal allein zu lassen. Aber ich kann mich einfach nicht dazu durchringen, aufzustehen, solange Ivy weiter sanft mein Gesicht abtupft. Mir steigt der Duft ihres leichten, zitrusartigen Parfums in die Nase, das wahnsinnig gut riecht, und eigentlich will ich nichts anderes, als so lange wie möglich in diesem behaglichen Kokon zu bleiben und nicht daran zu denken, was als Nächstes kommt.

»Hoffentlich bist du nicht deswegen alleine rein, weil du dir Sorgen um Cal und mich gemacht hast«, sagt Ivy. »Wir können nämlich selbst auf uns aufpassen. Und wir stecken alle zusammen in dieser Sache mit drin, also ...« Sie tritt einen Schritt zurück und begutachtet mich mit kritisch zur Seite gelegtem Kopf. »Hm. Das wird einen krassen Bluterguss geben, aber ich glaube nicht, dass es genäht werden muss. Trotzdem solltest du über Nacht ein Pflaster auf die Wunde kleben.« Sie dreht sich wieder zur Hausapotheke. »Wirkt das Paracetamol denn schon?«, fragt sie und nimmt eine Packung Wundpflaster heraus.

Ich nicke. »Ja.« Vielleicht hat Charlie mich nicht so übel erwischt, wie es sich im ersten Moment angefühlt hat. Aber weil ich es jetzt schon vermisse, von Ivy so umsorgt zu werden, schiebe ich hinterher: »Hast du das ganze Blut abgewischt?«

»Hab ich. Wir sind gleich fertig.« Sie spült noch einmal den Lappen, wringt ihn aus und wirft ihn in einen Wäschekorb, bevor sie ein Pflaster aus der Packung holt und mir auf die Schläfe klebt. »So. Fast wieder wie neu. Mach so was nicht noch mal, okay?« Sie streicht mir über die Wange, beugt sich vor und haucht mir einen Kuss auf die Stirn.

Es fühlt sich an wie ein Zeichen, könnte aber auch bloß Wunschdenken sein, weil ich auf eines gehofft habe. »Moment noch.« Bevor sie sich wieder aufrichten kann, halte ich sie sanft am Ende ihres nach vorn gerutschten Pferdeschwanzes fest und schaue ihr in die Augen. »Ich glaub, du bist noch nicht fertig.«

»Doch. Du bist wieder hergestellt«, sagt sie, ohne sich zu rühren. Ihre Lippen öffnen sich leicht und ihre Wimpern flattern, während ihr die Röte in die Wangen steigt. Es ist eines der großen Rätsel des Universums, warum die Typen der Carlton High nicht vor ihrer Tür Schlange stehen. Von Weitem sieht Ivy einfach süß aus, aber so aus der Nähe ist sie ... wunderschön. »Was brauchst du noch?«

Ich streiche ihr eine Strähne hinters Ohr und lasse meine Hand in ihren Nacken gleiten. »Dich.«

Ivy erschauert, dann beugt sie sich langsam vor, bis ihre weichen Lippen über meine streifen. Aber das reicht mir nicht; es reicht noch nicht mal annähernd. Ich vergrabe die Finger in ihren Haaren und ziehe Ivy zu einem langen, tiefen Kuss an mich. Sämtliche Gründe, die mir durch den Kopf gegangen sind, warum das hier vielleicht keine so gute Idee wäre – und das waren einige –, lösen sich in Luft auf, als wir uns küssen. Was wir tun, fühlt sich so vertraut und beglückend an, als würde ich an einen Ort zurückkehren, den ich am liebsten nie verlassen hätte und der sogar noch schöner ist als in meiner Erinnerung.

»Ivy? Mateo?«, ertönt Cals Stimme von draußen. Ivy zuckt zusammen und tritt einen Schritt zurück. Als Cal im nächsten Moment den Kopf ins Bad streckt, zieht er bei unserem Anblick die Brauen hoch, fängt sich aber schnell wieder. »Charlie glaubt zu wissen, was der Eindringling bei ihm zu Hause gesucht hat, und wir haben ein Problem. Oder nein, lasst es mich anders formulieren«, kommt er Ivys unweigerlichem Kommentar zuvor. »Wir haben ein *zusätzliches* Problem.«

Sie erstarrt. »Wieso? Ist jemand hier? Die Polizei?«

»Nein«, sagt Cal und lehnt sich an den Türrahmen, worauf Ivy erleichtert ausatmet und anfängt, die Sachen wegzuräumen, mit denen sie mich eben verarztet hat. »Bloß der Typ, mit dem wir hierhergekommen sind. Heißt: ein total betrunkener Charlie.« Er sieht nur Ivy an, nicht mich, und mein Magen zieht sich besorgt zusammen.

Ich wusste, ich hätte ihn nicht mit Charlie allein lassen sollen.

»Total *was?*«, fragt Ivy zerstreut. Sie macht das Medizinschränkchen zu und stutzt, als sie sich in der verspiegelten Tür sieht. Stirnrunzelnd versucht sie, ihren Pferdeschwanz neu zu binden, gibt es aber einen Moment später auf, zieht den Gummi aus ihren Haaren und lässt sie offen über ihre Schultern fallen.

»Charlie ist hackedicht.« Cal tritt von der Tür weg, damit Ivy zu ihm in den Flur hinaus kann. Ich stehe ebenfalls auf, aber Cal meidet meinen Blick immer noch. »Zuerst der Schock wegen Boney und dann der Schock, dass bei ihm zu Hause eingebrochen und alles verwüstet worden ist. Als Gegenmaßnahme hat er die Hausbar seiner Eltern geplündert.« Er räuspert sich. »Was wahrscheinlich aber weniger schlimm ist, als wenn er sich eine Überdosis von dem Oxycontin reingezogen hätte, das er geklaut hat.«

Shit, shit, shit. Das ist nicht gut. Genau was ich befürchtet habe, als Charlies Name plötzlich überall auftauchte. Von allen möglichen Antworten auf die Frage, welche Verbindung es zwischen Charlie und Boney gibt, ist das die allerschlimmste.

Je weniger du weißt, desto besser.

»Echt? Jetzt verstehe ich, warum er so komisch drauf war«,

sagt Ivy. Ich warte schweigend, bis sie vollständig verarbeitet hat, was Cal ihr gerade mitgeteilt hat. Bingo. Sie reißt die Augen auf. »Moment mal, *was* hat er geklaut? Hast du Oxycontin gesagt? Heißt das ... reden wir hier von ... *verschreibungspflichtigen Opioiden?*«

»Genau davon reden wir.« Cal verschränkt die Arme vor der Brust. »Charlie hat mir erzählt, dass er letzten Monat auf einer Party einen großen Vorrat Oxy gefunden und das Zeug seitdem verkauft hat. Zusammen mit Boney.« Ivy holt keuchend Luft und endlich sieht Cal mich an und schiebt mit einem abschätzigen Ausdruck in den Augen hinterher: »Und mit deiner Cousine. Aber das wusstest du schon, oder?«

15

CAL

Es war eher ein Schuss ins Blaue, aber als Mateo sich gegen die Wand fallen lässt und sich mit beiden Händen seufzend durch die Haare fährt, weiß ich, dass ich ins Schwarze getroffen habe. »Stimmt«, gibt er erschöpft zu. »Ich wusste es.«

»Moment mal. Was?« Ivys Augen sind so riesig, dass sie Ähnlichkeit mit einer Comicfigur hat, als sie Mateo ansieht. »Ihr habt *Drogen* verkauft?«

»Autumn«, sagt er. »Aber ich … habe sie nicht daran gehindert.«

Es hat schon an meinen Nerven gezerrt, aus Charlies Gestammel schlau zu werden, solange die beiden es sich im Badezimmer nett gemacht haben, jetzt platzt mir endgültig der Kragen. »Das heißt, während wir uns den Kopf darüber zerbrochen haben, was mit Boney passiert ist, hast du die ganze Zeit gewusst, dass er Drogen vertickt hat?« Ich schüttle fassungslos den Kopf. »Was hast du denn gedacht, als du ihn mehr oder weniger mit einer Spritze im Arm im Atelier gefunden hast? *Ach, dass er mit Drogen zu tun hatte, ist wahrscheinlich nicht so wichtig, das lass ich lieber unter den Tisch fallen?*«

»Ich wusste nicht, dass Boney auch darin verwickelt war«, sagt Mateo. »Autumn wollte mir nicht sagen, mit wem sie zusammenarbeitet. Sie hat ständig wiederholt: *Je weniger du weißt, desto besser.*«

Ich schlucke ein *Wie praktisch!* runter, weil ich erst mal wissen muss, was genau hier Sache ist. Denke ich, dass Mateo lügt, oder bin ich nur wütend auf ihn? Beides? Ich brauche mehr Informationen, bevor ich mich entscheiden kann. »Hast du gewusst, dass Charlie mitmischt?«

Mateo zögert. »Nein. Aber heute Morgen hab ich den Namen Charlie auf Autumns Handy gesehen, und als ich wissen wollte, wer das ist, hat sie total ausweichend reagiert. Deshalb hab ich mich gefragt, ob vielleicht einer von den Typen, mit denen sie das Zeug verkauft, Charlie heißt. Dann ist Boney plötzlich tot, und es taucht eine Liste auf, auf der sein Name und der von Charlie St. Clair eingekreist ist ... und *meiner*, was für mich keinen Sinn ergeben hat. Deswegen wollte ich mit Charlie reden.«

Ich funkle ihn wütend an. »Aber mit uns nicht, ja? Obwohl wir dich noch gefragt haben, ob dir vielleicht irgendeine mögliche Verbindung einfällt.«

»Opioide«, sagt Ivy schwach. »Genau darum geht es bei der ... oh Gott, das hab ich dir noch gar nicht erzählt, oder?« Als Mateo verwirrt die Stirn runzelt, erklärt sie: »Die Auszeichnung, die meine Mutter heute Abend verliehen bekommen soll. Sie hat im Auftrag der Regierung eine Studie zum Missbrauch von Opioiden erstellt.«

Mateo sinkt noch mehr in sich zusammen. »Shit, ich ... Das hab ich nicht gewusst.«

Ich verschränke die Arme. »Hätte es irgendwas geändert, wenn du es gewusst hättest?«

Als er nicht antwortet, fragt Ivy: »Sollten wir deswegen im Wagen auf dich warten?« Sie lässt ihn nicht aus den

Augen. »Weil du nicht wolltest, dass wir mitkriegen, dass Autumn mit drinhängt?«

Ich bin kurz davor, sie zu fragen, für wie *mutig* sie Mateo jetzt hält, kann es mir aber gerade noch verkneifen. Das wäre unfair, zumal nicht sie diejenige ist, auf die ich gerade stinksauer bin.

Mateo wird rot. »Ich weiß. Ich hätte was sagen sollen. Es tut mir leid. Ich konnte nicht mehr klar denken.« Er wirft Ivy einen entschuldigenden, fast flehenden Blick zu. Dass er sich offensichtlich mehr Sorgen um ihre Reaktion macht als um meine, obwohl ich derjenige war, der gerade zehn Minuten damit verbracht hat, Charlie Informationen aus der Nase zu ziehen, bringt mich noch mehr zum Kochen.

»Und als du das Oxy verkauft hast?«, zische ich. »Hast du da auch nicht klar denken können?«

»Ich habe es nicht verkauft.« In Mateos Stimme schleicht sich ein harter Unterton.

Normalerweise würde ich jetzt zurückrudern. Ich bin eher der softe, Harmonie liebende Typ. Aber es tut einfach gut, dass ich zum ersten Mal an diesem Tag nicht derjenige bin, der sich rechtfertigen muss – jetzt ist Mateo dran, und er hat es mehr als verdient.

»Spielt das eine Rolle?«, sage ich eisig. »Du hast davon gewusst. Hättest du uns gleich die Wahrheit gesagt, wären wir vielleicht nicht in Charlies gefilzte Drogenbude spaziert wie eine Horde ahnungsloser…« Ich erstarre und meine Wut verpufft, als mir plötzlich ein schrecklicher Gedanke kommt. »Moment mal. Charlie hat gesagt, dass er das Oxy nicht zu Hause aufbewahrt, das heißt, die Leute, die sein Haus auseinandergenommen haben, haben nicht gefunden, wonach sie gesucht haben. Und wenn sie sich an die Liste halten, haben sie sich danach wahrscheinlich auf den Weg zu dir gemacht. Weißt du, ob deine Mutter oder Autumn zu Hause sind?«

»Zum Glück nicht«, sagt Mateo. »Autumn arbeitet und Ma ist in New York.« Er fährt sich wieder seufzend durch die Haare. »Aber du hast recht, wahrscheinlich sieht es bei uns jetzt genauso aus wie bei Charlie. Autumn bewahrt die Tabletten auch nicht zu Hause auf. Sie hat gesagt, sie hätten sie von dem Schuppen, wo sie sie entdeckt haben, irgendwo anders hingebracht. Was es aber nicht besser macht. Wer auch immer hinter dieser Scheiße steckt, hält sich nicht damit auf, Fragen zu stellen. Die wollen einfach so schnell wie möglich wiederhaben, was ihnen gehört, egal wie weit sie dafür gehen müssen.« Er schluckt. »Autumn hat sich eindeutig mit den falschen Leuten angelegt.«

»Stimmt. Und du hast es zugelassen.« Jetzt wo ich weiß, dass seiner Cousine und Mutter – zumindest vorläufig – keine Gefahr droht, kehrt meine Wut zurück. »Wir reden hier von *Oxy*, Mateo.« Um ehrlich zu sein, weiß ich nicht sonderlich viel darüber, aber seit Wes erfahren hat, dass das Zeug auf dem Campus des Carlton Colleges in Umlauf ist, recherchiert er fast jeden Abend noch stundenlang im Netz nach Informationen über den Missbrauch von Opioiden und die Rate von Leuten, die an einer Überdosis sterben. Manchmal erzählt er beim Frühstück, was er herausgefunden hat, und ich habe klar und deutlich seine besorgte Stimme im Ohr, als ich sage: »Dieser Dreck zerstört Leben. Ist dir überhaupt klar, wie ernst das alles ist?«

Mateos Augen beginnen zu funkeln und ich wappne mich innerlich gegen eine vernichtende Retourkutsche. Ich wünsche sie mir fast und mache sogar einen Schritt auf ihn zu, damit er weiß, dass ich ihm die Stirn bieten werde. Einen Moment lang starren wir uns bloß an, die Schultern angespannt, die Hände an den Seiten zu Fäusten geballt, als würden wir gleich aufeinander losgehen. Was lächerlich ist, weil ich null Prügelerfahrung habe und weiß, selbst wenn ich es versuchen würde, hätte ich keine Chance gegen ihn. Ich meine, man muss sich nur anschauen, wie es Charlie ergangen ist. Der Typ ist zehn Kilo schwerer als ich, hatte einen Golfschläger und lag trotzdem sofort am Boden. Aber gerade bin ich so wütend, dass mir alles egal ist.

Irgendwann senkt Mateo den Kopf, reibt sich den Nacken und sieht mit einem Mal völlig erschöpft aus. Die dunklen Ringe unter seinen Augen, die mir schon heute Morgen aufgefallen sind, treten noch stärker hervor. »Ja«, sagt er langsam. »Das ist mir klar.«

Ich blinzle überrascht. Seine Antwort nimmt mir den Wind aus den Segeln. Ich hatte damit gerechnet, dass er mir blöd kommt, und war mehr als bereit, mich mit ihm anzulegen. Aber nicht mit dem Mateo, der jetzt hier vor mir steht und aussieht, als würde er sich selbst hassen.

Ivy lässt vorsichtig den Blick zwischen uns hin- und herwandern. »Ich hab eine Frage«, sagt sie leise, als hätte sie Angst, den zerbrechlichen Waffenstillstand zwischen uns zu stören. »Ich verstehe die Verbindung zwischen Charlie, Boney und Autumn nicht. Wie hat sich das ergeben?«

Mateo seufzt schwer. »Vor ungefähr einem Monat war Autumn mit Loser-Gabe auf einer Party in einem leer stehenden Haus am Stadtrand, das wohl bald abgerissen werden soll. Gabe hat sich anscheinend mal wieder wie ein Arschloch verhalten, und Autumn ist nach draußen, um frische Luft zu schnappen. Als sie Stimmen aus einem Schuppen im

Garten hinterm Haus gehört hat, ist sie hin. Es waren ein paar Typen von der Schule, die sich ziemlich komisch benommen haben, als sie plötzlich vor ihnen stand. Am Ende hat sich rausgestellt, dass sie zufällig eine große Menge Oxy-Tabletten gefunden hatten, die in dem Schuppen versteckt waren, und sich gerade darüber unterhalten haben, ob sie das Zeug mitnehmen und selbst verticken sollten. Einer der Typen hat gemeint, man würde achtzig Dollar für eine Pille kriegen.« Er schluckt schwer. »Und da hat Autumn gesagt ... dass sie mitmachen will.«

Das ist so ziemlich das, was Charlie mir erzählt hat, nur dass Mateos Version weniger konfus ist.

»Aber warum?«, frage ich, weil das das Puzzlestück ist, das für mich nicht passt. Charlie und Boney waren zwar nicht befreundet, hatten aber ein paar gemeinsame Kumpel, weshalb es nicht abwegig ist, dass die beiden sich auf einer Party über den Weg gelaufen sind. Dass sie betrunken auf ein Drogenversteck stoßen und es für eine Goldmine halten, passt ebenfalls. Boney war schon immer auf schnelles Geld aus, und Charlie ist einer von den Typen, die sich einbilden, sie müssten sich nicht an Regeln halten. Aber Autumn Wojcik? Autumn habe ich immer als eher ruhig und ernst wahrgenommen. In den vier Jahren, die sie auf der Highschool war, hat sie wahrscheinlich kein einziges Mal nachsitzen müssen. Dass sie in so einem Fall vielleicht einfach gehen und Boney und Charlie ihr eigenes Grab schaufeln lassen würde – okay. Aber dass sie *mitmacht*? Das passt nicht zu ihr. »Warum sollte Autumn sich an so etwas beteiligen wollen?«

Mateo spannt den Kiefer an. Als er nicht sofort antwortet, stößt Ivy einen erstickten Laut aus. »Deine Mom«, sagt sie.

Mateo nickt und schließt kurz die Augen. »Ich hab es euch ja vorhin im Wagen erzählt. Es ist so, dass ihre Tabletten ein Vermögen kosten und unsere Versicherung sich querstellt, seit das ›Spare Me‹ zumachen musste. Deswegen nimmt Ma die meiste Zeit gar keine Medikamente. Autumn hat sich ausgerechnet, dass es reichen würde, im Monat sechs von den Oxy-Tabletten zu verkaufen, um Mas Rezept zu bezahlen. Sie hat sich gesagt, dass sechs Pillen nicht so viel sind.«

Ivy und ich tauschen einen Blick, während Mateo auf den Boden starrt. »Ich hab versucht, es ihr auszureden. Hab ich wirklich – ich schwöre bei Gott. Die Vorstellung hat mich krank gemacht. Aber Autumn wollte nicht auf mich hören. Ich hab ihr gesagt, dass Mom entsetzt wäre, wenn sie es wüsste. Dass die Sache auf sie zurückfallen und ihren Ruf endgültig zerstören könnte, falls das rauskommen sollte. Meine Mom ist nun mal eine *Reyes*, keine Wojcik. Das ist ein Unterschied, den Autumn nicht kapiert.« Er atmet schwer aus. »Sie kapiert vieles nicht. Wenn meine Cousine sich was in den Kopf gesetzt hat, sieht sie nur noch das Licht am Ende des Tunnels und nichts von dem Chaos, das sie auf dem Weg dorthin hinterlässt. Sie hat gesagt, wenn ich sie aufhalten will, müsste ich sie schon bei der Polizei verpfeifen. Und das hab ich nicht über mich gebracht.« Er lässt den Kopf hängen. Ich habe ihn noch nie so fertig gesehen. »Das könnte ich ihr niemals antun. Und ich hab nicht … ich hätte nie gedacht, dass *so was* passieren würde.«

Wir sind alle einen Moment lang still, während wir zu verdauen versuchen, was wir eben erfahren haben. Ivy wirkt zu erschüttert, um etwas sagen zu können, und mir fehlen einfach die Worte. Es ist scheiße, dass Mateo bei so einer üblen Aktion zugeguckt hat, aber ich verstehe schon auch, in was für einer schrecklichen Zwickmühle er saß; seine Familie bedeutet ihm alles.

Ich versuche, mich in Autumn reinzuversetzen. Was würde ich tun, wenn Wes oder Henry krank wären und Medikamente bräuchten, die wir uns nicht leisten könnten? Wie weit würde ich gehen? Aber der Vergleich hinkt gewaltig; zum einen wäre immer noch mein anderer Dad da, wenn einer krank werden würde. Außerdem haben beide eine super Krankenversicherung, Ersparnisse und ein solides Fundament. Das ist das, was Henry meint, wenn er mich davon zu überzeugen versucht, dass ich nicht nur Kunst studieren, sondern zusätzlich auch einen Abschluss in BWL machen soll. *Du brauchst ein Sicherheitsnetz*, sagt er immer.

Wir haben eins – Autumn und Mateo nicht. Nicht mehr.

»Ich kann dich verstehen«, sage ich schließlich. Eine schwache Antwort, ich weiß, aber es ist wahrscheinlich auch eher eine Art Olivenzweig. Ein Zeichen für Mateo, dass ich nicht vorhabe, ihm das Leben noch schwerer zu machen. Ich werde bestimmt nicht sagen, dass Autumn das Richtige getan hat, aber er versucht ja auch gar nicht, ihr Verhalten zu rechtfertigen. Sie hat eine beschissene Lösung für eine beschissene Situation gefunden, bei der alle nur verlieren können.

»Du hast ja nicht … Ich meine, das mit deiner Mom …« Ivy beißt sich auf die Unterlippe und senkt den Blick zum gebohnerten Parkett des Flurs. »Wir machen alle Fehler, oder? Und die meisten Fehler passieren, weil wir uns über die möglichen Konsequenzen unserer Taten nicht im Klaren sind. Wenn wir es wären, würden wir nie tun … was auch immer … wir getan haben.« Sie verstummt, und ich habe das deutliche Gefühl, dass es schon nach dem ersten Satz nicht mehr nur um Mateo ging.

»Hey, Ivy!«, hallt plötzlich Charlies Stimme aus dem Wohnzimmer zu uns und ich zucke zusammen. Ich hatte fast vergessen, dass er ja auch noch da ist. »Das musst du dir anschauen. Im Fernsehen wird über dich geredet.«

16

CAL

»Oh Gott.« Ivy wird blass und geht schnell ins Wohnzimmer. Mateo und ich folgen ihr. Charlie hat sich praktisch nicht bewegt, seit ich ihn allein zurückgelassen habe. Er liegt immer noch zusammengerollt in einer Ecke der Couch, die Lider auf Halbmast, der Gesichtsausdruck stumpf, der einzige Unterschied ist, dass er jetzt eine Fernbedienung in der Hand hat. Auf dem Flatscreen an der gegenüberliegenden Wand läuft Central New England Cable und Dale Hawkins steht vor ... *oh Shit.*

Der Typ steht vor der Carlton High School. Flankiert von Emily Zhang, Ishaan Mittal und Zack Abrams. »Was haben denn die drei miteinander zu tun«?«, frage ich. Ich weiß, dass Emily Ivys beste Freundin ist, aber ich habe sie noch nie mit einem von den anderen beiden gesehen.

Ivys Lippen sind zu einer dünnen Linie zusammengepresst. »Kannst du das bitte noch mal von vorn abspielen, Charlie?«

»Ähm ...« Charlie starrt auf die Fernbedienung, als wäre sie eine hochkomplexe mathematische Gleichung, bis Ivy sie ihm mit einem frustrierten Stöhnen aus der Hand reißt und zu der Stelle zurückspringt, an der Dale Hawkins das erste Mal ins Bild kommt.

»Hier ist Dale Hawkins von *Hawkins Report* mit der Fortsetzung unserer heutigen Sondersendung«, sagt er mit eindringlichem Blick in die Kamera. »Ich stehe vor der Carlton High School, deren Schüler zutiefst erschüttert sind von der Nachricht über den Mord an ihrem Mitschüler, dem siebzehnjährigen Brian Mahoney. Während wir über die tragischen Ereignisse berichtet haben, bekam meine Redaktion einen Link zu einem von zwei Zwölftklässlern der Carlton High gedrehten YouTube-Video zugeschickt. Die beiden jungen Männer stehen jetzt hier neben mir. Sie geben an, dass eine ihrer Mitschülerinnen, die offenbar alles anderes als gut auf Mahoney zu sprechen war und der Beschreibung der polizeilich gesuchten Verdächtigen entspricht, heute den ganzen Tag in der Schule gefehlt hat.«

»Das ist jetzt nicht wahr, oder?« Das letzte bisschen Farbe weicht aus Ivys Gesicht.

Die Kamera schwenkt zu den dreien, die neben Hawkins stehen. Emily wirkt aufgebracht, Ishaan schaut nach rechts und links, als würde er versuchen herauszufinden, welche Seite seines Gesichts telegener ist, und Zack sieht nervös aus.

»Was soll die Scheiße, Zack«, höre ich Mateo hinter mir murmeln, und mir fällt wieder ein, dass die beiden befreundet sind.

»Unser Sender hat den ganzen Tag über Hinweise erhalten, denen wir unmöglich allen nachgehen können«, fährt Hawkins fort. »Aber die Story hier hat mein Interesse geweckt, weil ich die junge Frau, um die es geht, zufälligerweise persönlich kenne. Darüber hinaus – und das sind absolute Breaking News – habe ich sie vor knapp einer Stunde zufällig in Boston unweit des Tatorts gesehen. Bevor ich jedoch mit ihr sprechen konnte, ist sie davongelaufen.«

»Oh nein«, stöhnt Ivy.

Emily beugt sich zu Hawkins. »Entschuldigung, aber ich halte es für wichtig zu erwähnen, dass es sich bei dem You-Tube-Video nicht um einen *Hinweis* gehandelt hat, sondern um übelste Spekulation.«

Hawkins ignoriert sie und hält Ishaan das Mikro hin. »Ishaan Mittal – Sie sind einer der Betreiber des YouTube-Kanals *Carlton Speaks*. Wann haben Sie sich zum ersten Mal die Frage gestellt, ob Ivy Sterling-Shepard etwas mit dem zu tun haben könnte, was Brian Mahoney zugestoßen ist?«

»Oh mein Gott.« Ivy stoppt den Beitrag, als könnte sie so die Katastrophe abwenden, die wie ein entgleister Zug auf sie zurast. »Er hat meinen Namen gesagt. Im Fernsehen. Ich bin so was von geliefert.« Ihr Blick jagt durchs Wohnzimmer. »Aber ich kann das in Ordnung bringen. Ich muss es in Ordnung bringen.« Sie wirft die Fernbedienung auf die Couch, lässt sich in einen Sessel fallen und vergräbt das Gesicht in beiden Händen. »Ich *muss* es in Ordnung bringen«, dringt es dumpf zwischen ihren Fingern hervor.

Mateo und ich wechseln einen Blick. »Das ist ein kleiner Privatsender. Ich glaub nicht, dass die so eine große Reichweite haben«, sage ich. Keiner von den anderen reagiert darauf, was wahrscheinlich berechtigt ist, weil ich letztlich keinen Schimmer habe und mit meiner Einschätzung womöglich komplett danebenliege. Mateo legt Ivy eine Hand auf Schulter und flüstert ihr etwas ins Ohr, das ich nicht verstehe. Sie rührt sich nicht.

»Oh Mann, das war echt mies von denen.« Charlie klingt beinahe mitfühlend. »Außer von Emily. Die steht zu dir. In guten wie in schlechten Zeiten, was?«

Ivy antwortet nicht und ich fühle mich plötzlich schuldig.

Sie hat den ganzen Tag versucht, die Wahrheit ans Licht zu bringen, aber statt ihr zu helfen, habe ich ihr auch noch Steine in den Weg gelegt. Und warum? Weil ich mir nicht sicher war, ob ich die Wahrheit überhaupt wissen will. Ich bin mir immer noch nicht sicher, aber ich kann auch nicht einfach bloß daneben stehen und zuschauen, wie ihr Leben den Bach runtergeht.

Ich drehe mich zur Couch. Während Ivy und Mateo im Bad waren, war ich so darauf konzentriert, die Drogenstory aus Charlie herauszukriegen, dass ich kaum Gelegenheit hatte, ihn irgendetwas anderes zu fragen. »Sag mal, Charlie? Als du heute auf Boneys Handy angerufen hast und ich dran bin, hast du nach einem Typen gefragt und wolltest wissen, ob er aufgetaucht ist. Von wem hast du da geredet?«

»Von einem Kunden.« Charlie legt die Fingerspitzen aneinander und stützt stirnrunzelnd das Kinn darauf, als würde er angestrengt nachdenken. »Am Wochenende hat sich ein Typ gemeldet, der fett bestellt hat und sich zur Übergabe in Boston treffen wollte. Wir haben uns für die Deals alle Prepaid-Handys besorgt und der Anruf ist auf dem von Boney gelandet. Er hat ungefähr das Zwanzigfache von der Menge geordert, die wir sonst so im Schnitt verkauft haben. Boney war total aus dem Häuschen, aber Autumn war die Sache nicht geheuer.«

Mateo wird blass. »Natürlich nicht. Im Gegensatz zu euch hat sie sofort kapiert, dass da was faul ist.«

Ich sehe Charlie an. »Aber Boney ist trotzdem zu dem Treffen?«

Superhilfreiche Frage, Cal. Als ob das nicht schon längst klar wäre.

»Er hat Autumn eigentlich versprochen, die Finger davon

zu lassen«, erzählt Charlie. »Aber gestern Abend hat er mir dann gesagt, dass er noch mal mit dem Typen geredet und beschlossen hat, die Sache doch durchzuziehen. Er meinte, wir sollen Autumn besser nichts davon sagen, weil sie uns nur ...«, er malt Anführungszeichen in die Luft, »*blockieren* würde. Sie wäre Amateurlevel und wir könnten in der Profiliga mitspielen.«

»Profiliga?«, sage ich alarmiert. »Was hat er damit gemeint?«

Charlie zuckt mit einer Schulter. »Weiß nicht genau. Er wollte am Telefon nicht drüber reden und hat gesagt, dass er mir alles erklärt, sobald er den Kontakt hergestellt hat.«

»Den Kontakt?«, wiederhole ich. »Mit wem? Mit dem Typen, der die Riesenbestellung aufgegeben hat?«

»Wahrscheinlich.« Charlie hebt hilflos die Hände.

»Weißt du, wer den Treffpunkt in dem Ateliergebäude vorgeschlagen hat?«, frage ich. »War das Boneys Idee oder kam das von dem Typen?«

»Von dem Typen«, sagt Charlie. »Er hat Boney die Adresse und den Tür-Code gegeben.«

Ich wippe unruhig auf den Fersen. »Hast du irgendeine Ahnung, wer dieser Typ ist?«

»Nein.« Charlie lässt sich tiefer in die Polster sinken. »Heute Morgen hatte ich ein komisches Gefühl wegen der Sache. Ich dachte, dass Autumn vielleicht doch recht hat und wir besser auf sie hören sollten. Also hab ich sie angerufen, um sie zu fragen, ob sie mir hilft, Boney davon abzubringen, aber sie ist an keins ihrer Handys rangegangen und da hab ich das Ganze einfach ... laufen lassen.« Er senkt den Kopf und schlägt mit der Faust gegen die Armlehne der Couch. »Verfickte Scheiße. Das war ein verdammter Fehler.«

Es wird einen Moment still, während sich wahrscheinlich jeder von uns in Selbstvorwürfen verliert. Natürlich wünsche ich mir, ich wäre mit Mateo und Ivy heute Morgen nicht zu dem Ateliergebäude gegangen. Aber vor allem bereue ich, dass ich Lara gegenüber nicht hartnäckiger auf Antworten bestanden habe, als ich Gelegenheit dazu hatte. Dass ich so schnell entschieden habe, dass sie nichts damit zu tun hat. Weil ich leider immer weniger daran glauben kann.

»Ich hab den ganzen Tag nichts von Autumn gehört«, bricht Mateo schließlich das Schweigen. Er holt sein Handy raus und wischt übers Display. »Hat sie sich inzwischen bei dir gemeldet, Charlie?« Seine Stimme klingt angespannt. »Weiß sie überhaupt schon, was mit Boney passiert ist?«

»Keine Ahnung«, sagt Charlie. »Sie hat mich jedenfalls nicht zurückgerufen. Ist wahrscheinlich im Stress, wie immer, wenn sie mit der Killerkiste unterwegs ist.«

Bevor ich darauf reagieren kann, hebt Ivy ruckartig den Kopf. »Mit der *was*?«, fragt sie. Dafür, dass sie eben noch aussah, als würde sie jeden Moment ins Koma fallen, klingt sie jetzt überraschend wach. »Killerkiste?« Sie sieht Charlie fassungslos an. »Was für Drogengeschäfte sind das eigentlich, denen ihr da nachgeht?«

»Das ist ein Witz«, sagt Mateo schnell. »Ein Spitzname. Autumn arbeitet für eine Messerschleiferei, und auf einer Seite des Transporters, mit dem sie die Kunden abfährt, ist ein riesiges Messer abgebildet, deswegen nennen wir ihn so ...« Er schließt kurz die Augen, als Ivy zusammenzuckt. »Ist heute natürlich viel weniger lustig als gestern.«

»Jesus.« Ivy steht auf und lässt ihre Schultern kreisen, als würde sie versuchen, sich zu lockern, um ihr Hirn wieder in den Problemlösungsmodus zu bringen.

»Hast du eigentlich mitbekommen, worüber wir gerade geredet haben?«, frage ich, weil sie wirklich den Eindruck gemacht hat, als wäre sie für eine Weile in eine komplett andere Welt abgetaucht.

»Ja, klar.« Sie legt mir kurz eine Hand auf den Arm. »Du hast die richtigen Fragen gestellt. Nur eine hat gefehlt, obwohl sie verdammt wichtig ist – aber ich weiß, wie heikel das Thema für dich ist.« Sie sieht Charlie an. »Hat Boney je irgendwas über Ms Jamison zu dir gesagt?«

»Die Kunstlehrerin?«, fragt er verwirrt. »Nein. Warum?«

»Weil sie das Atelier mitbenutzt, in dem Boney gestorben ist«, sagt Ivy. »Und weil wir eine Liste gefunden haben, auf der sie deinen Namen und den von Boney und Mateo eingekreist hat.« Sie wartet Charlies Reaktion ab, aber er wirkt immer noch verwirrt. »Hast du irgendeine Idee, warum sie das getan haben könnte?«

Charlie zuckt mit den Schultern. »Du bist hier das Superhirn. Sag du's mir.«

In Ivys Wangen kehrt eine Spur Farbe zurück. Charlie hat ihr gerade, ohne es zu wissen, einen dringend benötigten Energieschub verpasst. Als *Superhirn* bezeichnet zu werden ist ihr ganz persönliches Red Bull. »Okay. Jetzt, wo wir die Verbindung zwischen dir und Boney kennen, liegt der Schluss nahe, dass die Liste etwas mit den gestohlenen Drogen zu tun hat«, sagt sie. »Aber müsste dann nicht statt Mateo Autumn auf der Liste stehen?«

»Autumn ist aber nicht mehr auf der Carlton High, weshalb ihr Name auch auf keiner Schülerliste mehr stehen kann«, sagt Mateo. »Vielleicht spielt nur der Nachname eine Rolle.«

Ivy legt einen Zeigefinger ans Kinn. »Da könnte was dran sein.«

Charlie wirkt, den Arm auf der Couchlehne, wieder ganz entspannt, so als wäre der Teil seines Gehirns, der sich wegen Boney Vorwürfe macht, angenehm betäubt. »Oder es war bloß ein Verdacht«, sagt er. »Ich meine, wenn man sich entscheiden müsste, wer von den Wojciks mit Drogen dealt, würde man eher auf *ihn* tippen, oder?« Charlie nickt in Mateos Richtung. »Auf den Typen mit der Bad Boy Attitude. Nicht auf das süße Mädchen.«

»Da ist ... auch was dran«, sagt Ivy widerstrebend.

»Klar ist da was dran.« Charlie zieht träge grinsend einen Mundwinkel hoch. »Sieht echt gut aus, wenn du die Haare offen hast. Solltest sie immer so tragen.«

»Ähm ... danke?« Ein verunsicherter Ausdruck huscht über Ivys Gesicht.

»Immer gern.« Charlie checkt sie von oben bis unten ab und klopft dann neben sich auf die Couch. »Setz dich 'ne Minute. Relax. Du bist viel zu angespannt.«

Ivy verschränkt die Arme vor der Brust. »Ach ja? Ich würde sagen, der Grad meiner Anspannung ist der Situation absolut angemessen.«

Charlie blinzelt ein paarmal, während er sie nachdenklich betrachtet. »Ist das komisch, dass ich dich gerade ziemlich heiß finde?«

»Okay«, sagt Mateo, dem eindeutig nicht gefällt, welche Richtung die Unterhaltung eingeschlagen hat. »Worüber reden wir hier genau? Dass Ms Jamison möglicherweise einem Drogenring angehört und mit dem Typen, mit dem Boney gesprochen hat, unter einer Decke steckt? Dass sie rausgefunden hat, wer mit den geklauten Drogen Geschäfte gemacht hat und er daraufhin ... was? Versucht hat, sie zurückzukaufen? Oder sie sich wiederzuholen. Vielleicht hat er Boney auch eine Art Partnerschaft angeboten.« Seine Kiefermuskeln arbeiten. »So oder so … ist es für Boney nicht gut ausgegangen.«

»Für den Typen anscheinend auch nicht«, werfe ich ein. »Wenn er bekommen hätte, was er wollte, wäre bestimmt nicht bei Charlie eingebrochen und alles auf den Kopf gestellt worden.«

»Stimmt.« Mateo sieht Charlie an. »Wie viele Pillen habt ihr eigentlich aus dem Schuppen mitgehen lassen? Autumn wollte es mir nicht sagen.«

Charlie zupft an seiner Muschelkette. »Eine Menge.«

»Was heißt eine Menge?«, bohrt Mateo weiter. »Dutzende? Hunderte? Tausende?«

»So ungefähr hundert«, sagt Charlie. Ich fange gerade an, mich ein bisschen zu entspannen, weil ich mit viel mehr gerechnet hatte, als er hinterherschiebt: »Fläschchen.«

»Hundert *Fläschchen*?« Mateo beginnt, nervös hin- und herzulaufen. »Willst du mich verarschen? Wie viele Pillen sind da jeweils drin?«

Charlie reibt sich die Stirn. »Alter, das ist … ganz schön viel Rechnerei.«

»Vorsichtig geschätzt«, sage ich, »können wir wahrscheinlich von zwanzig Stück pro Fläschchen ausgehen, aber wahrscheinlich sind es mehr. Das macht Minimum zweitausend Pillen, und bei achtzig Dollar pro Pille, wären wir bei …«

»Hundertsechzigtausend Dollar!«, sagt Ivy alarmiert. »Das ist ein Haufen Geld. Kein Wunder, dass die ihre Ware zurückwollen.«

»Das heißt, wir reden hier nicht von irgendwelchen kleinen Fischen, sondern von Leuten, die nicht lange fackeln, wenn man ihnen in die Quere kommt.« Ich frage mich, wie es so weit kommen konnte, dass ich im echten Leben mal so einen filmreifen Satz von mir gebe. Ich drehe mich zu Charlie, weil ich mir ziemlich sicher bin, dass das alles seine Schuld ist. »Wie sind die überhaupt auf euch gekommen?«

Charlie seufzt schwer. »Keine Ahnung, Mann. Vielleicht hat das Wiesel uns ja verpfiffen.«

»Das was?«, sagt Mateo.

»Das Wiesel«, wiederholt Charlie.

»Alles klar.« Mateo reibt sich einen Moment über seine unverletzte Gesichtshälfte, bevor er Charlie wieder ansieht. In seinen Augen sehe ich einen Ausdruck resignierter Nachsicht. »Okay, schön. Das Wiesel. Und wer ist das?«

»Das weiß keiner.« Charlie setzt sich schwungvoll auf. So viel Einsatz hat er nicht mehr gezeigt, seit er vorhin versucht hat, Mateo ein Auge auszustechen. »Aber du kennst doch meinen Bruder Stefan, oder? Als er letztes Jahr in der Abschlussstufe war, meinte er, dass es jeder, der in Carlton versucht, nebenher ein bisschen Drogen zu verticken, schnell wieder drangibt. Entweder springen die Lieferanten ab oder die Käufer tauchen nicht auf und all so was. Stefan glaubt, dass jemand gezielt auf Partys auftaucht, um Dealer aufzuspüren. Entweder irgendein selbsternannter Gesetzeshüter, der auf eigene Faust die Szene aufräumen will, oder jemand, der selbst Kohle damit verdient und keine Konkurrenz will. Stefan nennt ihn das Wiesel.« Charlie sieht Mateo an. »Und weißt du was? Wer auch immer dahintersteckt, ist anscheinend ganz schön scheiße auf dich zu sprechen, wenn er den Namen deiner Cousine durch deinen ersetzt hat. Pinkel dem Wiesel nicht ans Bein, Mann!« Er fängt an zu lachen, als wäre das alles ein Riesenjoke, und plötzlich würde ich ihm am liebsten eine reinhauen.

Mateo sieht aus, als hätte er dasselbe Bedürfnis. »Nur damit ich das richtig verstehe, Charlie … Du weißt also seit letztem Jahr, dass da draußen jemand rumläuft, der jeden ins Visier nimmt, der versucht in Carlton Drogen zu verkaufen, und hast trotzdem nicht die Finger davon gelassen?« Charlie rutscht das Grinsen aus dem Gesicht, als Mateo hinterherschiebt: »Hast du Boney und Autumn von diesem ›Wiesel‹ erzählt?«

»Was? Nein. Das ist … Hör zu, Mann, ich hab das nicht ernst genommen, okay? Stefan verzapft ständig so komischen ›Breaking Bad‹-Quatsch. Ich meine, komm schon, das *Wiesel*? So was kann nur ein Witz sein.«

»Tja. Nach allem, was passiert ist, hättest du es vielleicht besser mal ernst nehmen sollen«, sagt Mateo kalt.

»Kann sein, ja … aber …« Charlie schaut sich gehetzt im Raum um, als würde er nach einem anderen Schuldigen suchen. »Aber ihr habt gesagt, dass Ms Jamison die Namen auf dieser Liste markiert hat, also passt das nicht. Sie geht nicht auf Partys, und selbst wenn, würde sie jedem auffallen. Sie wäre ein beschissenes Wiesel.« Er nickt. Anscheinend ist er mit seiner eigenen Beweisführung zufrieden. Dann fragt er: »Was glaubt ihr, warum sie dealt? Weil Lehrer nicht genug verdienen, oder was?«

»Sie verdienen tatsächlich nicht besonders viel«, sagt Ivy. »Was Ms Jamisons Motiv angeht, sind wir noch nicht besonders weit gekommen. Es könnte ihr um Geld gehen, vielleicht ist es auch eher was Persönliches. Vielleicht hat sie sich auf den falschen Typen eingelassen.« Sie sieht mich mit hochgezogenen Brauen an und raunt mir leise zu, was wir auf Laras Karte gelesen haben: *Ich liebe dich so sehr, mein Engel.*

»Im Ernst jetzt? Coach Kendall?« Charlie lacht schnaubend. »Auf keinen Fall, glaubt mir. Von dem würde man noch nicht mal eine Paracetamol kriegen.«

»Ich rede nicht von Coach Kendall«, sagt Ivy. »Wir glauben, dass sie sich hinter seinem Rücken mit jemand anderem trifft. Mit jemandem, dessen Vorname mit D anfängt. Vielleicht ist es ja Boneys mysteriöser Käufer und sie hat ihm den Tür-Code von dem Gebäude gegeben.«

»Oder er hatte ihn sowieso schon.« Mateo sieht mich an. »Du hast gesagt, dass auch andere Leute Zugang zum Atelier haben, oder, Cal? Irgendeine Idee, wer? Irgendwelche Namen, die mit D anfangen?«

Ich will gerade den Kopf schütteln, als es in meinem Gehirn *Klick* macht und ich plötzlich weiß, warum ich die ganze Zeit das Gefühl hatte, irgendetwas Wichtiges zu übersehen. Seit wir diese beschissene Karte entdeckt haben, bin ich davon ausgegangen, dass D. ein Schüler sein muss; jemand wie Boney, den ich dabei beobachtet habe, wie er in dem Ateliergebäude verschwunden ist. Oder einer wie Charlie und Mateo, deren Namen auf der Liste in ihrem Tages-Planer markiert waren. Jemand wie *ich*.

Der Gedanke, es könnte außer mir noch andere Schüler geben, mit denen Lara sich heimlich trifft, hat mich so eifersüchtig gemacht, dass ich darüber total vergessen habe, dass Lara mich im Second Street Café hat stehen lassen, um einen Anruf entgegenzunehmen.

»Doch, ja«, sage ich. »Der Typ, der das Atelier gemietet hat und Lara erlaubt hat, es mitzubenutzen – der heißt Dominick.«

17

IVY

Ich kann Cal noch nicht mal böse sein, dass er nicht früher mit dieser Info rausgerückt ist. In puncto Geradlinigkeit und Ehrlichkeit ist heute keiner von uns in Bestform, und es hat keinen Sinn, deswegen zu streiten und noch mehr Zeit zu verlieren. »Woher weißt du, dass er so heißt?«, frage ich.

»Lara hat ihn erwähnt, als wir im Second Street Café waren«, sagt Cal. »Kurz bevor ich gegangen bin, hat er sie angerufen.«

»Wer ist Lara?«, fragt Charlie.

»Ms Jamison.« Ich tippe auf dem Handy schnell *Dominick Künstler Boston* in die Google-Suchleiste.

Charlie blinzelt in Cals Richtung. »Warum nennst du sie beim Vornamen? Und was hast du mit ihr im Café gemacht?« Als Cal knallrot anläuft, breitet sich auf Charlies Gesicht ein ungläubiges Grinsen aus. »Alter ... ernsthaft jetzt? Du und Ms Jamison, ihr ...?« Er macht eine eindeutige Geste.

»So ist es nicht«, sagt Cal kühl.

»Natürlich nicht.« Charlie lacht und hält Cal die Faust hin. »Gib's auf, Bruder, mir kannst du nichts vormachen. Krass. Hätte ich dir gar nicht zugetraut. Respekt.«

»Kriegt euch wieder ein, okay?«, sage ich genervt. »Das will hier grade keiner hören.«

Cal ignoriert uns beide, bis ich mein Handy umdrehe und das Display in die Runde halte, auf dem ein Schwarz-Weiß-Foto von einem gut aussehenden Typen mit Hornbrille zu sehen ist. »Dominick Payne«, sage ich. »Ein Künstler aus Boston, der für Panoramabilder mit urbanen Motiven bekannt ist. Ist er das?«

»Keine Ahnung.« Cal beugt sich über meine Schulter, als ich durch die Fotos mit Dominick Paynes Arbeiten scrolle. »Ich bin dem Typen noch nie begegnet, aber ... stopp mal.« Ich halte bei der abstrakten Darstellung einer Stadtansicht inne. »Ich glaube, von dem Bild hat Lara einen signierten Druck in ihrem Unterrichtszimmer.« Er reibt sich den Nacken. »Sie hat mir erzählt ... sie hat erzählt, ein Freund hätte ihn ihr geschenkt.«

»Na bitte«, sage ich. Auch wenn das mit Abstand das schrecklichste Puzzle ist, das ich je zu lösen versucht habe, ist es trotzdem befriedigend, zu sehen, wie das Gesamtbild langsam Gestalt annimmt. »Sie scheinen sich persönlich zu kennen und sie sind beide Künstler, also ist es gut möglich, dass er dieser Dominick ist, der sie heute angerufen hat. Die nächste Frage lautet: Ist er *auch* D.?«

»Und/oder ein Drogendealer«, fügt Cal hinzu.

»Genau. Was denkst du, Mateo?«, frage ich. Er antwortet nicht, und als ich aufschaue, sehe ich, dass er stirnrunzelnd auf sein eigenes Handy starrt. »Mateo? Hast du gehört, was wir gesagt haben?«

»Hm?« Er hebt den Blick und wirkt sogar noch erschöpfter und blasser als in dem Moment, in dem er erfahren hat, dass seine Cousine ein kleines Vermögen in Form von Pillen geklaut hat. »Ach so … ja, sorry, hab ich. Ich hab nur gerade Autumn noch mal geschrieben, aber sie antwortet einfach nicht. Wahrscheinlich hat sie den ganzen Tag noch kein einziges Mal ihr Handy gecheckt und hat keine Ahnung, was los ist.« In seinem Kiefer zuckt ein Muskel. »Sie muss es aber dringend wissen und deshalb muss ich sie jetzt suchen gehen.«

»Und wo?«, frage ich. »Du weißt doch gar nicht, wo sie im Moment unterwegs ist.«

»Ich rufe bei Sorrento's an und frage nach ihrer heutigen Route.« Mateo schaut zur Küche. »Habt ihr eigentlich immer noch die Essecke?«, fragt er mit einem kleinen Lächeln. Die im Erkerfenster eingebaute Bank war früher immer sein Lieblingsplatz, wenn er bei uns war. Als ich nicke, sagt er: »Ich setze mich zum Telefonieren rüber, damit ihr hier in Ruhe weiterreden könnt. Kann ich mir ein Glas Wasser nehmen?«

Wir sehen uns an und mein Herz setzt einen Schlag aus. Obwohl das jetzt der völlig falsche Moment ist und Mateo wie ein personifiziertes Abbild dieses grauenhaften Tags aussieht – lädiertes Gesicht, blutiges T-Shirt, zerraufte Haare –, würde ich am liebsten die Arme um ihn schlingen und alles um mich herum vergessen. Als wir uns vorhin geküsst haben, ist alles Schreckliche, das heute passiert ist, in den Hintergrund gerückt, und ich war ein paar glückliche Sekunden lang genau da, wo ich sein wollte – mit dem einzigen Jungen, mit dem ich je zusammen sein wollte. Sein Geständnis wegen Autumns Dealerei hat mich geschockt, aber nicht so, wie er es sich wahrscheinlich vorstellt. Ich verurteile ihn nicht dafür, dass er nichts gesagt hat; wie könnte ich? Das ändert nichts an meinen Gefühlen für ihn.

Ehrlich gesagt glaube ich nicht, dass es irgendetwas gibt, das daran etwas ändern könnte.

Aber selbst, wenn ich es heil aus diesem Chaos schaffe, wartet kein Happy End auf uns. Jetzt empfindet Mateo vielleicht dasselbe, aber diese Gefühle werden sich ganz schnell auflösen, wenn ich endlich die Wahrheit sage.

»Ivy?«, sagt Mateo, als ich nicht antworte. »Heißt das, ich kann mir ein Wasser nehmen …?«

»Was? Nein. Ich meine ja. Ich meine, nimm dir einfach, was du brauchst. Klar.« Er verschwindet in der Küche und ich drehe mich wieder zu Cal und versuche einen sachlichen Ton anzuschlagen. »Okay, wo waren wir …?«

Ohne dass ihn jemand darum gebeten hätte, greift Charlie nach der Fernbedienung und richtet sie auf den Fernseher. »Lasst uns den Bericht zu Ende schauen«, sagt er.

Bevor ich protestieren kann, erwacht der Bildschirm wieder zum Leben. »Na ja …«, sagt Ishaan Mittal. »Ivy ist immer superemotional. Und sie wollte unbedingt wieder zur Jahrgangssprecherin gewählt werden. Das ist für sie so ziemlich das Wichtigste auf der Welt gewesen.«

»Du kennst mich noch nicht mal«, murmle ich finster vor mich hin, obwohl sich die im Fernsehen übertragene Demütigung meiner Person beim zweiten Mal gar nicht mehr so schlimm anfühlt. Vielleicht lege ich mir langsam eine dicke Haut zu.

Dale Hawkins hält ihm das Mikro ein Stück näher an den Mund und nickt respektvoll, als wäre Ishaan ein renommierter Wissenschaftler, der gerade eine neue Therapie gegen Krebs erläutert. Ishaan springt total darauf an und legt eine übertrieben lange Kunstpause ein, bevor er den Blick direkt in die Kamera richtet. »Tja. Und als sie gestern die

Wahl gegen Boney verloren hat, ist sie komplett ausgeflippt.«

»Entschuldigung? Ich bin nicht *ausgeflippt*«, schreie ich den Flatscreen an, sodass ich fast nicht mitbekomme, wie Emily genau dasselbe sagt.

»Siehst du?« Charlie nickt beifällig. »In guten wie in schlechten Zeiten.«

»Ich weiß nicht, was heute Morgen mit Boney passiert ist«, fährt Ishaan fort. »Aber für mich stellt sich ganz klar die Frage: Hat Ivy vielleicht beschlossen, ihn ... zur Strecke zu bringen?«

»Ihn zur Strecke zu bringen?«, wiederholt Hawkins.

»Na, Sie wissen schon.« Ishaan tut so, als würde er sich mit einem Messer über die Kehle fahren, und gibt dabei röchelnde Laute von sich. Neben ihm formt Emily mit den Lippen ein *Oh mein Gott* und schließt kurz gequält die Augen.

Selbst Hawkins scheint es für einen Moment die Sprache zu verschlagen, und Zack fährt hastig dazwischen. »Das ist natürlich bloß eine Theorie«, sagt er.

»Eine Theorie, von der man eine Gänsehaut bekommt«, sagt Hawkins, der sich wieder gefangen hat. Er schaut in die Kamera. »Das war Dale Hawkins von *The Hawkins Report* – wie immer live für Sie vor Ort.«

Die Titelmelodie seiner Sendung ertönt und Charlie hebt die Fernbedienung und drückt auf die Rücklauftaste. »Das müssen wir uns noch mal anschauen.«

Ich sage nichts, weil mir schon das eine Mal gereicht hat, um mir über ein paar Dinge klar zu werden. Erstens: Dale Hawkins ist exakt der Klatschreporter, als den mein Vater ihn immer bezeichnet hat. Zweitens: Emily ist eine bessere

Freundin, als ich es verdient habe. Drittens: Ich hätte ihr schon längst schreiben sollen.

Besser spät als nie, denke ich und hole mein Handy raus.

Es tut mir so leid, dass ich mich erst jetzt melde.

Ich schwöre, dass ich Boney nichts angetan habe.

Danke, dass du so eine gute Freundin bist.

Ich erkläre dir alles später.

Sobald ich das Ganze in Ordnung gebracht habe.

Als ich anschließend meine Mitteilungen durchgehe, sehe ich, dass ich drei verpasste Anrufe und mehrere Nachrichten von meinem Bruder habe. Er ist produktiv gewesen, seit ich ihn nach Charlies Nummer gefragt habe.

Ruf mich zurück oder ich sage es wirklich M&D.

Ist dir klar, dass du IN DEN NACHRICHTEN bist?

Das wird Moms Abend so dermaßen versauen.

Ich gehe nach der Schule trotzdem zum Lacrosse-Training. Und danach mit Trevor ins Olive Garden.

Als ob dich das interessieren würde.

Verdammt, Ivy. ANTWORTE ENDLICH.

Schuldgefühle steigen in mir hoch. Nicht wegen Daniel, sondern wegen Mom. Er hat natürlich absolut recht. Ich bin auf dem besten Weg, ihren großen Abend in eine Katastrophe zu verwandeln. Das war auch das, was mir am meisten zugesetzt hat, als ich gerade den *Hawkins Report* geschaut habe. Aber ich bin Daniel keine Antworten schuldig; ich bin ihm *gar nichts* schuldig. Soweit ich weiß, hat er mich heute kein einziges Mal verteidigt und ist definitiv nicht so für mich eingetreten, wie Emily es getan hat. Ihn interessiert anscheinend nur, ob er es rechtzeitig ins Olive Garden schafft.

»Was zur Hölle macht er da?« Ich drehe mich um und sehe Mateo hinter mir, der fassungslos auf den Fernseher schaut, wo sich Ishaan gerade noch mal röchelnd mit dem Finger über die Kehle fährt.

Ich unterdrücke ein Seufzen, als Cal Charlie die Fernbedienung aus der Hand nimmt und den Fernseher endlich ausschaltet. »Egal. Hast du Autumns Route?«, frage ich.

»Nein. Mr Sorrento wollte sie mir am Telefon nicht sagen«, Mateo sieht megagestresst aus. »Ich muss persönlich hin und meinen Ausweis vorlegen, um zu beweisen, dass ich mit Autumn verwandt bin. Die Firma ist in Roslindale, also …« Er dreht sich zu Cal. »Könntest du mich fahren?«

»Uns«, sage ich schnell, weil ich jetzt noch viel weniger will, dass wir getrennt werden, als vor einer Stunde.

Als Cal zögert, sieht Mateo ihn eindringlich an. »Bitte …?«, sagt er mit dunkel funkelnden Augen. Ich verstehe nicht, was Cal für ein Problem hat – ich würde gerade alles für Mateo tun. »Ich muss wissen, ob sie okay ist«, drängt Mateo. »Und sie muss erfahren, was los ist, bevor sie weiter durch die Gegend fährt, ohne eine Ahnung zu haben, dass sie womöglich in Gefahr ist.«

»Versteh ich ja. Es ist nur …« Cal rauft sich mit beiden Händen die Haare. »Das ist alles ganz schön krass. Findet ihr nicht? Ich hab das Gefühl, dass es zu krass ist. Vielleicht ist es an der Zeit, zur Polizei zu gehen.«

»Nein!«, rufen Mateo, Charlie und ich gleichzeitig.

Cal tritt blinzelnd einen Schritt zurück. »Aber … hier geht es um Drogen und …«

»Hallo? Willst du, dass wir alle verhaftet werden?« Charlie wirft sich ein paar weißblonde Strähnen aus den Augen. »Nein danke. Ich bin zu hübsch für den Knast.«

Mateo schnaubt. »Du bist … wie alt – siebzehn? Und hast Eltern, die Geld haben. Du brauchst dir keine Sorgen zu machen. Aber Autumn ist volljährig. Sie könnte wirklich ins Gefängnis wandern.«

»Ich genauso«, sage ich. »Schließlich bin ich die mutmaßliche *Vollstreckerin*.«

Charlie wirft Cal einen abschätzenden Blick zu. »O'Shea-Wallace«, sagt er plötzlich. »Dein Dad ist am Carlton College Dekan, oder?«

»Ja«, sagt Cal argwöhnisch. »Und?«

»Stefan studiert dort«, sagt Charlie. »Er meinte neulich, dass dein Dad total beliebt ist.«

»Das stimmt«, sagt Cal nicht ohne Stolz in der Stimme. Charlie streckt gähnend die Beine aus. »Weiß er von dir und Ms Jamison?«

Cal verengt die Augen. »Da gibt es nichts zu wissen. Wir sind bloß befreundet.«

»Würde er das genauso sehen?«, fragt Charlie. »Wenn ihm zum Beispiel – nur mal angenommen – jemand stecken würde, dass ihr beide euch heute im Café getroffen habt?«

Cal blinzelt. »Ist das etwa ein Erpressungsversuch?«

»Yep«, bestätigt Charlie ungerührt. »Funktioniert er?«

»Du kannst nicht… Ich bin nicht… Euer Haus ist von denen durchsucht worden«, stammelt Cal. »Wie willst du das deinen Eltern erklären?«

»Es wird ständig in Häuser eingebrochen«, sagt Charlie. »Ich rufe sie an und sie rufen die Polizei an und melden die Sache. Eine ganz normale Straftat, die absolut nichts mit dem Mord an Boney zu tun hat.«

»Außer, dass das nicht stimmt«, presst Cal zwischen zusammengebissenen Zähnen hervor.

Ich verstehe seinen Frust. Wirklich. Mir geht es genauso. Was wir hier machen ist so falsch, dass es fast wehtut. Aber wir haben keine Alternative. Alles andere würde neue Probleme mit sich bringen, denen ich mich gerade auf keinen Fall stellen kann. Ich glaube, Cal sieht das auch, weshalb die Sache im Grunde schon entschieden ist, bevor Charlie seine Trumpfkarte ausspielt.

»Der Sohn von Dekan O'Shea-Wallaces hat was mit seiner Kunstlehrerin am Laufen ...« Er beugt sich vor. »Das wäre mal ein krasses YouTube-Video.«

Cal wird blass. Er schaut sich hektisch im Raum um, als würde er nach einem Notausgang suchen, und heftet den Blick dann vorwurfsvoll auf Mateo und mich. Mir ist klar, wie ätzend es sich anfühlen muss, dass keiner von uns beiden Anstalten macht, Charlie von seinem Erpressungsversuch abzubringen. »Von mir aus«, zischt er. »Dann fahren wir jetzt wohl zu Sorrento's.«

»Cool. Und ich fahre zu Stefan.« Charlie steht auf. »Zu Hause ist es mir im Moment zu gefährlich. Am Ende werde ich noch verhaftet oder umgebracht oder was auch immer.«

Aaahhhrg, Cal wird mich gleich noch mehr hassen, aber ... »Du kannst nicht fahren«, sage ich. »Du bist immer noch betrunken. Wir fahren dich.«

»Geht klar.« Charlie grinst mich verschlagen an. »Du solltest mitkommen. Stefan schmeißt heute Abend eine Party. Alle werden da sein. Bestimmt auch das Wiesel«, schiebt er hinterher, als er Mateos finsteren Blick bemerkt.

»Ich dachte, du hättest gesagt, dass dein Bruder das mit dem Wiesel bloß erfunden hat«, antworte ich ausweichend und verschwinde in den Flur, wo ich einen von Daniels Hoodies von der Garderobe nehme und mir überziehe. Er ist so riesig, dass nur noch ein schmaler Streifen von meinem Rock darunter hervorschaut. Ich schlage die Kapuze hoch und verstecke meine Haare darunter. Jetzt, wo ich in den Lokalnachrichten zweifelhafte Berühmtheit erlangt habe, scheint es mir eine sinnvolle Maßnahme zu sein, mich ein bisschen zu tarnen.

Als wir kurz darauf nach draußen treten und ich Cals Honda sehe, der schief in unserer Einfahrt steht, frage ich mich nervös, ob womöglich einer von unseren Nachbarn vorbeigefahren ist und bei diesem Anblick missbilligend mit der Zunge geschnalzt hat. So wie ich die Bewohner von Carlton kenne, fällt ihnen das eher auf als irgendwelche Drogendealer, die mitten unter ihnen leben.

»Ich setze mich mit Ivy nach hinten«, verkündet Charlie auf dem Weg zum Wagen.

»Bestimmt nicht«, sage ich. An jedem anderen Tag hätte es mir vielleicht geschmeichelt, dass Charlie St. Clair mich plötzlich wahrnimmt. Er sieht echt gut aus, ist beliebt und die Art von Typ, für die ich sonst unsichtbar bin. Aber unter den aktuellen Umständen ist sein Verhalten einfach nur absurd und nervig. »Ich sitze vorn«, erkläre ich, und obwohl ich weiß, dass Mateo und ich keine Zukunft haben, schlägt mein Herz schneller, als ich den finsteren Blick sehe, den er Charlie zuwirft.

Wir steigen ein und Cal steckt den Schlüssel ins Zündschloss. Die Uhr im aufleuchtenden Armaturenbrett zeigt 14:45 Uhr an. »Noch ganze zehn Minuten bis Schulschluss. Kommt es euch nicht auch so vor, als wäre es schon viel später?«, fragt Cal, als der Motor anspringt.

»Total«, antworten Mateo und ich gleichzeitig.

»Also. Wo wohnt Stefan?«, fragt Cal und tippt die Adresse, die Charlie ihm nennt, in das Navi ein, das uns informiert, dass wir unser Ziel in fünf Minuten erreichen werden.

Cal stellt das Radio lauter. Bevor wir Mateo in das Haus der St. Clairs gefolgt sind, war der automatische Sendersuchlauf bei einem Oldies-Sender stehen geblieben. Jetzt wird vom Moderator gerade »Afternoon Delight« angekündigt, ein superschmalziger Popsong aus den 70ern mit eindeutig zweideutigem Text. Die Band legt los, und einen Moment lang herrscht Totenstille im Wagen, bis wir alle vier in Lachen ausbrechen. Es klingt leicht hysterisch und irgendwann verwandelt sich mein Lachen fast in ein Schluchzen, sodass ich mir die Hand auf den Mund pressen muss, um es zurückzuhalten.

Keine Tränen. Noch nicht.

»Nie war ein Songtitel irreführender«, prustet Cal und ringt nach Luft.

»*Rubbin' sticks and stones together makes the sparks ignite.* Ich schmeiß mich weg, Leute!«, kichert Charlie. Mateo gibt ein belustigtes Schnauben von sich, ist ansonsten aber still. Als ich in den Rückspiegel schaue, sehe ich, dass sein Gesicht wie versteinert ist, als könnte er es nicht fassen, dass er sich tatsächlich kurz dazu hat hinreißen lassen, mit Charlie zu bonden.

»Kann ich euch um was bitten?«, sagt Cal, als er an einer Kreuzung abbiegt. »Können wir vielleicht alle beängstigenden Themen verdrängen, bis wir bei der Messerschleiferei sind, und solange so tun, als wären wir ganz normale Kids, die alten Softrock hören?«

»Normale Kids tun so was nicht, aber von mir aus«, sagt Mateo.

18

IVY

Nachdem wir Charlie bei seinem Bruder abgesetzt haben, fahren wir schweigend nach Roslindale weiter. Während ich aus dem Fenster schaue und Meile für Meile vorüberziehen sehe, frage ich mich, ob es wirklich so eine gute Idee war, mitzukommen. Es ist schon nach drei; bis wir Autumns Routenplan bekommen und sie gefunden haben, könnte es leicht fünf werden. Um die Zeit müsste ich eigentlich anfangen, mich für Moms Preisverleihung fertigzumachen.

Die Preisverleihung ist noch dein geringstes Problem, Ivy.

Ich schiebe den Gedanken daran jedes Mal beiseite, wenn er anfängt, mein Gehirn zu vergiften, weil ich keinen Zweifel daran zulassen darf, dass ich es immer noch schaffen kann, meiner Mutter einen perfekten Abend zu organisieren. Ich muss daran glauben, dass es funktionieren kann. Anderthalb Stunden Vorbereitungszeit waren sowieso übertrieben. Statt mir die Haare zu waschen, kann ich sie mir auch einfach hochstecken. Ich könnte mir einen Chignon machen, wie Mom ihn immer trägt, bloß weiß ich leider nicht, wie der geht, was bedeutet, dass ich mir auf YouTube ein Tutorial dazu anschauen müsste, wofür ich keine Zeit habe, also ...

Im Geist spiele ich verschiedene Szenarien durch, füge Minuten hinzu oder ziehe welche ab, als könnte alles, was heute verkehrt läuft, mit dem richtigen Timing gelöst werden. Schließlich fährt Cal hinter einem gedrungenen roten Backsteingebäude auf einen Parkplatz, auf dem eine kleine Flotte schmutzig-weißer, zerbeulter Transporter mit Abbildungen von riesigen Messern auf den Seiten steht. »Okay, jetzt verstehe ich den Spitznamen für den Wagen.« Er stellt seinen Honda auf den einzigen freien Platz zwischen zwei Transportern. »Aber ist echt noch keiner in dieser Firma auf die Idee gekommen, dass ihr Branding statt *Kundenservice* eher die Assoziation *Serienmörder* hervorruft?«

»Das hat sich mittlerweile zu einer Art Running Gag entwickelt. Ich glaube, die Kunden wären enttäuscht, wenn sie sich von den Killerkisten verabschieden müssten.« Mateo löst seinen Gurt. »So. Bin hoffentlich gleich wieder da.«

Ich habe das dringende Bedürfnis, ihn in Sichtweite zu behalten. Es ist total irrational, ich weiß, aber Cals Wagen fühlt sich gerade wie der einzige sichere Ort auf Erden an. Nach draußen sollten wir uns nur zu zweit wagen. »Ich komme mit«, sage ich und ziehe mir entschlossen die Kapuze von Daniels Hoodie tiefer ins Gesicht.

Mateo nickt. »Okay.«

In meinem Nacken kribbelt es, als wir uns zwischen den Transportern mit dem Messer-Firmenzeichen hindurchschlängeln. Die Wagen wären die perfekte Deckung für einen Hinterhalt. Aber wir sind die einzigen Menschen auf dem Parkplatz und gelangen sicher zu dem von einer Markise beschirmten Eingang. Als Mateo eine der beiden Türen aufzieht, ertönt lautes Klingeln, und er tritt zur Seite, um mir den Vortritt zu lassen.

Ich zupfe noch mal meine Kapuze zurecht, während die Tür hinter uns zufällt und Mateo mich durch einen Vorraum in einen schmalen Flur führt. An den Wänden hängen etliche gerahmte »Bostons Beste«-Auszeichnungen, und ich schaue mir im Vorbeigehen an, aus welchem Jahr sie stammen. Die neueste ist mittlerweile acht Jahre alt. Sorrento's Messerschleiferei scheint seine Glanzzeiten also schon eine Weile hinter sich zu haben.

»Warte kurz.« Mateo bleibt stehen und schaut sich um. »Ich war erst einmal hier und weiß gerade nicht mehr, wo es langgeht.«

Ich folge seinem Blick zum Ende des Flurs. Als plötzlich ein älterer Mann den Kopf aus einer Tür streckt, erschrecke ich mich so, dass ich fast aufschreie. »Hallo«, ruft er.

»Hi, ich hab angerufen …«, beginnt Mateo, als der Mann ihn mit einer Handbewegung unterbricht.

»Gebt mir noch fünf Minuten, okay? Ich muss gerade was fertigmachen, dann bin ich ganz für euch da.«

Er verschwindet, bevor ich ihm erklären kann, dass wir keine fünf Minuten *haben*. »Oh Mann«, seufze ich frustriert. »Sollen wir einfach zu ihm rein?«

Mateo zögert. »Ich will ihm nicht auf die Nerven gehen. Geben wir ihm die paar Minuten. Ich wollte dir sowieso noch was zeigen.« Er holt sein Handy aus der Tasche und entsperrt es. »Auf der Fahrt hierher hab ich noch mal nach diesem Dominick Payne gegoogelt. Du wahrscheinlich auch, oder?«

»Ach so, ja. Mhm«, sage ich und zupfe einen unsichtbaren Fussel von Daniels Hoodie. Ich will nicht zugeben, dass ich den Großteil der Fahrt damit verbracht habe, manisch verschiedene Zeitpläne für die Vorbereitung zur Preisverleihung durchzuspielen. »Ich meine, ich hab's versucht, hatte aber kein Netz.«

»Hast du den Artikel in der *Herald* gesehen, in dem steht, dass seine Galerie fast Pleite gemacht hat?«

»Echt? Nein!« Mateo hält mir das Display hin und ich überfliege den Artikel. Er ist von letztem Jahr und handelt davon, wie Dominick Payne und ein paar andere Künstler eine ambitionierte Galerie in der Newbury Street eröffnet haben, aber schon kurze Zeit später in finanzielle Schwierigkeiten geraten sind. Payne gibt in dem Artikel an, dass ein »Investor von außerhalb« sie vor der Schließung gerettet hätte.

»Ziemlich praktisch so ein Investor von außerhalb, der den Kapitalstrom wieder fließen lässt«, sage ich, als ich den Text zu Ende gelesen habe.

»Echt, oder? Der Typ hatte massive Geldprobleme und dann hatte er urplötzlich keine mehr«, sagt Mateo. »Klingt wie Autumn, nur in größerem Stil.« Sein Gesicht verdüstert sich. »Alles komisch. Genauso komisch, wie ein Atelier weiter zu benutzen, für das man keinen Mietvertrag mehr hat. Ich meine, wer macht so was?«

Ich verkneife es mir, ihn daran zu erinnern, dass ich heute Morgen, als wir Boney in dem Gebäude verschwinden gesehen haben, genau dasselbe gesagt habe. »Jemand, der Dinge tut, die er nicht tun sollte«, sage ich stattdessen, »und der vielleicht hofft, dass die Konsequenzen von dem, was er tut, auf den neuen Besitzer zurückfallen.«

»Ich leite das gleich mal an Cal weiter.« Mateo wischt über das Display. »Ich glaube, er akzeptiert langsam, dass Ms Jamison irgendwie in die Sache verwickelt ist. Was meinst du?«

»Ich kann es nur hoffen«, schnaube ich. »Von wegen Töpferkurs. Die Frau, die der anonyme Hinweisgeber gesehen hat, kann nur sie gewesen sein. Ich war noch nicht mal in der Nähe von Boney.«

Mateo reibt sich nachdenklich das Kinn. »Vielleicht musstest du ihm gar nicht nahe kommen.«

Ich lege verwirrt den Kopf schräg. »Wie meinst du das?«

»Na ja. Du hast gesagt, du hättest von oben was gehört und wärst dem Geräusch zu dem Atelier gefolgt, in dem Boney lag, oder? Vielleicht hat derjenige, der Boney auf dem Gewissen hat, dich ja gesehen und spontan beschlossen, dich zum Sündenbock zu machen.« Mateo zuckt mit den Schultern, als ich ihn mit offenem Mund anschaue. »Vielleicht ist der Hinweis aus guten Gründen von jemandem gekommen, der lieber anonym bleiben will.«

Bevor ich antworten kann, ertönt eine Stimme. »So. Jetzt aber. Tut mir leid, dass ihr warten musstet.«

Ich blinzle überrascht, als der Mann von eben wieder im Flur auftaucht. Ich war so in das Gespräch mit Mateo vertieft, dass ich komplett vergessen habe, warum wir hier sind. Der Mann hat eine gedrungene Statur, weiße Haare und trägt einen schwarzen Arbeitskittel mit einem hellen *Sorrento's*-Schriftzug vorne drauf. »Ich bin Vin Sorrento. Wie kann ich euch helfen?« Während er auf uns zukommt, liegt ein herzliches Lächeln auf seinen wettergegerbten Zügen, das verblasst, als er nah genug ist, um Mateos Gesicht zu sehen. »Du meine Güte, was ist denn mit dir passiert, mein Junge?«

Mateo berührt das Pflaster an seiner Schläfe. »Ach, halb so wild. Ich hatte einen, ähm, Autounfall. Aber keinen schweren«, fügt er schnell hinzu, als Mr Sorrento noch erschrockener schaut.

»Das tut mir sehr leid.«

»Sieht wirklich schlimmer aus, als es ist. Hallo. Ich bin Mateo Wojcik, wir haben vorhin telefoniert. Und das ist …« Er fängt sich gerade noch, bevor ihm mein Name rausrutscht, und ich hebe nur kurz grüßend die Hand, ziehe aber ansonsten weiter den Kopf ein. »Eine Freundin von mir. Sie haben gesagt, dass Sie mir die Route von meiner Cousine Autumn nur geben können, wenn ich persönlich vorbeikomme.«

»Das ist richtig. Dürfte ich dich außerdem bitten, dich irgendwie auszuweisen?«

»Klar.« Mateo greift nach seinem Portemonnaie. »Ich weiß das sehr zu schätzen. Bei uns in der Familie hat es einen Notfall gegeben und Autumn geht nicht an ihr Handy.«

»Ach herrje. Hat es mit dem Autounfall zu tun?«, fragt Mr Sorrento.

»Ach so … ähm, nein.« Mateo reicht ihm seinen Führerschein. »Ein anderer Notfall. Nichts wirklich Ernstes, ich muss nur kurz mit ihr sprechen.«

»Natürlich.« Mr Sorrento nimmt Mateos Führerschein und hält ihn ins Licht. »Deine Familie muss sich große Sorgen machen. Kurz nach dir hat noch jemand angerufen.«

Mateo erstarrt. »Wie bitte?«

»Ein Mann«, sagt Mr Sorrento. »Er klang auch, als wäre es wirklich dringend. Wollte aber seinen Namen nicht hinterlassen. Hier. Scheint alles seine Richtigkeit zu haben, danke.«

Er hält Mateo den Führerschein hin, aber Mateo ist eindeutig zu geschockt, um zu reagieren, weshalb ich danach greife. Mein Herz hämmert, als ich an das grauenhafte Durcheinander in Charlies Haus denke. Und Autumn fährt irgendwo dort draußen durch die Gegend, geht nicht an ihr Handy und hat keine Ahnung, was alles passiert ist. »Könnten wir dann jetzt ihre Route bekommen?«, frage ich. »Hat sie sich denn heute überhaupt schon mal gemeldet?«

»Ich habe eine Benachrichtigung bekommen, dass sie vor zehn Minuten von ihrem letzten Kunden losgefahren ist.« Mr Sorrento wischt sich die Hände an seinem Kittel ab. »Ich muss mich kurz in unser System einloggen und mir ihre restliche Route anschauen.« Er deutet den Flur entlang. »Der Computer steht da hinten. Ihr könnt gern mitkommen, wir haben gerade frischen Kaffee gemacht.«

Ich werfe Mateo einen fragenden Blick zu, aber er reagiert wieder nicht. »Wir warten hier, vielen Dank«, sage ich.

»In Ordnung. Bin gleich zurück«, sagt Mr Sorrento.

Als er um die Ecke verschwunden ist, lege ich Mateo eine Hand auf den Arm. »Hast du gehört? Es ist alles okay. Autumn fährt ganz normal ihre Route ab.«

»*Nichts* ist okay.« Mateo beginnt auf und ab zu laufen. »Irgendjemand ist hinter ihr her.«

»Das weißt du nicht. Es kann einen völlig harmlosen Grund haben, warum dieser Anrufer wissen wollte, wo sie ist. Vielleicht war es …« Ich krame im Kopf nach einer beruhigenden Erklärung. »Dein Dad.«

»Ja klar«, schnaubt Mateo. Seine Schritte werden ausholender und er rammt ein paarmal die Faust in die Handfläche. »Als würde der aus heiterem Himmel anfangen, sich für uns zu interessieren.«

»Wer auch immer es war, Mr Sorrento hat ihm ja keine Informationen gegeben. Er kann also nicht wissen, wo Autumn ist.« Ich halte Mateo am Arm fest. »Hör zu. Ich weiß, es ist wahrscheinlich ziemlich unglaubwürdig, wenn ausgerechnet ich dir in so einer Situation diesen Rat gebe, aber ... wenn du dich weiter verrückt machst, wird alles nur noch schlimmer. Glaub mir, ich weiß, wovon ich rede.« Das entlockt ihm tatsächlich ein kurzes Lachen. »Tja, du bist die Expertin, stimmt.«

Im nächsten Moment kommt Mr Sorrento um die Ecke gebogen und wedelt mit einem Blatt Papier. Ich lasse Mateos Arm los. »Siehst du?«, sage ich. »Gleich haben wir ihre Route und können uns auf die Suche nach ihr machen. Alles wird gut.«

»Das glaube ich erst, wenn es so weit ist«, sagt Mateo, aber seine Züge entspannen sich etwas. Er beugt sich zu mir, zieht die Kapuze meines Hoodies ein Stück zurück und küsst mich auf die Wange. »Danke fürs Beruhigen«, raunt er mir zu und rückt die Kapuze wieder zurecht, bevor er Mr Sorrento entgegengeht.

»Äh ... klar.« Ich widerstehe dem Bedürfnis, mit den Fingerspitzen meine Wange zu berühren.

Mateo wirft mir über die Schulter ein kleines Lächeln zu. »Weißt du, dass du ganz schön süß bist, wenn du so inkognito unterwegs bist.«

Trotz der grauenhaften Lage, in der wir stecken, breitet sich in mir etwas aus, das sich stark nach ... Glück anfühlt. Aber während ich zu Mateo und Mr Sorrento schaue, die sich noch einen Moment auf dem Flur unterhalten, wird mir die Leere meiner Worte von eben klar. *Alles wird gut.* Ich bete, dass es in Bezug auf Autumn die Wahrheit ist, aber ich weiß, dass das für Mateo und mich sicher nicht gilt.

Das prickelnde Glücksgefühl verpufft so schnell wie es gekommen ist und wird von dem aus fünf Worten bestehenden Drumbeat ersetzt, der sich wieder in den Vordergrund drängt und den einzigen Lichtblick an diesem katastrophalen Tag zerstört.

Du musst es ihm sagen.

YOUTUBE-KANAL »CARLTON SPEAKS«

Ishaan und Zack stehen auf dem Parkplatz der Carlton High.

ISHAAN, *die Kamera auf die Schülermenge hinter sich gerichtet:* Hier sind Ishaan und Zack, die an der Carlton High mal wieder live für euch auf Sendung sind, um hautnah die Reaktionen von Mitschülern auf unseren Gastauftritt im *Hawkins Report* über die Blutfehde zwischen Boney Mahoney und Ivy Sterling–Shepard einzufangen. Hey, Carmen! *(Die Kamera schwenkt auf ein vorbeilaufendes hübsches Mädchen mit braunen Haaren.)* Wie lautet dein Kommentar dazu?

CARMEN, *bleibt stehen:* Mein Kommentar dazu ist, dass ihr zum Kotzen seid.

ISHAAN: Ach, komm schon. Einer unserer Mitschüler ist gestorben. Wir versuchen doch bloß, die Wahrheit ans Licht zu bringen.

CARMEN: Warum überlasst ihr das nicht einfach der Polizei?

(Hinter ihr tauchen zwei Jungs auf, einer hat einen

Buzz Cut, der andere, mit längeren Haaren, trägt eine Trainingsjacke.)

BUZZ CUT: Ivy Sterling-Shepard, Leute. Ganz klar. Eine klassische »Braves Mädchen kommt auf die schiefe Bahn«-Story.

TRAININGSJACKE: Wisst ihr noch, wie sie bei der Talentshow diesen Pornokram vorgelesen hat? Hammer.

ZACK: Ich glaube, wir können uns alle darauf einigen, dass hier einige wichtige Aspekte aufgeworfen werden, aber das geht jetzt doch ein bisschen am Thema vorbei.
(Emily Zhang schiebt sich durch die Menge nach vorn und ruft: »Sorry, lasst mich mal durch! Ich hab neue Informationen!« *Als sie vor der Kamera steht, stemmt sie die Hände in die Hüften.)*

EMILY: Erstens, Ivy hat sich bei mir gemeldet. Sie sagt, dass sie nichts mit Boneys Tod zu tun hat.

ISHAAN: Klar, was soll sie auch sonst sagen. Wo ist sie?

EMILY: Zweitens, da ihr zwei es nicht für nötig gehalten habt, einen ordentlichen Faktencheck zu machen, bevor ihr Gerüchte in die Welt setzt, habe ich das mal für euch übernommen und rausgefunden, dass heute insgesamt zwölf Schüler gefehlt haben, darunter noch zwei andere aus der Abschlussstufe.

ISHAAN, *wenig beeindruckt:* Und wer sind die beiden?

EMILY: Mateo Wojcik und Cal O'Shea-Wallace.

CARMEN: Oh, bitte! Mateo hat mit der Sache nichts zu tun.

ISHAAN: Cal wer?

ZACK: Genau, Mateo ist … zu Hause und liegt krank im Bett oder so.

EMILY: Woher weißt du das so sicher? Hast du mit ihm gesprochen? *(Sie hält kurz inne, um Zacks Antwort abzuwarten, die nicht kommt.)* Wenn Ivys Abwesenheit sie zur Schuldigen macht, dann sollte für ihn das Gleiche gelten. Vor allem, weil sie mal befreundet waren.

CARMEN: Echt?

ISHAAN: Im Ernst jetzt, wer ist dieser Cal?

ZACK: Okay, lasst uns … Moment mal. Ist das da drüben nicht Daniel Sterling-Shepard? *(Die*

Kamera zoomt auf einen blonden Jungen mit einer
Sporttasche über der Schulter.)

ISHAAN: Stimmt! Geht zum Lacrosse-Training, als wäre nichts. Klammert er sich an
seiner Routine fest, weil ihn das alles so mit-
nimmt, oder ist ihm die Sache einfach scheißegal? Yo, Danny! Daniel, komm mal rüber!
(Der blonde Junge dreht sich um.) Möchtest du
eine Stellungnahme zu deiner Schwester ab-
geben?
(Daniel hält beide Mittelfinger hoch.)

ISHAAN: Starkes Statement.

19

MATEO

Ich bin nie ein großer Fan von Cals Fahrstil gewesen – bis jetzt. Es ist kurz vor halb vier, die Uhrzeit, zu der im Bostoner Umland die Rushhour beginnt, die er aber geschickt umgeht, indem er immer wieder das Navi ignoriert und über Nebenstraßen fährt, um in den Stadtteil Hyde Park zu gelangen, wo Autumn in ungefähr einer Viertelstunde einen Termin hat. Als das System die Route jetzt zum wiederholten Mal neu berechnet und die korrigierte Ankunftszeit angibt, sieht es so aus, als könnten wir es tatsächlich rechtzeitig schaffen.

»Woher kennst du diese ganzen Schleichwege?«, fragt Ivy. Als sie Cal nach unserem Besuch in Sorrento's Messerschleiferei auf den neuesten Stand gebracht hat, hat er aufmerksam zugehört, ohne irgendwelche Einwände zu bringen oder Ms Jamison zu verteidigen. Viel dazu gesagt hat er allerdings auch nicht.

»Vor Noemi war ich mit einem Mädchen zusammen, das Sportfechten macht«, erzählt er jetzt. »Ich hab sie damals oft quer durch die ganze Stadt zu ihren Wettkämpfen gefahren.«

»Fechten? Klingt interessant«, sagt Ivy, und Cal stürzt sich in einen Vortrag über seine Ex, bei dem ich sofort abschalte.

Ich nehme es ihm nicht übel, dass er das Bedürfnis hat, das Thema zu wechseln und sich wenigstens für ein paar Minuten auf etwas anderes zu konzentrieren, aber ich kann das nicht. Ich muss immer wieder daran denken, was Mr Sorrento im Flur gesagt hat: *Kurz nach dir hat noch jemand angerufen. Ein Mann. Er hat auch geklungen, als wäre es wirklich dringend.* Ich war von Anfang an dagegen, dass Autumn mit diesen Pillen dealt. Ich hatte Angst, dass sie erwischt wird, was dann auch Ma in noch mehr Schwierigkeiten gebracht hätte. Aber bis heute ist mir nie der Gedanke gekommen, dass ihr etwas *zustoßen* könnte.

Mein Handy vibriert. In der Hoffnung, dass Autumn endlich reagiert hat, ziehe ich es aus der Hosentasche, aber es ist eine Nachricht von Ma. Kurz durchzuckt mich Panik, dass sie Bescheid weiß, aber sie hat bloß ein Foto von sich und ihrer Freundin Christy mit meiner Tante Rose in der Mitte geschickt. Die drei sitzen auf Tante Roses brettharter Blümchencouch, an deren Armlehnen silberne und goldene Luftballons befestigt sind, und strahlen fröhlich und ahnungslos in die Kamera.

Denk dran, Tante Rose anzurufen und ihr zum Geburtstag zu gratulieren!

Keine Sorge, ich hab's nicht vergessen, schreibe ich zurück und unterdrücke ein Seufzen. Ich werde definitiv nicht darum herumkommen irgendwann heute, an diesem grauenhaften, nicht enden wollenden Tag, noch Glückwünsche ins Handy zu schreien, damit meine neunzigjährige Großtante mich über den Hintergrundlärm ihrer Geburtstagsfeier hören kann.

Was ... hm ... mich auf eine Idee bringt.

»Wir sind fast da«, ruft Cal.

Ich schaue aus dem Fenster und runzle die Stirn, weil um uns herum immer noch alles voller Bäume ist, wir also unmöglich in der Nähe einer Sportsbar mitten im Zentrum von Hyde Park sein können, als er scharf abbiegt und wir uns auf einem zweispurigen Highway wiederfinden. Keine vierhundert Meter entfernt blinkt mir das rote Neonschild von Uncle Al's Sports Pub entgegen.

»Du kannst zaubern, Cal.« Ich checke die Uhrzeit auf meinem Handy, bevor ich es wieder einstecke. 15:23. Zwei Minuten, bevor Autumn hier eintrudeln soll. Mr Sorrento meinte, dass sie je nach Verkehr etwas früher oder später ankommen könnte, bei ihrem letzten Kunden aber pünktlich eingetroffen sei.

»Das Gute ist, dass wir gleich wissen werden, ob sie schon drin ist«, sagt Cal, als er auf den Parkplatz der Sportsbar biegt. »Die Killerkiste ist ja nicht zu übersehen.«

Er hat recht. Wir sehen sofort, dass sie nicht da ist. Cal fährt in eine freie Parklücke und stellt den Motor ab. »Sollen wir warten?«, fragt er.

»Ja«, sage ich, weil wir immer noch eine Minute zu früh dran sind, aber Ivy schüttelt den Kopf.

»Wir sollten reingehen und uns erkundigen, ob sie schon hier war. So verlieren wir keine Zeit, falls sie schon zu ihrem nächsten Termin weitergefahren ist.«

»Gute Idee«, sage ich. Ivy ist nach wie vor im Tarnmodus und zieht sich die Kapuze des riesigen Hoodies wieder tiefer ins Gesicht. »Willst du mitkommen?«

»Klar«, sagt sie und löst ihren Gurt.

Wir geben uns beide betont normal; niemand würde merken, dass wir uns vor einer Stunde geküsst haben. Falls aus dieser ganzen Scheiße überhaupt irgendetwas Positives herauskommen kann, dann ist es die Erkenntnis, dass ich vielleicht doch noch eine Chance bei Ivy habe. Aber ich schaffe es nicht, meine Sorgen so weit zu verdrängen, dass ich jetzt schon über so etwas nachdenken kann.

Schließlich bin ich nicht mein Vater.

Der Parkplatz grenzt direkt an den Highway, und es ist praktisch unmöglich, sich über das laute Motorendröhnen hinweg zu unterhalten, als Ivy und ich auf den Eingang der Sportsbar zusteuern. Drinnen ist der Lärmpegel fast genauso hoch; gleich neben der Tür hängt ein großer Flatscreen, dessen Ton voll aufgedreht ist, und von der langen Theke dringen laute Gesprächsfetzen herüber. Es riecht nach Frittierfett und abgestandenem Bier. Neben einem Stehpult mit Speisekarten sitzt eine Frau auf einem Hocker, die ungefähr im Alter meiner Mutter ist und uns verwundert mustert, als wir vor ihr stehen bleiben. Das Uncle Al's ist nicht nur ein Pub, sondern auch ein Restaurant, theoretisch könnten wir also einfach bloß zum Essen hierhergekommen sein, aber ich schätze, dass wir nicht unbedingt dem typischen Gästeprofil entsprechen.

»Tisch für zwei?«, fragt sie unsicher.

»Nein. Ich suche meine Cousine«, sage ich. »Sie arbeitet für Sorrento's Messerschleiferei und müsste jetzt einen Termin bei Ihnen haben.«

»Hm.« Die Frau schüttelt den Kopf. »Tut mir leid, davon weiß ich nichts. Aber wenn ihr hier kurz wartet, gehe ich schnell den Manager holen.«

»Danke«, sage ich, als sie vom Hocker gleitet und Richtung Theke marschiert.

»Hätte nicht gedacht, dass ich mich in einer Sportsbar mal so wohlfühlen würde«, raunt Ivy mir zu. Ihr Blick ist auf den Flatscreen gerichtet, auf dem gerade ein Baseballspiel übertragen wird. »Hier brauche ich mir wahrscheinlich keine Sorgen zu machen, dass mein Gesicht plötzlich in irgendwelchen TV-Nachrichten auftaucht.« Sie seufzt. »Denkst du echt, dass dieser anonyme Hinweis von der Person stammt, die Boney umgebracht hat?«

»Na ja, es ist schon ein bisschen verdächtig, wenn jemand bei so was noch nicht mal seinen Namen nennen will.« Ich lehne mich an das Stehpult und denke an das, was Dale Hawkins heute Morgen in seinem Beitrag gesagt hat. »Außerdem ist es doch seltsam, dass der- oder diejenige nicht nur die Polizei, sondern gleich auch noch die Redaktion von Dale Hawkins informiert hat, oder? Einen Reporter, der eher für reißerische Berichte als für seriösen Faktencheck bekannt ist. Als wäre es darum gegangen, dass sich die Personenbeschreibung so schnell wie möglich verbreitet.«

»Stimmt.« Ivys Blick ist immer noch auf den Fernseher geheftet. »Und der Plan ist aufgegangen. Alle reden über mich, statt nach dem wahren Mörder zu suchen. Trotzdem ... ich weiß nicht.« Sie schabt mit der Spitze ihres Schuhs über den Boden. »Irgendwie wünsche ich mir, der Hinweis würde sich auf Ms Jamison beziehen.« Ich ziehe die Brauen hoch und das Schaben wird nervöser. »Wahrscheinlich, weil es dann mehr ihre Schuld als meine eigene wäre, dass ich in die Sache mit reingezogen worden bin.«

»Nichts davon ist deine Schuld«, sage ich. »Jedenfalls steht fest, dass irgendjemand Dale Hawkins die Links zu Ishaan und Zacks YouTube-Videos geschickt hat. Gut möglich, dass sie dahintersteckt.«

Ivy verdreht die Augen. »Du weißt selbst, dass das garantiert Ishaan gewesen ist.«

Die Eingangstür schwingt auf und zwei rothaarige Silhouetten zeichnen sich im Gegenlicht der Sonne ab: Cal und Autumn. »Hab sie gefunden«, meldet Cal außer Atem.

Autumns Augen weiten sich, als sie mich sieht. »Was ist mit deinem Gesicht passiert? Bist du in eine …«

Bevor sie den Satz zu Ende sprechen kann, schlinge ich die Arme um meine Cousine und presse sie fest an mich. Das ist das allererste Mal, dass ich sie nicht nur kurz mit einem Arm an mich drücke, was mich selbst genauso überrascht wie sie. Mich durchströmt unglaubliche Erleichterung und ein paar Sekunden lang habe ich nur einen einzigen Gedanken: *Sie ist okay. Sie ist okay.*

Hauptsache, sie ist okay – für den Rest finden wir schon eine Lösung.

»Mateo, was verdammt noch mal ist denn los?«, tönt Autumns Stimme dumpf an meiner Schulter. Ihrem verwirrten Tonfall nach zu urteilen, hatte Cal noch keine Gelegenheit, ihr irgendwas zu erklären. »Geht es dir gut?«

»Jetzt ja.« Ich löse mich von ihr. »Aber es gibt einiges, über das wir dringend reden müssen.«

20

MATEO

»Au!« Autumn schüttelt ihr Handgelenk aus. »Scheiße, tut das weh.«

»Dann hör auf, gegen die Wand zu schlagen«, sage ich, während Ivy und Cal meine Cousine erschrocken anstarren. Wir sitzen umgeben von Messer- und Werkzeugkästen im fensterlosen Laderaum der Killerkiste, weil es sich hier sicherer anfühlt als in Cals Wagen.

Und weil Autumn hier unter Ausschluss der Öffentlichkeit die Beherrschung verlieren kann.

»Geht nicht«, stößt Autumn zwischen zusammengebissenen Zähnen hervor. »Dafür bin ich verflucht noch mal zu WÜTEND!« Sie lässt erneut die Faust in die Wand krachen und heult vor Schmerz auf. »Boney, oh mein Gott, Boney.« Da Autumn wie vermutet den ganzen Tag kein einziges Mal ihr Handy gecheckt hat, war es an uns, ihr beizubringen, dass Boney tot ist. Eine Nachricht, die sie, vorsichtig ausgedrückt, nicht besonders gut aufgenommen hat.

»Dieser arme, bescheuerte Idiot. Oh mein Gott, das ist alles so eine verfluchte Scheiße. Ich hasse mich. Ich hasse *dich*.« Beim letzten Wort hebt sie die Stimme und boxt mich so hart in den Oberarm, dass ich morgen definitiv einen blauen Fleck habe. »Ich hasse dich, du Arsch! Warum hast du zugelassen, dass ich bei so was mitmache?«

Ich gebe ihr keine Antwort, weil sie keine braucht, aber Ivy sieht das eindeutig anders. »Du kannst Mateo doch nicht ...«

»Das weiß ich selbst, Ivy!«, schreit Autumn und hämmert jetzt mit den Fäusten auf den Boden ein.

»Irgendwas wird dran glauben müssen, wenn du so weitermachst«, sage ich. »Entweder deine Hände oder der Transporter.«

Ivy und Cal schauen sich nervös um, als würden sie nach einer Möglichkeit suchen, von hier abzuhauen und gleichzeitig die ganzen Messer außer Reichweite zu bringen. Sie können nicht wissen, dass das Autumns Art ist, mit Trauer umzugehen. Als sie nach dem Tod ihrer Eltern bei uns einzogen ist, musste Ma die Wand in ihrem Zimmer ständig neu verputzen. Mich hat das am Anfang auch geschockt, bis ich schließlich kapiert habe, dass man ihr diese Form der seelischen Aufarbeitung lassen muss.

»Dabei hab ich so aufgepasst.« Ihre Stimme bricht und sie atmet ein paarmal tief durch. »Ich habe nur einen einzigen Kunden. Einer von meinen Arbeitskollegen aus Ziggy's Diner, der immer wieder total schlimme Migräneanfälle hat. Sein Arzt weigert sich, ihm Oxycontin zu verschreiben, deswegen muss er sich das Zeug illegal besorgen. Ich dachte, wenn ich ein Auge auf ihn habe und dafür sorge, dass nichts Blödes passiert, wäre alles okay.« Sie stöhnt frustriert auf und hämmert wieder auf den Boden ein. »Und ich hab noch zu Boney *gesagt*, dass er nicht nach Boston soll. Ich hatte gleich ein mieses Gefühl bei der Sache. Er hat versprochen, die Finger davon zu lassen!«

»Tja, wie es aussieht, hat der ominöse Käufer ihn vom Gegenteil überzeugen können«, sage ich. »Charlie hat gesagt, Boney wäre der Meinung gewesen, dass du sie bei ihren Geschäften nur blockierst.«

»Arghhh.« Statt weiter auf Dinge einzuschlagen, vergräbt Autumn das Gesicht in den Händen. Als sie wieder spricht, klingt ihre Stimme gedämpft, aber ich kann trotzdem noch jedes Wort verstehen. »Ich gehe zur Polizei. Ich werde mich stellen.«

»Auf keinen Fall«, sage ich entsetzt.

»Doch!« Sie hebt den Kopf und funkelt mich wütend an. »Wenn die das Schwein finden sollen, das Boney auf dem Gewissen hat, müssen sie wissen, in was er verwickelt war.«

Ich sehe sie genauso wütend an. »Wenn du dich stellst, wanderst du ins Gefängnis.«

»Ich *sollte* ins Gefängnis wandern!«

»Und was ist dann mit Ma?« Meine Frage nimmt ihr erst mal den Wind aus den Segeln, weshalb ich schnell weiterspreche. »Okay, hör zu. Wir haben jetzt eine ganze Weile nach deinen Regeln gespielt, und ich glaube, dass wir uns darauf einigen können, dass deine Regeln kacke sind. Richtig?«

Autumn zieht eine Grimasse. »Halt die Klappe.«

»Das werte ich jetzt mal als Ja. Ab sofort spielen wir also nach meinen Regeln und der Plan sieht folgendermaßen aus.« Die Idee dazu ist in mir gereift, während sie ihren Wutanfall hatte. »Du stellst die Killerkiste ab, fährst mit dem Taxi zur South Station, nimmst den Bus nach New York und schreibst Ma eine Nachricht, dass du Tante Rose zum Geburtstag überraschen willst und auf dem Weg in die Bronx bist.«

»Dass ich Tante Rose …« Autumn starrt mich entgeistert an. »Aber bis ich dort angekommen bin, ist die Party bestimmt längst vorbei und Tante Elena und Christy sind schon auf dem Nachhauseweg …«

»Sag ihr, dass du über Nacht bleiben willst. Sie soll auch bleiben. Wir müssen davon ausgehen, dass Boneys Mörder weiß, wo wir wohnen, deswegen ist es hier nicht sicher für euch.«

»Aber was, wenn …«

»Und komm bloß nicht auf die Idee, vorher noch mal nach Hause zu fahren, um ein paar Sachen zu packen«, unterbreche ich sie. »Kauf dir in der South Station eine Zahnbürste und was du sonst noch brauchst. Versuch, Ma davon zu überzeugen, ein paar Tage zu bleiben. Bis dahin hat die Polizei den Fall vielleicht gelöst.«

»Wie denn? Wenn sie noch nicht mal eine Spur haben?«, sagt Autumn. »Weil du die Spur *aus der Stadt jagst*.«

»Es geht nicht anders«, sage ich. »Schon vergessen, dass jemand nach dir gesucht hat?«

»Das könnte auch Gabe gewesen sein«, gibt Autumn zurück.

»Und warum hat er Mr Sorrento dann nicht seinen Namen gesagt? Check dein Handy. Hast du irgendwelche Nachrichten von Gabe, in denen er schreibt, dass er versucht hat, dich zu erreichen?«

Sie scrollt durch die lange Liste mit Nachrichten, die sie im Laufe des Tages bekommen hat. »Er hat mir tatsächlich ein paarmal geschrieben … Okay, er sagt zwar nirgends, dass er bei Sorrento's angerufen hat, aber das heißt nicht, dass er es nicht getan hat. Vielleicht hat er einfach vergessen, es zu erwähnen.«

Ich schnaube. »Lass stecken, Autumn. Ich mein's ernst. Wenn irgend so ein Drogenbaron da draußen unseren Namen kennt, musst du dafür sorgen, dass Ma aus der Schusslinie bleibt.« Als sie erneut widersprechen will, setze ich meinen letzten Joker ein. »Du schuldest mir was, Autumn. Okay? *Du schuldest mir was.* Seit Wochen versuche ich dich davon zu überzeugen, die Finger von dieser Oxy-Scheiße zu lassen, aber du hast dich einfach taub gestellt. Du hast uns dieses Fiasko eingebrockt. Das Mindeste, was du tun kannst, ist, Ma nicht auch noch in die Sache mit reinzuziehen.«

Autumn verstummt. Sie umklammert ihre lädierte Hand, die an den Knöcheln rot und aufgeschürft ist, und ich kann ihr förmlich dabei zusehen, wie sie im Kopf nach irgendeinem Gegenargument sucht. Als sie ein tiefes Seufzen ausstößt, weiß ich, dass sie keins gefunden hat. »In Ordnung. Ich mach's. Aber was ist mit dir? Auf dieser Liste steht *dein* Name. Du bist von uns allen am meisten in Gefahr.« Ihre Stimme bekommt einen flehenden Unterton. »Lass uns zusammen nach New York fahren.«

Ich schüttle den Kopf. »Ich muss bei Ivy und Cal bleiben. Wir müssen ...« Weiter komme ich nicht, weil ich keine Ahnung habe, wie es weitergehen soll.

Ivy räuspert sich. »Ich hab nachgedacht«, sagt sie und zieht die Beine unter sich. »Ms Jamison ist so gut wie unsere einzige Spur, richtig? Und vielleicht noch dieser Dominick Payne. Wir wissen nur leider nicht, wie eng die beiden befreundet sind.« Sie sieht Cal an. »Aber ich hab eine Idee. Wir könnten zur Schule fahren und die Schrift auf der Karte mit der Signatur auf dem Kunstdruck vergleichen, der in ihrem Unterrichtsraum hängt.«

Cal runzelt die Stirn. »Warum sollten wir das tun?«

»Weil wir dann wissen würden, ob sie mehr als nur Kollegen sind«, sagt Ivy. »Falls sie eine Liebesbeziehung haben, hätte sie einen triftigen Grund, ihn zu schützen – oder mit ihm zusammenzuarbeiten. Dann hätten wir was in der Hand und könnten der Polizei selbst einen anonymen Hinweis geben.«

Cal sieht skeptisch aus. »Ich weiß nicht.«

»Fällt dir was Besseres ein?«, fragt Ivy, scheint dann aber zu dem Schluss zu kommen, ihn besser nicht antworten zu lassen. Jetzt, wo Charlie nicht mehr da ist und ihn unter Druck setzen kann, würde er wahrscheinlich sagen, dass wir alle nach Hause fahren sollten. »Ich glaube, wir müssen einfach weiter Fragen stellen und Informationen sammeln. Ich meine, was wäre gewesen, wenn wir nicht zu Charlie gefahren wären? Dann würden wir jetzt immer noch nichts über die ganze Drogengeschichte wissen, in der Boney steckte.«

»Doch, wenn Mateo den Mund aufgemacht hätte«, sagt Cal.

»Damit das ein für alle Mal klar ist – von Boney hatte ich keine Ahnung«, sage ich gereizt und schaue finster zu Autumn. »Weil meine liebe Cousine entschieden hat, es für sich zu behalten.«

Sie weicht meinem Blick aus. »Und wie wollt ihr in das Schulgebäude kommen? Vor fünf schafft ihr es nicht nach Carlton zurück, und bis dahin sind alle Türen dort schon zu.«

»Mist, du hast recht.« Ivys Entschlossenheit gerät kurz ins Wanken. »Außerdem wollte ich um fünf eigentlich … Ach, wisst ihr was? Egal. Dann ziehe ich einfach ein Kleid an, das weniger Knöpfe hat.«

Wovon redet sie? Wozu will sie sich umziehen? Das Hoodie-Faltenrock-Outfit ist doch vollkommen okay. »Und wie genau hilft uns das dabei, in das Schulgebäude zu kommen?«, frage ich.

»Gar nicht.« Ivy errötet leicht. »Tut mir leid, anderes Thema. Ich hab gerade an Moms Preisverleihung gedacht und wie ich es hinkriegen soll, mich rechtzeitig dafür fertig zu machen. Aber wenn wir bis fünf an der Schule sind und ich gegen halb sechs zu Hause bin, bleibt mir noch genügend Zeit.« Sie strafft die Schultern. »Noch ist nichts verloren, das kann immer noch ein perfekter Abend werden, vor allem, wenn wir etwas finden, das die Aufmerksamkeit von mir auf Ms Jamison lenkt.«

Während Ivy in ihrer Tasche herumkramt, tauschen Cal und ich einen Blick, der sagt: *Lassen wir ihr diese Hoffnung.* Ich höre es klimpern und sehe, wie sie ein Schlüsselbund aus der Tasche zieht. Sie hält den größten Schlüssel, der daran hängt, in die Höhe. »*Der da* hilft uns, in das Schulgebäude zu kommen«, sagt sie. »Das ist ein Generalschlüssel. Den habe ich für die Wohltätigkeits-Auktion letzte Woche gebraucht und bin noch nicht dazu gekommen, ihn zurückzugeben.«

»Hast du keine Angst, dass du dort zufällig jemandem begegnen und erkannt werden könntest?«, fragt Autumn. Zum ersten Mal, seit wir in die Killerkiste gestiegen sind, huscht ein schwaches Lächelns über ihr Gesicht. »Ich meine, die suchen dich doch, oder?«

Ivy hatte die Kapuze abgestreift, während wir geredet haben, stülpt sie sich jetzt aber wieder über den Kopf. »Ich bin gewappnet«, sagt sie. »Außerdem stehen die Chancen ganz gut, dass bis dahin niemand mehr im Gebäude ist.«

»Okay, also …« Autumn knetet die Hände in ihrem Schoß. Ihr Tonfall wird ernst. »Mir ist klar, dass ihr mich für ein mieses Stück Scheiße halten müsst.«

»Nein …«, unterbricht Ivy sie, aber Autumn winkt ab.

»Schon in Ordnung. Das wäre vollkommen berechtigt. Was ich getan habe, ist absolut schrecklich. Ich hab nicht darüber nachgedacht, was das für Konsequenzen haben kann, das war unfassbar dumm von mir, und ich muss irgendwie versuchen, einen Weg zu finden, wie ich damit leben kann.« Ihre Stimme klingt belegt. »Ich möchte, dass ihr wisst, dass ich so was niemals getan hätte, wenn ich nicht so … verdammt verzweifelt gewesen wäre. Und hilflos. Es ist nämlich so, dass es auf der Welt nur zwei Menschen gibt, die ich wirklich mit ganzem Herzen liebe. Für die ich töten würde oder für die ich bereit wäre zu sterben oder was auch immer nötig wäre, um sie zu beschützen.«

Autumn boxt mich wieder in den Oberarm, sanfter diesmal. »Einer von den beiden ist der Schwachkopf hier. Der andere meine Tante Elena. Mitanzusehen, was sie durchmachen musste, als sie nicht nur die Bowlinghalle verloren hat, sondern dann auch noch schwer krank wurde … das hat mir das Herz gebrochen. Mir ist nicht klar gewesen, dass mir überhaupt noch irgendwas so sehr wehtun kann. Ich dachte, dass nichts im Leben mir jemals wieder so großen Schmerz zufügen könnte, wie der Tod meiner Eltern, aber das mit Tante Elena … das war genauso heftig.« Sie wischt sich mit einer wütenden Geste über die Augen. »Das sage ich nicht, um mich rauszureden. Ich will nur, dass ihr es versteht.«

»Gott, natürlich«, sagt Cal.

In Ivys Augen schimmern Tränen. »Ich verstehe es.«

»Wirklich?«, fragt Autumn. Ihre Stimme klingt fast vorwurfsvoll, und ich will sie gerade fragen, worauf sie hinauswill, als sie hinzufügt:»Gut. Euch muss nämlich klar sein, dass die einzige Möglichkeit, wie ich überhaupt anfangen kann, das Ganze wiedergutzumachen, darin besteht, dafür zu sorgen, dass nicht noch jemand verletzt wird. Ich werde auf Mateo hören, weil er recht hat. Ich bin ihm was schuldig. Aber ich will, dass ihr mir etwas versprecht. Nicht *du*«, sagt sie an mich gewandt.»Was das angeht, kann ich mich nicht auf dich verlassen, das ist mir klar. Aber Cal und Ivy – falls der Moment kommt, in dem ihr die Wahrheit sagen müsst, weil ihr sonst euch oder jemand anderem schaden würdet, dann haltet euch nicht meinetwegen zurück. Sagt, wie es war, okay?« Autumn hebt das Kinn und ihre Stimme wird fest.»Denkt noch nicht mal dran, euch von Mateo davon abhalten zu lassen. Sagt, was gewesen ist, und nehmt dabei keine Rücksicht auf mich. Ich meine es ernst. Ich gehe nicht von hier weg, bevor ihr beiden mir nicht euer Wort darauf gegeben habt.«

Die Stille im Laderaum des Transporters ist ohrenbetäubend. Aber als ich das Schweigen brechen will, hebt Autumn die Hand.»Du hältst jetzt mal den Mund, Mateo. Das ist eine Sache zwischen mir und den beiden.«

Cal fährt sich mit der Zunge über die Lippen.»In Ordnung«, sagt er.»Ich verspreche es.«

Ivy ist so aufgewühlt, dass sie nur nicken kann, aber Autumn legt ihr die Hand auf die Schulter und schüttelt sie. Nicht so grob, wie sie mit mir umgegangen ist, aber fest genug, um zu zeigen, dass sie es ernst meint.»Sag es«, verlangt sie.»Ich muss es hören.«

»Ja.« Ivy schluckt. Sie wirkt fast eingeschüchtert, und ich

würde Autumn bitten, einen Gang runterzuschalten, wenn ich mir nicht so verzweifelt wünschen würde, dass wir irgendwie weiterkommen.

»Ivy, sag es«, wiederholt Autumn drängend.

»Ich verspreche es«, flüstert Ivy. »Und ... das mit deiner Tante tut mir so unendlich leid.« Ihr Blick zuckt zu mir. »Mit deiner Mom.«

»Ja, das ist wirklich schlimm. Aber das entschuldigt trotzdem nicht, was ich getan habe.« Autumn richtet sich auf und schiebt die Tür des Transporters auf. »Ihr solltet jetzt besser los. Passt auf euch auf.«

Ich hab das Gefühl, dass ich etwas sagen sollte – irgendwas, das tief empfunden und wahr ist. So was wie *Ich gebe dir für nichts von all dem die Schuld.* Oder *Wäre ich wirklich zu hundert Prozent dagegen gewesen, hätte ich einen Weg gefunden, es dir auszureden.* Oder *Ich würde auch für dich sterben.* Aber das Einzige, was ich rauskriege, als ich aus dem Transporter klettere, ist: »Sorg dafür, dass Ma aus der Schusslinie bleibt.«

»Das werde ich«, sagt Autumn.

Im Laderaum des Transporters war es so dunkel, dass ich die Augen vor der Sonne zusammenkneifen muss und schwarze Punkte vor meinem Sichtfeld tanzen. »Cal, wo hast du noch mal den Wagen geparkt?«, frage ich.

»Hier drüben.« Ich drehe mich in Richtung seiner Stimme und spüre eine Hand auf meinem Arm, aber sie ist leichter als seine. Ich blinzle und Ivys angespanntes Gesicht nimmt feste Konturen an.

»Ich muss mit dir reden«, sagt sie.

21

MATEO

Ivy sieht ernst aus, aber das ist bei ihr nichts Ungewöhnliches. Außerdem bin ich mir ziemlich sicher, dass ich gerade gegen jede Art von unerfreulichen Informationen immun bin.

»Was gibt's denn?«, frage ich und folge ihr zu Cals Wagen. Nachdem wir eingestiegen sind, schaltet er wieder sein Navi ein, wobei mir nicht ganz klar ist, warum er das tut, wenn er doch nur seine magischen Schleichweg-Fähigkeiten einsetzen muss, um zur Carlton High zu kommen.

»Ich ...« Ivy wirft Cal einen Blick zu, bevor sie sich auf dem Beifahrersitz zu mir umdreht. »Ich hab das Gefühl, dass ich dir das vielleicht besser unter vier Augen sagen sollte, Mateo, aber ich weiß nicht, wann wir das nächste Mal allein sein werden, und ich ... und ich kann dir das nicht länger verschweigen.«

»Ähm, falls das eine Liebeserklärung werden soll, freu ich mich für euch«, sagt Cal und startet den Motor. »Aber für mich wird das eine ziemlich peinliche Angelegenheit.«

Ich schnaube. »Schau auf die Straße, Cal. Deine Zwischenrufe braucht hier grade niemand.« Ich rechne damit, dass Ivy mir zustimmt, vielleicht sogar lacht, aber sie sieht kreuzunglücklich aus. Auf einmal macht sich in meinem Bauch ein ungutes Gefühl breit.

»Na schön«, sagt Cal. »Aber wartet wenigstens noch kurz, bis ich meinen Unsichtbarkeitsmodus aktiviert habe, dann könnt ihr euch in aller Ruhe unter vier Augen über Nichtigkeiten austauschen.« Er zieht sich pantomimisch einen Schutzschild über den Kopf, und auch wenn ich diesen Supernerd echt gernhabe, denke ich, dass er vielleicht ab und zu mal was anderes als Comics in die Hand nehmen sollte.

»Dir ist schon klar, dass du uns immer noch hören kannst, wenn du unsichtbar bist, oder?«, sage ich.

»Kann dich nicht hören! Unsichtbar!«, ruft Cal und ich muss lachen.

Aber Ivy sieht immer noch unglücklich aus und ist still, also nicke ich ihr aufmunternd zu und sage: »Ich glaube, das war dein Stichwort.«

»Ja. Okay. Also, ich ...« Ivy schaut an mir vorbei, als Cal auf den vollen Highway fährt. »Ich weiß nicht genau, wo ich anfangen soll ...«, sagt sie. »Vielleicht bei der Talentshow letztes Frühjahr.«

Das kommt so unerwartet, dass ich erst mal nicht reagiere, aber dann muss ich mir ein Grinsen verkneifen. »Du meinst, bei deiner Vorlesung über heiße Feuerwehrmänner?« Ich hab damals sofort gewusst, was sie da zitiert hat, weil sie Cal und mir immer lachend den Klappentext vorgelesen hat, wenn ein neues Buch ihrer Tante erschienen ist.

Ivy verzieht das Gesicht. Die Geschichte setzt ihr offensichtlich immer noch zu, und ich wünschte – so wie ich es mir schon letztes Jahr an dem Tag in der Aula gewünscht habe –, ich könnte ihr begreiflich machen, dass sie sich das

Ganze nicht so zu Herzen nehmen soll. Ja, Daniel hat sie vorgeführt und das war ihr megapeinlich. Aber was sie nicht versteht, ist, dass es den meisten Leuten in dem Moment nicht darum ging, sie auszulachen, sondern *mit* ihr zu lachen. Es ist nicht so, als hätte Ivy keinen Humor, im Gegenteil, aber in dem Moment damals ist er ihr komplett verloren gegangen. Hätte sie es geschafft, die ganze Sache an sich abprallen zu lassen oder sogar zu improvisieren und einfach ihre eigene Show draus zu machen, hätte sie die Wahl gestern haushoch gewinnen können.

Und dann würde keiner von uns jetzt hier sitzen.

»Genau«, sagt sie und knetet ihre Hände im Schoß. »Du kannst dir wahrscheinlich denken, wie fertig mich das gemacht hat. Wie gedemütigt ich mich gefühlt hab und wie … unfassbar wütend ich auf Daniel war. Er kann es einfach nicht lassen. Ich meine, er ist doch sowieso schon derjenige in unserer Familie, der etwas Besonderes ist, aber er lässt trotzdem keine Gelegenheit aus, mich runterzumachen.«

»Dazu kann ich dir nicht viel sagen, Ivy, außer, dass du langsam mal anfangen solltest zu kapieren, dass du selbst auch was Besonderes bist.«

Das meine ich als Kompliment und bin umso überraschter – und bestürzter –, als sie Tränen zurückblinzeln muss.

»Hey, nicht weinen«, sage ich. »So schlimm ist das alles doch gar nicht.« Ich muss daran denken, was meine Mutter früher gesagt hat, wenn sich Autumns rasende Wut in Tränen auflöste: *Weinen ist gesund. Ich würde mir mehr Sorgen machen, wenn* sie *nicht* weinen könnte.

Aber Autumn hat über den Tod ihrer Eltern geweint. Nicht weil sie in der Schule bloßgestellt wurde.

»Das, was mich so fertigmacht, ist nicht die Sache auf der

Talentshow«, sagt Ivy. »Nicht mehr. Es geht um das ... was ich danach getan habe.« Sie schluckt schwer. »Als ich auf die Idee kam, es Daniel heimzuzahlen.«

»Es ihm *heimzuzahlen*?«, frage ich.

»Ja. Ich wollte, dass er am eigenen Leib erfährt, wie es sich anfühlt, die Witzfigur der Schule zu sein. Ich hatte keine Ahnung, wie ich das anstellen sollte, ich wusste nur, dass er *irgendwie* dafür bezahlen muss.«

Die Vorstellung, wie die überkorrekte Ivy Sterling-Shepard schäumend vor Wut Rachepläne gegen ihren bescheuerten Bruder schmiedet, ist so schräg, dass ich versucht wäre, zu lachen, wenn sie nicht so verzweifelt aussehen würde. Wobei es mir ein Rätsel ist, wie sie glauben konnte, dass das irgendwas bei Daniel bewirken würde. Er ist viel zu sehr von sich selbst eingenommen, um sich den Kopf darüber zu zerbrechen, was andere über ihn denken. »Und wie hast du dich dann gerächt?«, frage ich.

»Tja, das ist das Problem. Ich hab auf die richtige Gelegenheit gewartet, die kam aber nie ... bis zu dem Tag, an dem ich ihn letzten Juni von der Geburtstagsparty von Patrick DeWitt abholen sollte, die er im ›Spare Me‹ gefeiert hat.«

Das unangenehme Bauchgefühl kehrt zurück. Nicht nur, weil es um die Bowlinghalle geht, die uns mal gehört hat, sondern um Patrick DeWitts Party. Die Party, die unser ganz persönliches Armageddon war. »Und?«, frage ich vorsichtig.

Ivys Wangen färben sich dunkelrot. »Daniel hatte mir geschrieben, dass ich ihn früher abholen soll, weil er sich gelangweilt hat. Als ich gekommen bin, hatte er seine Meinung aber wieder geändert und wollte doch noch bleiben. Seine Kumpels und er haben sich gegenseitig dabei gefilmt, wie sie irgendwelche abgefahrenen Tricks machten, und die Videos dann bei Instagram gepostet. Die anderen haben Daniel total gefeiert, weil er immer wieder mit geschlossenen Augen oder rückwärts oder auf einem Bein hüpfend Punkte abgeräumt hat. Er meinte, dass ich ja wieder nach Hause fahren kann, aber ich hatte keine Lust, mich in einer Stunde noch mal auf den Weg zu machen. Also hab ich mich am Rand auf eine Bank gesetzt und war total genervt. Irgendwann hab ich angefangen, die Taschen mit den Einkäufen, die ich für meine Mom besorgt hatte, umzusortieren, und ... dabei ist mir eine Idee gekommen.«

Ich will es nicht wissen. Ich bin mir tausendprozentig sicher, dass ich nicht wissen will, was für eine Idee das war. Also schweige ich, aber Ivy redet weiter.

»Zu dem Zeitpunkt standen um die Gruppe schon ziemlich viele Leute herum, die sie angefeuert haben. Ich dachte ... Ich glaube, ich dachte, es wäre so eine Art ausgleichende Gerechtigkeit, wenn ich dafür sorge, dass Daniel vor diesen ganzen Leuten wie ein Idiot dasteht. Und als sie eine Pause eingelegt haben, um sich eine Pizza zu holen, hab ich ... Ich wusste, dass danach wieder Daniel dran war, verstehst du ...«

Sie zittert mittlerweile am ganzen Körper und muss kurz innehalten, bevor sie weitersprechen kann. »Da hab ich heimlich ein bisschen von dem Babyöl, das ich für Mom im Drogeriemarkt besorgt hatte, auf der Bahn verteilt. Ich wollte, dass Daniel auf die Schnauze fliegt und es so richtig verkackt, wenn er seine Show abzieht. Aber ...«

»Ach du Scheiße, Ivy.« Es ist das erste Mal, dass Cal wieder etwas sagt, was gut ist, weil ich nämlich kein Wort rauskriege. »Aber dann war es nicht er, der auf dem Öl ausgerutscht ist, sondern ... Patrick DeWitt.«

Genau so war es, verdammt. Patrick DeWitt ist ausgerutscht, gegen die Kugelausgabe geknallt und hat sich dabei die Schulter ausgerenkt. Das Ganze wurde vom halben Lacrosse-Team gefilmt und auf Instagram gestellt, was für Patricks Eltern eine super Sache war, nachdem sie sich entschlossen hatten, meine Mutter zu verklagen.

Ivy heult mittlerweile Rotz und Wasser und ganz ehrlich? Drauf geschissen. Weinen ist vielleicht gesund, aber auf die Tränen, die sie hier vergießt, hat sie kein Recht. Das Leid, das sie verursacht hat, haben andere tragen müssen, nicht sie. Und es war eine *Menge* Leid. »Patricks Unfall geht also auf dein Konto«, sage ich mühsam beherrscht. »Und statt die Sache aufzuklären, hast du einfach zugeschaut, wie meine Mutter wegen Fahrlässigkeit verklagt wird.«

»Davon wusste ich nichts!«, sagt Ivy mit tränenerstickter Stimme. »Ich meine, ich wusste von Patrick, natürlich, aber alle haben gesagt, dass er schnell wieder in Ordnung kommt. Von der Klage hab ich erst nichts mitgekriegt. Zu der Zeit waren schon Sommerferien und ich war mit meiner Mutter in Europa.« Sie zittert immer noch total, aber das interessiert mich nicht. Mir wird schlecht, wenn ich sie nur anschaue. Gott, wenn ich daran denke, dass ich sie *geküsst* habe. »Als ich ... kapiert hab ... was passiert war«, fährt sie stockend fort, »hab ich versucht, es wiedergutzumachen und meinen Dad gefragt, ob er deiner Mom nicht einen Job geben kann ...«

»Einen Job? Als Ersatz für ihr Lebenswerk, das du ihr weggenommen hast?«, schreie ich. Meine Stimme ist viel zu laut für den kleinen Wagen. Zum Glück sitze ich nicht am Steuer, sonst wären wir jetzt alle tot. Ich hätte garantiert die Kontrolle verloren, wäre irgendwo dagegengeknallt und

272

Ivys Worte wären unter einem Trümmerhaufen aus Glas, Metall und zermalmten Körpern begraben worden. Ich bin so unglaublich wütend, dass diese Vorstellung fast etwas Verlockendes hat. »Meine Mutter hat das ›Spare Me‹ aus *eigener* Kraft aufgebaut und zu einer kleinen Institution gemacht, Ivy. Die Bowlinghalle war ihr Leben. Das Leben von uns allen. Und jetzt ist Ma kaum noch in der Lage zu arbeiten, und Autumn und ich müssen uns zwischen fünf verschiedenen Jobs zerreißen, und du hast den ganzen Tag heute so getan, als hätte das alles absolut nichts mit dir zu tun und bloß irgendwas von wegen *Oje, was für ein Pech, in eurer Haut will ich nicht stecken* gefaselt.«

Ivy wischt sich heftig über ihre nassen Wangen. »Ich wollte doch nie … Ich hab mich deswegen absolut beschissen gefühlt. Deswegen hab ich es dir jetzt erzählt, obwohl …«

»Obwohl was? Obwohl du aus meiner Cousine eine Drogendealerin gemacht hast?«

Ivys Gesicht fällt in sich zusammen, und auch wenn ich vor Wut kaum noch klar denken kann, weiß ich, dass ich zu weit gegangen bin. Aber ich hab die ganze Zeit Mas Gesicht vor Augen, als der Brief von den DeWitts mit der Klage gekommen ist. »Zu stark gewachste Bowlingbahn«, hat sie benommen gesagt und sich schwer auf einen Stuhl fallen lassen. Damals hatten ihre Knie schon angefangen, ihr Probleme zu machen, aber da wussten wir noch nicht, dass es was Chronisches werden würde. »Und damit haben sie wahrscheinlich recht. Die Bahn war viel zu rutschig«, hat sie hinzugefügt. »Ich verstehe nur nicht, wie das passieren konnte. Ich habe an dem Tag nichts anders gemacht als sonst.«

Ma war nicht sauer wegen der Klage, obwohl Patricks Schulter gut verheilt ist und die DeWitts mit ihrer Kackaktion und ihrem Geschwätz von wegen »Unverantwortliches unternehmerisches Verhalten muss bestraft werden« völlig überreagiert haben. Sie hat sich schuldig gefühlt. Als hätte sie es verdient, deswegen alles zu verlieren.

Und dann hat sie tatsächlich alles verloren und meine Cousine war wegen alldem so verzweifelt, dass sie die schlimmste Entscheidung ihres Lebens getroffen hat. Wenn ich an den Dominoeffekt denke, der durch Ivys Dummheit ausgelöst wurde, kriege ich kaum noch Luft. Ich hätte jetzt ein komplett anderes Leben, wenn sie sich um ihre eigenen Angelegenheiten gekümmert und das beschissene Babyöl in der Tüte gelassen hätte, wo es hingehörte.

Babyöl. Großer Gott. Von allen Dingen, die einem das Leben verpfuschen können, ist das echt das Absurdeste.

»Ich werde es wiedergutmachen …«, sagt Ivy leise.

»Ach ja?«, unterbreche ich sie. »Und wie? Willst du eine Zeitmaschine bauen, mit der du ein paar Monate in die Vergangenheit zurückreisen kannst, um zu verhindern, dass du dich wie ein dummes Arschloch verhältst?« Ich reibe mir heftig über die Stirn, als könnte ich mir auf diese Weise auch gleich die ganze Geschichte aus dem Hirn radieren. »Weißt du, was das Schlimmste ist, Ivy? Es geht nicht nur darum, dass du meine Mutter praktisch in den Ruin getrieben hast und zu feige warst, es zuzugeben. Es geht auch darum, wie verflucht *kleingeistig* die Aktion war. Echt. Was für eine geniale Idee, um es deinem Bruder heimzuzahlen! Dabei könnte dir der Typ total egal sein, wenn du es ein einziges Mal geschafft hättest, dich selbst nicht so wichtig zu nehmen und nicht so ein Drama zu machen, als wäre ein dämlicher Dumme-Jungen-Streich das Ende der Welt.«

Im Wagen wird es still. Es gibt einen winzigen Teil in

mir, der vor Wut nicht völlig blind ist und dem es für Cal leidtut, dass er hier drin festsitzt und alles mitbekommt. Andererseits wäre ohne Cal keiner von uns hier, also scheiß auf ihn.

»Ob du es glaubst oder nicht«, sagt Ivy schließlich mit rauer Stimme. »Ich hasse mich dafür genauso sehr wie du mich.«

»Unwahrscheinlich«, zische ich. »Für den Fall, dass das noch nicht klar ist, Ivy – ich bin fertig mit dir. Du bist erbärmlich und ich will nie wieder irgendetwas mit dir zu tun haben.«

Sie senkt den Kopf. »Das ist mir sowieso klar gewesen.«

Mehr gibt es nicht zu sagen. Ich weiß noch nicht mal mehr genau, warum wir zur Carlton High unterwegs sind, aber sobald wir dort angekommen sind, bin ich endgültig raus aus der Nummer. Cal und Ivy können beide zur Hölle fahren.

Und ich hoffe, sie verrottet dort.

22

CAL

Ich wünschte, mein Unsichtbarkeitsschild wäre real. Und schalldicht. Man sollte denken, dass ich ihn mittlerweile nicht mehr brauchen würde, weil Mateo und Ivy seit ihrem Streit schweigen. Aber es ist ein Schweigen, das dumpf in den Ohren dröhnt und irgendwie noch schlimmer ist als lautes Geschrei. Als wir die Carlton High endlich erreicht haben, pocht mir vor Anspannung der Kopf.

Auf dem Schulparkplatz stehen nur noch Ivys Wagen und die Autos von ein paar anderen Nachzüglern. Ich habe gerade erst angehalten, da sagt Mateo schroff: »Kannst du den Kofferraum aufmachen?« Nachdem ich ihn entriegelt habe, steigt er aus, holt seinen Rucksack, schlägt die Klappe zu, kommt zurück und beugt sich durch die noch offen stehende hintere Tür in den Wagen. Ich befürchte halb, dass er wieder auf Ivy losgeht, aber er sagt bloß: »Bis dann, Cal.« Dann knallt er die Tür zu und marschiert über den Parkplatz auf den hinteren Zaun zu.

»Tja. Scheiße«, sage ich, während ich ihm nachschaue. »Dass er jetzt einfach so abhaut, hätte ich nicht gedacht.«

Ivy sinkt auf dem Beifahrersitz in sich zusammen. »Er erträgt noch nicht mal mehr meinen Anblick.«

Damit liegt sie wohl richtig, aber so darf der Tag auf keinen Fall enden. Es sind einfach immer noch zu viele Fragen offen. »Warte hier«, sage ich und öffne meine Wagentür. »Ich versuche, mit ihm zu reden.«

Ich muss einen kleinen Sprint hinlegen, um ihn einzuholen, bevor er über den Zaun springt. »Mateo, warte«, keuche ich außer Atem und halte ihn am Arm fest. »Kommst du nicht noch mit rein?«

Er wirbelt herum. »Wozu?«, sagt er und macht sich von mir los. »Weshalb sind wir noch mal hier? Wegen einem blöden *Kunstdruck*? Wen interessiert's. Das ist doch bloß wieder eine von Ivys bescheuerten Ideen, und weißt du was? Von denen hab ich die Schnauze gestrichen voll.«

Ich werde nicht versuchen, sie vor ihm zu verteidigen. So ganz kann ich selbst noch nicht fassen, was sie getan hat, und möchte mir gar nicht vorstellen, wie Mateo sich erst fühlen muss. »Hör zu, das ist alles eine Riesenscheiße«, sage ich. »Und ich kann total verstehen, dass du stinksauer bist. Aber was hast du jetzt vor?«

Er zuckt mit den Schultern. »Nach Hause gehen. Und dann zu meiner Schicht ins Garrett's fahren.«

»Aber du kannst nicht nach Hause!« Ich brülle fast. »Du hast deine Cousine nach New York geschickt, weil es hier zu gefährlich für euch ist. Was ist, wenn dort jemand auf dich wartet?«

»Um mich brauchst du dir keinen Kopf zu machen, Cal«, sagt Mateo. »›Der Beschissenste Tag aller Zeiten‹ ist offiziell zu Ende.«

Er dreht sich um, aber ich halte ihn erneut am Arm fest. Als er sich diesmal aus meinem Griff befreit, sieht er aus, als wäre er kurz vorm Explodieren, und ich rede schnell drauflos. »Komm schon, wir haben ja noch nicht mal unsere Alibis abgesprochen. Was erzählst du der Polizei, wenn sie dich nach Autumn fragen? Oder ...«

»Gar nichts. Von mir erfahren sie kein Sterbenswort.« Mateo verschränkt die Arme vor der Brust. »Sie können ihr absolut nichts nachweisen. Boney ist tot. Charlie wird nicht reden. Und ich lag heute den ganzen Tag krank zu Hause im Bett. Punkt. Das war's, ich bin raus.« Der harte Unterton in seiner Stimme wird eine Spur milder, als er hinterherschiebt: »Pass auf dich auf, Cal, okay?«

Diesmal versuche ich nicht mehr, ihn aufzuhalten. Er schwingt sich über den Zaun, und ich schaue beklommen zu, wie er zwischen den Bäumen verschwindet. Wir sind längst über den Punkt hinaus, an dem wir noch so tun können, als wäre das alles nicht passiert. Wenn Mateo mal kurz innehalten und rational über alles nachdenken würde, müsste ihm klar sein, dass es nicht nur in seiner oder Charlies Hand liegt, ob die Polizei rausfindet, welche Rolle Autumn in der ganzen Sache gespielt hat. Vielleicht hätte er Ivy dann auch nicht so attackiert.

»Cal?« Ivys Stimme reißt mich aus meinen Gedanken. Als ich mich umdrehe, sehe ich sie zögernd auf mich zukommen. Ihr Blick ist auf das Wäldchen geheftet, in dem Mateo verschwunden ist. Sie hat ihren Rucksack aus meinem Kofferraum genommen, er baumelt lose in ihrer Hand. »Was hat er gesagt?«

»Dass er raus ist. Aus allem.«

»Oh«, sagt Ivy leise. Dass sie kein Wort über die offensichtlichen Schwachstellen in Mateos Plan verliert, beweist, wie heftig ihr der Streit im Wagen zusetzt. »Der Flieger meiner Eltern soll um halb sechs landen«, sagt sie müde.

»Bestimmt warten zig Anrufe von der Schule und ihren Freunden auf sie und ziemlich wahrscheinlich auch von der Polizei, deswegen …« Sie holt tief Luft und atmet dann langsam aus. »Wir müssen das alles vorher irgendwie in Ordnung bringen.«

»Ivy«, sage ich so behutsam wie möglich. »Ich bin nicht sicher, ob wir das in Ordnung bringen können.« Als sie nicht antwortet, werde ich deutlicher. »Die ganze Sache wächst uns über den Kopf. Und damit meine ich, dass das da unsere Köpfe sind«, ich strecke meine eine Hand Richtung Boden und recke die andere so weit ich kann nach oben, »und das ist die Situation, in der wir stecken. Das ist dir klar, oder?«

Als sie nicht reagiert, bin ich kurz versucht, die Frage zu wiederholen. »Ja, das ist mir klar«, sagt sie schließlich. »Aber ich ziehe die Sache trotzdem durch, wegen der wir hergekommen sind. Was ist mit dir?«

Die Sache, wegen der wir hergekommen sind? Was war das noch gleich? Mateos Worte hallen mir durch den Kopf: *Wegen einem blöden Kunstdruck? Wen interessiert's.*

Ivy hat sich schon umgedreht und steuert auf das Schulgebäude zu. Sie bleibt bei ihrem Wagen stehen, öffnet die Tür, wirft ihren Rucksack auf den Beifahrersitz und läuft dann zielstrebig weiter. Während ich ihr hinterherschaue, gehe ich im Geiste meine Alternativen durch. Ohne welche zu finden. Heute Vormittag – vor gefühlt tausend Jahren – habe ich bereitwillig alles glauben wollen, was Lara mir erzählt hat. Aber es gibt einfach immer mehr Verbindungen zwischen ihr und Boney. Sie steckt mittendrin in dieser Katastrophe, und auch wenn ich immer noch nicht weiß, was sie genau getan hat, bin ich mir in einem Punkt sicher: Sie hat auf keinen Fall allein gehandelt.

Ich liebe dich so sehr, mein Engel. Lass es uns tun, D.

Wen interessiert's? Tja ... mich, schätze ich.

Ich jogge hinter Ivy her und hole sie am Hintereingang ein, als sie gerade ihr Schlüsselbund aus der Tasche holt. Sie steckt den Generalschlüssel in das Schloss, dreht ihn und zieht am Griff der Tür, die sich mit einem lauten Quietschen öffnet und den Blick auf einen langen dunklen Gang freigibt.

»Wo sind wir hier?«, frage ich, während ich ihr ins Gebäude folge.

»Das ist der hintere Zugang zur Sporthalle«, antwortet sie, obwohl ich darauf auch selbst hätte kommen können. In der Luft liegt dieser typische Sporthallen-Geruch – scharfer Salmiakgeist, der es nicht ganz schafft, den über Jahre aufgestauten Schweiß zu überdecken. An den Wänden hängen Zeitungsausschnitte mit Artikeln über Meisterschaftskämpfe der Carlton High, und als wir ein paar Meter weiter um die Ecke biegen, weiß ich plötzlich genau, wo wir sind. Laras Unterrichtsraum befindet sich ebenfalls hier unten; dass er in unmittelbarer Nähe zu den Büros der Sportlehrer liegt, ist wahrscheinlich der Hauptgrund dafür, dass sie und Coach Kendall überhaupt zueinander gefunden haben.

Wir sind nur noch drei Türen von Laras Unterrichtsraum entfernt, als plötzlich Stimmen laut werden und wir wie angewurzelt stehen bleiben. »... aber du musst unbedingt noch an deinem Split Dodge arbeiten«, sagt ein Mann.

»Ich weiß«, erwidert eine andere Stimme, die jünger klingt. »Mein Timing war echt mies.«

»Genau wie alles andere«, sagt eine dritte Stimme.

»Na ja«, sagt der Mann mit verständnisvollem Unterton, »wahrscheinlich kein Wunder, so viel wie du heute um die

Ohren hattest. Da erwarte ich keine perfekte Leistung. Aber Training ist eine gute Ablenkung, und vielleicht kannst du zu Hause noch ein bisschen an deinen Schwachpunkten arbeiten, während du darauf wartest, dass deine Schwester sich meldet.«

Ivy treten fast die Augen aus dem Kopf. Bevor ich so richtig kapiert habe, was los ist, packt sie mich am Arm, reißt die am nächsten liegende Tür auf und stößt mich in einen kleinen dunklen Raum. »Geht's noch!«, zische ich, als ich mit der Schulter gegen die Wand knalle. Ich habe gerade noch Zeit zu erkennen, dass wir uns in einer Art Abstellkammer voller Putzzeug befinden, als sie die Tür hinter uns zuzieht und es stockfinster wird.

»Das sind Daniel und Coach Kendall«, zischt sie zurück. »Sein Büro ist direkt nebenan. Und ich glaub, der andere ist Daniels Freund Trevor. Das Lacrosse-Training ist wahrscheinlich gerade zu Ende.«

»Shit.« Mir wird schlecht, als ich höre, wie Coach Kendall mit ruhiger Stimme davon spricht, *den Ball im Lauf zu sichern*. Seit ich angefangen habe, mich mit Lara zu treffen, habe ich versucht, möglichst jeden Gedanken an ihn zu verdrängen und mir einzureden, dass er und Lara sowieso nicht zusammenpassen und sich trennen sollten. Aber als ich jetzt höre, wie er sich mit Daniel und Trevor unterhält, kriege ich ein extrem schlechtes Gewissen, weil er einfach ein total netter Kerl ist, der sich nach dem Training sogar noch die Zeit nimmt, einen seiner Schüler moralisch aufzubauen, während seine Verlobte ihn hintergeht. Und zwar mit mehr als einer Person.

»Da fällt mir ein – hast du zufällig die Ersatzhandschuhe vom letzten Spiel dabei?«, fragt Coach Kendall.

»Ja. Die stecken im Außenfach von meiner Trainingstasche«, antwortet Daniel.

»In der hier? Ich hol sie mir schnell raus, okay? Vielleicht
braucht Fritz sie gleich.« Einen Moment ist es still, dann
fragt Coach Kendall schmunzelnd: »Was hast du denn da
alles drin? Backsteine?« Gott. Ein typisch väterlicher Spruch,
der auch von Wes stammen könnte, wodurch ich mich gleich
noch mieser fühle.

»Bloß ein paar Dosen Proteinshakes«, sagt Daniel.

»Ja, Protein ist gut fürs Stehvermögen. Das kannst du
brauchen«, kichert Trevor.

»Okay, Jungs. Ich muss los. Und heute Abend ruht ihr
euch aus, verstanden?«

»Alles klar, Coach.«

An unserer Tür hallen schwere Schritte vorbei und werden dann leiser. Daniel und Trevor witzeln noch einen
Moment lang herum und lachen über etwas, das ich nicht
verstehe, dann hören wir, wie sich auch ihre Schritte entfer-
nen. Wir warten, bis es vollkommen still geworden ist, und
lassen zur Sicherheit noch ein paar weitere Minuten vergehen. Irgendwann öffnet Ivy die Tür und späht vorsichtig
nach draußen. »Die Luft ist rein«, flüstert sie. Als sie auf den
Flur tritt, holt sie ihre Schlüssel aus der Tasche und schließt
die Finger darum, damit sie beim Gehen nicht aneinander-
klirren.

»Bist du sicher, dass der Schlüssel passt?«, frage ich, als wir
auf Laras Raum zusteuern. Die halb verglaste Tür ist zu,
dahinter ist alles dunkel.

»Das werden wir gleich wissen«, sagt Ivy und sucht an
ihrem Schlüsselbund den Generalschlüssel heraus. Er lässt
sich problemlos ins Schloss schieben und umdrehen, und als

sie danach am Knauf dreht, schwingt die Tür mit einem leisen Knarzen auf.

»Kein sonderliches tolles Sicherheitssystem, wenn ein einziger Schlüssel überall passt«, sage ich.

»Wir sind hier in Carlton.« Ivy tritt durch die Tür und ich folge ihr. »In dieser Stadt geht man einfach nicht davon aus, dass irgendwas Schlimmes passieren könnte.«

Ivy drückt auf den Lichtschalter neben der Tür und eine Sekunde später ist der Unterrichtsraum hell erleuchtet. Auch wenn es in Anbetracht der Umstände wahrscheinlich ein bisschen seltsam klingt –, aber in dem Moment, in dem mir der vertraute Duft nach Farbe und Bleistiftspänen in die Nase steigt, beginne ich sofort, mich zu entspannen. Der Raum sieht aus wie immer. An der hinteren Wand steht ein langer Arbeitstisch, der mit allen möglichen Materialien übersät ist: dicke Papierstapel, Farbtuben, kleine Kartons mit Zeichenkohle und Buntstiften, Einmachgläser mit gereinigten Pinseln.

Ich liebe diesen Raum. Habe ihn immer schon geliebt, auch bevor Lara hier zu unterrichten anfing. Das ist der einzige Ort in der Schule, an dem ich das Gefühl habe, da zu sein, wo ich hingehöre. Wenn ich jetzt so darüber nachdenke, muss ich zugeben, dass ich mich hier wahrscheinlich mehr zu Hause gefühlt habe, *bevor* sie meine Lehrerin wurde. Weil es hier damals noch um nichts anderes als um Kunst ging. Sobald ich durch die Tür kam, wollte ich nur noch eins: mir einen Stift schnappen und die Ideen, die sich in meinem Kopf drängten, zu Papier bringen. Etwas anderes existierte für mich nicht. Damals gab es noch kein verzweifeltes Bedürfnis, von ihr bemerkt zu werden, und auch keine Verwirrtheit und keine Schuldgefühle, als sie mir irgendwann die Aufmerksamkeit schenkte, nach der ich mich so gesehnt hatte. An der Rückwand hängt ein gerahmter Comic von mir, den ich in der Elften gezeichnet habe. Mein damaliger Kunstlehrer Mr Levy hat ihn bei einem Zeichenwettbewerb eingereicht. Ich habe damit den ersten Platz gewonnen und der ganze Kurs hat geklatscht, als Mr Levy ihn aufgehängt hat.

»Tolle Arbeit, Cal«, hat er gesagt. »Ich hoffe, du bist genauso stolz auf dich wie wir.« Und das war ich.

In mir steigt etwas auf, das sich fast wie Heimweh anfühlt und so intensiv ist, dass mir flau wird und ich mich an die Wand lehnen muss. Plötzlich wird mir klar, dass das Gefühl heute Morgen auf dem Parkplatz nicht bloß nostalgische Sehnsucht nach der Middleschool war. Ich habe mich nach *dem* hier zurückgesehnt – nach dem Cal, der ich vor Lara gewesen bin –, weil das in meiner Erinnerung das letzte Mal war, dass ich mich selbst gemocht habe.

Noemi hätte es vielleicht etwas feinfühliger ausdrücken können, aber sie hatte recht. Ich bin nicht mehr ich.

Mein Handy klingelt und Ivy und ich zucken erschrocken zusammen. Ich melde mich panisch, damit es zu klingeln aufhört, und sehe erst kurz bevor ich es mir ans Ohr halte, dass der Anrufer Wes ist. »Hey, Dad.«

»Cal?« Seine Stimme klingt angespannt und besorgt. »Geht es dir gut?«

»Klar«, sage ich leise. »Warum sollte es mir nicht gut gehen?«

»Wegen diesem Podcast über dich«, sagt eine andere vertraute Stimme und mir rutscht das Herz in die Hose. Oh Gott, meine Dads rufen im Doppelpack an. Das kann nichts Gutes bedeuten.

»Das war kein *Podcast*, Henry. Podcasts sind reine Audiobeiträge.« Ich kneife die Augen zu, während Wes weiterspricht. »Cal, einer meiner Studenten hat mir ein YouTube-Video weitergeleitet, das zwei Mitschüler von dir aufgenommen haben. Es geht um den Tod von Brian Mahoney. Die beiden stellen darin ein paar ziemlich unschöne Spekulationen über deine frühere Freundin Ivy an und behaupten außerdem ... dass du heute nicht in der Schule warst?«

Auf einmal finde ich Mateos Vogel-Strauß-Politik-Strategie gar nicht mehr so verkehrt. Aber auch ohne zu wissen, was Ishaan und Zack auf ihrem Kanal über mich gesagt haben, bin ich mir absolut sicher, dass ich mit der Methode bei meinen Eltern nicht durchkomme. »Ähm, ja, das stimmt. Ich hab mich irgendwie krank gefühlt. Ich meine, tu ich noch.«

»Aber warum hast du denn dann nicht ...« Wes' Stimme klingt verwirrt und gleichzeitig verletzt und ich fühle mich wie der mieseste Lügner der Welt. »Warum hast du mir nichts davon gesagt, als wir vorhin telefoniert haben?«

»Ich wollte nicht, dass du dir Sorgen machst.« Ich öffne die Augen und fühle mich sofort noch mieser. Von allen Orten, an denen wir dieses Gespräch führen könnten, muss es ausgerechnet Laras Unterrichtsraum sein.

»Cal?« Jetzt schaltet sich Henry ein. »Ich verstehe nicht, warum wir über einen Pod ... Verzeihung ... ein YouTube-Video erfahren, dass du nicht im Unterricht warst. Keiner von uns hat dich entschuldigt, warum hat die Schule uns nicht angerufen?«

Mir treten Schweißperlen auf die Stirn. »Vielleicht ist es im Sekretariat irgendwie untergegangen.«

Ivy wirft mir einen Blick zu, der mir deutlich zu verstehen gibt, dass ich zu laut rede. Deswegen – und weil mir sonst definitiv noch mehr Fragen drohen, die ich nicht beantworten kann – schiebe ich schnell etwas leiser hinterher: »Sorry, ich muss Schluss machen. Ich melde mich wieder.« Ich drücke die beiden weg und schalte mein Handy auf stumm. »Jetzt bin ich genauso geliefert wie du«, sage ich zu Ivy.

»Das glaube ich kaum.« Sie läuft durch den Raum und lässt suchend den Blick umherwandern. »Sag mir lieber, wo dieser Kunstdruck von Dominick Payne ist.« Mir steckt immer noch das Telefongespräch mit meinen Dads in den Knochen, weshalb ich nicht sofort antworte, aber im nächsten Moment hat sie das Bild, das an der Wand hinter Laras Arbeitstisch hängt, schon selbst entdeckt und geht darauf zu. »Ah. Da ist er ja.«

Der Druck zeigt eine abstrakte Stadtansicht mit schwungvollen Linien und leuchtenden Farben. Er ist ziemlich gut – auch wenn ich das wirklich nur ungern zugebe. Ich habe Lara sogar noch dazu beglückwünscht, aber nie auf die Signatur geachtet, wenn ich ihn mir angeschaut habe. Als ich das jetzt nachhole und mich etwas vorbeuge, um den schwarzen Schriftzug am unteren Rand zu studieren, meine ich zu erkennen, dass …

»Das ist eine vollkommen andere Schrift«, bestätigt Ivy das, was ich denke.

Zum Vergleich hält sie die Karte an das Bild. Yep – die Schrift auf der »Lass es uns tun«-Nachricht ist schnörkelig und gedrungen, während die Buchstaben von Dominick Paynes Signatur groß und gestochen scharf sind. Das D auf der Karte sieht sogar aus, als wäre es ein völlig anderer Buchstabe als das in Dominick Paynes Unterschrift.

»Hm. Hat was von einer zu früh geplatzten Seifenblase«, sage ich. Aber wenn ich ehrlich sein soll, bin ich eher erleichtert als enttäuscht. Mich interessiert plötzlich nicht mehr, wer dieser D. ist. Es spielt keine Rolle. Das heißt, für Ivys Spurensuche spielt es schon eine Rolle, aber für mich nicht. »Tja«, sagt Ivy und steckt die Karte in ihre Tasche zurück. Sie wirkt total verloren und mir dämmert, dass sie sich von der Aktion hier so eine Art Durchbruch versprochen hat, um sich davon abzulenken, was eben im Wagen zwischen ihr und Mateo passiert ist. »Wir können uns ja trotzdem noch ein bisschen umschauen.« Sie geht zu Laras Schreibtisch und zieht die oberste Schublade auf, scheint aber eher halbherzig bei der Sache zu sein.

Ich schaue aus dem Fenster in den dunkler werdenden Himmel. Es geht auf die Abendessenszeit zu, nicht mehr lange, dann werden sich auf den Straßen auch jede Menge Spätpendler drängen – einschließlich meiner Eltern, die nach diesem letzten Telefonat wahrscheinlich krank vor Sorge sind. Dabei wissen sie noch nicht mal, wie schlimm es tatsächlich steht. Ich muss mit den beiden reden. Nicht nur über heute, sondern über alles. Auch wenn ich noch keine Ahnung habe, wie ich das machen soll.

»Komm, Ivy, lass uns lieber abhauen und noch irgendwo einen Kaffee trinken«, sage ich. Es gibt da nach wie vor ein paar Dinge, die ich ihr sagen muss, auch wenn das jetzt wahrscheinlich nichts mehr ändert, weil es eh zu spät ist. »Vielleicht sollest du Laras Planer hier lassen, dann denkt sie, sie hätte ihn hier vergessen. Du wirst bald genug damit zu tun haben, alles andere zu erklären, dann musst du dich wenigstens nicht auch noch dafür rechtfertigen.«

»Nein.« In Ivys Blick flackert ein Hauch ihrer gewohnten

Sturheit auf, während sie weiter Laras Schreibtisch durchsucht. »Für mich ist sie immer noch hochgradig verdächtig. Boney ist in ihrem Atelier gestorben. Charlies Haus wurde auseinandergenommen. Sie hat eine Liste, auf der die Namen der beiden markiert waren, und …« Sie zerrt an der untersten Schublade und runzelt die Stirn. »Abgeschlossen.«

»Hör zu …« Ich verstumme und suche nach den richtigen Worten, um sie von hier wegzukriegen. Plötzlich klopft es laut an der halb offen stehenden Tür, und ich mache vor Schreck einen kleinen Satz nach hinten, als ein Blondschopf in den Raum späht, auf dessen Gesicht ein ungläubig-empörter Ausdruck liegt.

»Was zur Hölle macht ihr hier?«, will Daniel Sterling-Shepard wissen.

23

»Was zur Hölle machst *du* hier?«, kontere ich, um Zeit zu gewinnen. »Du bist doch gerade erst gegangen.«

»Woher weißt du das?« Daniel zieht misstrauisch die Brauen zusammen. »Spionierst du mir jetzt schon hinterher, oder was?«

Das fängt nicht gut an. »Nein, ich ... ich hab dich und Trevor bloß beim Reinkommen auf dem Gang reden hören und dann hab ich ... mitgekriegt, wie ihr gegangen seid.«

»Ich bin noch mal zurück, weil ich pissen musste«, sagt mein Bruder, das Genie, wortgewandt. »Und als ich wieder rauswollte, hab ich *dich* reden hören. Nachdem ich seit Stunden absolut *nichts* von dir gehört hab.« Er trägt Shirt und Shorts mit dem Aufdruck »Carlton Lacrosse« und seine Haare kleben ihm verschwitzt in der Stirn. Seine Haltung ist leicht schief, weil er sich seine riesige Trainingstasche über eine Schulter gehängt hat. Jetzt stellt er sie auf dem Boden ab, lehnt sich gegen den Türrahmen und mustert mich mit zusammengekniffenen Augen. »Warum hast du meinen Hoodie an?«

Ich zupfe an einer der Kapuzenkordeln. »Ich ... ähm ... mir war kalt.«

»Dir war kalt.« Daniel schüttelt kurz den Kopf. »Egal. Was viel wichtiger ist – wo verflucht noch mal hast du den ganzen Tag gesteckt?«

»Ach, weißt du …« Während ich nach einer möglichst vagen Antwort suche, schiebt Cal sich ein Stück näher an die Wand, als wollte er sich aus meiner und Daniels Schusslinie bringen. »Hier und dort.«

Die Antwort ist echt mies und hat den vernichtenden Blick meines Bruders absolut verdient. »Drehst du jetzt ganz durch? Ich musste die erste Hälfte vom Lacrosse-Training sausen lassen, weil die Polizei mit mir sprechen wollte. Die haben mir Fragen über dich gestellt.«

Oh Gott. Meine Beine drohen unter mir nachzugeben, und ich ziehe mir einen Stuhl heran, um mich zu setzen. »Die Polizei?«, wiederhole ich. »Was … warum?«

»Warum wohl?«, entgegnet Daniel. »Vielleicht weil du den ganzen Tag verschwunden warst und alle über dich geredet haben und niemand wusste, wo du steckst? Abgesehen von dem Filmteam, das dich kurz in Boston gesehen hat, bevor du abgehauen bist.«

Ich schätze, das war's. Dieser Albtraum von einem Tag ist drauf und dran, über mir zusammenzustürzen, und ich bin noch kein bisschen bereit dafür. »Dann denken die also … Oh Gott, denken die wirklich, dass ich Boney umgebracht habe?«, flüstere ich.

Daniel schnaubt. »Die von der Polizei wissen nicht, was sie denken sollen. Sie wollten mit dir sprechen, aber du bist ja …« Er malt Anführungszeichen in die Luft. »… *hier und dort* gewesen.«

Im Gegensatz zu ihm fehlt mir grade die Energie für Sarkasmus. »Was für Fragen haben sie dir gestellt?«

»Na ja, sie haben das volle Programm abgezogen. Ob ich weiß, wo du dich aufhältst, warum du nicht in der Schule warst, was du in Boston gemacht hast, ob du wegen der Wahl wütend auf Boney warst. Die typischen lustigen Fragen eben. Ach so, und deine Handynummer wollten sie haben.«

»Hast du sie ihnen gegeben?«, frage ich erschrocken, während ich gleichzeitig mein Handy checke. Ich habe mehrere Anrufe von unbekannten Nummern, aber bevor ich die Mailbox abhören kann, leuchtet auf dem Display eine Benachrichtigung auf. *Flug 8802 verspätet sich wegen erhöhtem Luftverkehrsaufkommen. Die neue Ankunftszeit beträgt 17:45 Uhr.* Ich schaue auf die Uhr an der Wand und zucke innerlich zusammen. Das ist in knapp dreißig Minuten, obwohl der Flug sogar Verspätung hat.

Knapp dreißig Minuten, bis meine Eltern alles erfahren werden. Mein Magen zieht sich zusammen. Ich muss mir endlich eingestehen, dass ich mir seit Stunden etwas vormache. Im Grunde schon seit heute Morgen.

Cal hatte recht. Wir können gar nichts in Ordnung bringen.

»Klar. Also, zumindest *glaube* ich, dass ich ihnen deine Nummer gegeben hab«, sagt Daniel.

Ich runzle die Stirn. »Wie meinst du das?«

Er zuckt mit den Achseln. »Könnte sein, dass ich bei ein paar Ziffern durcheinandergekommen bin.«

Ich blinzle. »Absichtlich?«, frage ich verwirrt. Er rollt nur mit den Augen. »Was hast du ihnen über mich gesagt?«

»Nichts.«

»Was heißt nichts?«, hake ich stöhnend nach. Vielleicht habe ich es ja verdient, ihm alles einzeln aus der Nase ziehen zu müssen, nachdem ich mich die ganze Zeit nicht bei ihm gemeldet habe, aber das macht die Sache nicht einfacher.

»Ich hab ihnen gesagt, dass ich so gegen eins mal kurz mit dir gesprochen hab, den Eindruck hatte, dass bei dir alles okay ist, und seitdem nichts mehr von dir gehört hab.«

Dass bei dir alles okay ist. Ich denke an das Gespräch zurück, das vor allem daraus bestanden hat, dass Daniel mich beschimpft und sich geweigert hat, mir Charlies Nummer zu geben. »Hast du ihnen gesagt, dass ich dich nach Charlies Nummer gefragt hab?«

Er schüttelt den Kopf. »Nein.«

Ich kapiere es nicht. Das wäre *die* Gelegenheit für ihn gewesen, mich ans Messer zu liefern, und niemand hätte ihm deswegen einen Vorwurf gemacht. Wieso hat er diese Chance nicht genutzt? »Warum?«

Daniel atmet frustriert aus. »Weil ich nicht wusste, was los ist! Du hast mich den ganzen Tag komplett in der Luft hängen lassen, und ich hatte keine Ahnung, ob ich dich nicht vielleicht in Schwierigkeiten gebracht hätte, wenn ich was gesagt hätte.«

In meinem Kopf dreht sich alles. »Aber warum ... warum solltest du dir Sorgen darüber machen, ob du mich in Schwierigkeiten bringst?«, sage ich und schiebe, bevor er antworten kann, hinterher: »Du hasst mich.«

Diese Worte stammen aus einer Ecke meines Gehirns, in die ich all meine Traurigkeit und Unsicherheit verbannt habe. Mir ist nicht erst seit heute klar, dass meine Beziehung zu Daniel sich in dem Moment verändert hat, als er den Status bekam, etwas *Besonderes* zu sein, und ich ... *nicht.* Aber dass er mich hasst, habe ich noch nie laut ausgesprochen; ich bin mir noch nicht mal sicher, ob ich es überhaupt schon mal gedacht habe. Plötzlich habe ich wahnsinnige Angst davor, was Daniel darauf sagen wird.

In seinem Kiefer zuckt ein Muskel. »Denkst du das wirklich?«

»Du hast mich bei der Frühjahrs-Talentshow gedemütigt...«

»Das sollte ein Witz sein, Ivy!«, ruft Daniel. »Ein blöder Joke, okay? Ich dachte, dass du vielleicht ausnahmsweise mal darüber lachen könntest. So wie wir uns früher darüber totgelacht haben, wenn wieder ein neues Buch von Tante Helen bei uns zu Hause rumgelegen hat. Ich wäre doch niemals im Leben darauf gekommen, dass du tatsächlich die komplette Seite vor versammelter Stufe vorliest.«

»Du weißt genau, dass ich keine Rede aus dem Stegreif halten kann«, sage ich.

»Ich weiß absolut nichts über dich. Wie denn auch, wenn du mir nie was von dir erzählst.«

Wir starren uns an, und ich brauche einen Moment, bis ich den Ausdruck einordnen kann, der auf seinem Gesicht liegt. Er wirkt *verletzt*. Wie kann das sein? Ich bin doch diejenige, die eine Verletzung nach der anderen einstecken musste. Ich denke an den Nachmittag im »Spare Me« zurück, an die Show, die Daniel vor seinen Freunden abgezogen hat, und an die Genugtuung, die mir die Aussicht auf Rache verschafft hat. Weil ich es ihm heimzahlen wollte, habe ich Ms Ryes' Existenz zerstört. Und jetzt stelle ich fest, dass ich das getan habe, weil ich mich in Bezug auf meinen Bruder womöglich die ganze Zeit geirrt habe? Nein! Das darf nicht sein.

»Meine Sugar Babies«, sage ich. »Du Arsch hast sie dir einfach genommen. Also tu nicht so, als würdest du mir nicht seit Jahren das Leben schwer machen.«

»Die Geschichte schon wieder.« Daniel reibt sich übers

Gesicht. »Kannst du mir bitte erklären, warum du auf einmal ständig von irgendwelchen dämlichen Sugar Babies anfängst? Ich verstehe nämlich *kein* Wort.«

»Ich rede von den Sugar Babies, die Mateo für mich in der Achten mal auf unsere Veranda gelegt hat«, sage ich und verschränke die Arme. Daniel scheint immer noch nicht zu wissen, wovon ich rede. »Komm schon, daran wirst du dich ja wohl noch erinnern können. Er hatte eine Nachricht dazugelegt, in der er mich gefragt hat, ob ich Lust habe, mir mit ihm *Infinity War* anzuschauen. Wegen dir hab ich diese Nachricht nie bekommen, was praktisch der Grund dafür ist, warum Mateo und ich dann keine Freunde mehr waren. Oder irgendwas anderes.«

Daniel sieht aus, als würde ihm langsam etwas dämmern. »Okay, ich glaube, ich weiß, was du meinst.« Genugtuung steigt in mir auf, aber nur bis er sich zu Cal dreht und sagt: »Willst du mich jetzt echt hängen lassen, Alter?«

Ich schaue Cal an. Er ist blass geworden und starrt, die Hände in den Hosentaschen, zu Boden. »Was?«, frage ich. Als Cal nichts sagt, sehe ich wieder Daniel an. »Wovon redest du? Was hat Cal damit zu tun?«

Mein Bruder hat den Blick immer noch auf Cal geheftet. Als Cal weiter schweigt, schüttelt Daniel fassungslos den Kopf. »Dein Ernst? Okay, von mir aus. Dann erzähle ich dir jetzt mal, wie ich mich an die Sache erinnere, Ivy. Als ich an dem Nachmittag nach Hause gekommen bin, stand Cal mit einer Packung Sugar Babies und einem Zettel in der Hand auf unserer Veranda. Ich hab ihn gefragt, was er da macht, und er meinte, dass er dich überraschen wollte, du aber nicht da bist und er dir die Sachen ein anderes Mal gibt. Und dass ich dir nichts davon sagen soll.«

»Cal?« Die Gedanken in meinem Kopf überschlagen sich. »Stimmt das?«

Cal presst sich an die Wand, als würde er hoffen, dass sich darin ein Spalt auftut, durch den er weit weg von Daniel und mir in eine andere Dimension schlüpfen kann. Als er endlich kapiert, dass das nicht passieren wird, nickt er resigniert. »Ja. Das stimmt.«

24

MATEO

Als ich das Haus betrete, finde ich mich mitten in einem Katastrophengebiet wieder.

Ich dachte, ich wäre vorbereitet gewesen, aber wie sich herausstellt, kann einen nichts darauf vorbereiten, wie man sich fühlt, wenn man nach Hause kommt und alles ist kurz und klein geschlagen. Ich erkenne die Räume, in denen ich aufgewachsen bin, fast nicht wieder; es ist, als wären sie in ein postapokalyptisches Filmset verwandelt worden. Während ich die Zerstörung betrachte, steigt nackte Angst in mir hoch, und ich muss mir in Erinnerung rufen, dass wir es noch viel schlimmer hätten erwischen können. Im Gegensatz zu Boney sind wir noch glimpflich davongekommen.

Ich schließe die Tür hinter mir und stehe ein paar Minuten lang reglos da und lausche. Es ist vollkommen still im Haus, aber die Stille hat nichts Bedrohliches. Wer auch immer das getan hat, ist längst weg. Wahrscheinlich ist er kurz vor oder nach seinem Besuch bei Charlie hier gewesen.

Was hat Charlie noch mal gesagt? *Es wird ständig in Häuser eingebrochen.* Kann schon sein, aber nicht nach diesem Muster: zwei Einbrüche, die an dem Tag, an dem einer unserer Mitschüler gestorben ist, nacheinander in derselben Stadt stattgefunden haben. Das kann ich nicht der Polizei melden. Ich kann bloß versuchen, das schlimmste Chaos zu beseitigen, bevor Ma und Autumn nach Hause kommen.

Noch während ich mich umschaue und überlege, wo ich am besten anfange, werde ich vom schieren Ausmaß der Aufgabe überwältigt. Eigentlich ist es unschaffbar – verflucht noch mal, die Hälfte unseres Geschirrs ist zertrümmert –, aber statt mir das einzugestehen, gehe ich erst mal zum Kühlschrank. Im Türfach steht eine viertelvolle No-Name-Cola, von der ich weiß, dass sie abgestanden ist, weil ich gestern Abend ein Glas davon getrunken habe und nirgends auch nur ein einziges Bläschen in Sicht gewesen ist. Das juckt mich nicht; ich drehe den Deckel ab, setze die Flasche an den Mund und trinke sie in einem Zug leer. Die Cola schmeckt so scheiße wie erwartet, aber wenigstens ist mein schmerzender Hals danach nicht mehr so trocken.

Vielleicht kriege ich ja Angina, genau wie Ivy heute Morgen gesagt hat. Würde doch passen.

Nein. Ich denke nicht an Ivy. Ich wische mir über den Mund, stelle die leere Flasche zu dem restlichen Chaos auf die Arbeitstheke, hole mein Handy raus und setze mich an unseren Küchentisch. Autumn hat mir ein Foto von einem Busticket geschickt, auf dem als Ziel *Bronx* steht.

Erleichterung durchströmt mich, ebbt aber auch schnell wieder ab. Das Gefühl allein zu sein ist stärker.

Ich scrolle durch eine lange Liste von Nachrichten, bis ich auf eine von meinem Dad stoße. Er muss sie geschickt haben, als wir gerade Autumns Killerkiste durch den Großraum Boston verfolgt haben. *Jetzt ist es amtlich: Am 1. Oktober fange ich bei White & West an. Bis bald!*

Ich schnaube leise. Mein Vater hat tatsächlich Fakten

geschaffen und seinen Roadie-Job an den Nagel gehängt, um als Assistant Manager in einem Musikladen in der Nähe anzufangen. »Damit ich besser für euch da sein kann«, war sein Argument, als er mir von der Bewerbung erzählt hat. Ich hab mich damals nicht weiter damit beschäftigt, weil ich dachte, es wäre wie immer bloß leeres Gerede.

Diesmal wohl nicht. Zu schade, dass er das nicht schon vor einem Monat gemacht hat, bevor Autumn im Nebenerwerb angefangen hat, mit Oxy zu dealen. Ich überlege, ob ich so was wie *Reicht nicht und kommt zu spät* zurückschreiben soll, aber mir fehlt die Energie, seine Blase fröhlicher Ahnungslosigkeit zum Platzen zu bringen.

Gleich nach ihm hat auch meine Mutter noch mal geschrieben. Diesmal hat sie ein Foto von meiner Großtante mitgeschickt, der deutlich anzusehen ist, wie sehr sie sich darüber freut, dass Ma extra aus Carlton zu ihrer Geburtstagsfeier angereist ist. *Vergiss nicht, Tante Rose zu gratulieren!* Es gibt nicht viel, was ich tun kann, um diesen katastrophalen Tag noch irgendwie zu retten, aber wenigstens das kann ich noch erledigen.

Tante Rose besitzt nur einen Festnetzanschluss und die Nummer habe ich nicht, deswegen scrolle ich durch meine Kontakte und rufe meine Großmutter an. Mich Ma zu stellen schaffe ich gerade nicht.

Gram geht beim ersten Klingeln dran. »Mateo, *mi amor*. Wir vermissen dich hier.«

Ich kriege einen Kloß im Hals und muss erst schlucken, bevor ich antworten kann. »Hey, Gram. Tut mir leid, dass ich nicht auch kommen konnte, aber ich wollte Tante Rose zum Geburtstag gratulieren.«

»Ach, sie ist vor ungefähr zehn Minuten nach oben

gegangen, um sich ein bisschen hinzulegen. Um ehrlich zu sein, glaube ich, dass sie für heute genug hat. Kein Wunder nach dem langen, aufregenden Tag. Möchtest du mit deiner Mutter sprechen? Elena!«, ruft sie, ohne meine Antwort abzuwarten.

»Gram, nein …«, wehre ich ab, als meine Großmutter auch schon weiterspricht.

»Sie telefoniert gerade mit Autumn«, verkündet sie. Gut. Hoffentlich, um zu besprechen, dass sie über Nacht bleiben. »Nicht schlimm. Ich muss sowieso zur Arbeit, aber ich versuche später noch mal, Tante Rose zu erwischen.«

»Mach dir keinen Kopf. Ich sag ihr, dass du angerufen hast. Du hast genug um die Ohren.« Ihre Stimme bekommt einen verzweifelt-besorgten Unterton, der mir nicht neu ist. »Du arbeitest viel zu viel. Das habe ich heute auch schon zu Elena gesagt. Jedes Mal, wenn ich mit dir spreche, klingst du schrecklich müde.«

»Ich bin nicht müde«, antworte ich reflexartig, obwohl ich krank vor Sorge und bis in die Knochen erschöpft bin. »Mir geht's gut.«

»Ach, Mateo. Dir geht es überhaupt nicht gut, aber das würdest du nie zugeben, hab ich recht?« Sie seufzt und schiebt dann wie immer hinterher: »Eines Tages bringst du mich noch ins Grab.«

»Ich muss Schluss machen, Gram. Hab dich lieb«, sage ich und beende das Gespräch, bevor sie mir mit ihrer Fürsorglichkeit den Rest geben kann.

Ich schaue auf die Uhr an der Mikrowelle. Eigentlich sollte ich in einer Stunde meine Schicht im Garrett's antreten, aber daraus wird definitiv nichts. Mal davon abgesehen, dass ich wenigstens versuchen sollte, das grauenhafte Chaos hier etwas zu beseitigen, würde ich es nicht schaffen, dort aufzukreuzen und so zu tun, als wäre heute ein ganz normaler Dienstagabend. Ich stelle mir vor, wie es wäre, den Tisch abzuräumen, an dem ich heute Morgen mit Cal gesessen habe, oder über die Sitzbank zu wischen, auf der ich die ohnmächtige Ivy abgelegt habe, aber ... nein. An Ivy denke ich nicht.

Außer dass ich sehr wohl an sie denke. Ich kann irgendwie nicht damit aufhören. Mir geht ununterbrochen durch den Kopf, was ich in Cals Wagen alles zu ihr gesagt habe. Ich war so unfassbar wütend und wollte ihr in dem Moment einfach nur wehtun. Tja, ich hab ganze Arbeit geleistet.

»Sie hat es verdient.« Ich spreche die Worte laut aus, um ihren Klang zu testen. Sie hören sich richtig an. Sie *sind* richtig. Was Ivy getan hat, war extrem dumm und selbstsüchtig und hat meine Mutter die Lebensgrundlage gekostet, und dann war sie auch noch zu feige, mit der Wahrheit rauszurücken, als es vielleicht noch was geändert hätte.

»Sie hat es verdient«, wiederhole ich, aber jetzt klingt es schon nicht mehr ganz so überzeugt. Als ich zugegeben habe, dass Autumn mit Drogen dealt, hat Ivy mich deswegen nicht verurteilt. Und ja, das hatte bestimmt zumindest teilweise etwas mit ihren Schuldgefühlen zu tun – aber Tatsache ist eben auch, dass sie das, was passiert ist, nicht gewollt hat. *Wir machen alle Fehler, oder? Und die meisten Fehler passieren, weil wir uns über die möglichen Konsequenzen unserer Taten nicht im Klaren sind.*

Als ich die Hand hebe, um meine pochende Schläfe zu massieren, berühre ich das Pflaster, mit dem Ivy mich verarztet hat. Am liebsten würde ich es abreißen, aber nicht mal ich bin so bescheuert, aus reinem Trotz zu bluten. Als ich mich gerade dazu aufraffen will, im Garrett's anzurufen, kommt eine Nachricht von Autumn. *Fahre jetzt doch nicht in die Bronx.*

Moment mal. Was?

Ich fange an zu tippen, aber Autumn ist schneller. *Ich hab es Tante Elena erzählt. Ich konnte nicht anders. Sie hat sofort gemerkt, dass irgendwas nicht stimmt, und wollte einfach nicht locker lassen. Du weißt ja, wie sie ist.*

Mir wird es eng in der Brust. Ja, weiß ich, aber *komm schon,* Autumn. Ich hatte nur diese eine Bitte an dich.

Boney ist tot, da konnte ich sie nicht länger anlügen, schreibt sie.

Nein, nein, nein. So war das nicht abgemacht. Und überhaupt … was genau hat sie Ma erzählt?

Autumns nächste Nachricht beantwortet meine Frage: *Sie will, dass ich zur Polizei gehe.*

Und dann: *Es tut mir leid. Ich hab es versucht.*

Okay, noch mehr Nachrichten brauche ich nicht. Ich schalte das Handy aus und schiebe es weit weg quer über den Tisch, bevor mich ein panischer Anruf meiner Mutter erreichen kann. Mein Herz hämmert, als ich aufstehe und von der Küche in den Wohnbereich gehe. Während ich mir einen Weg durch das Trümmerfeld bahne, kämpfen in meinem Inneren Wut, Sorge und Scham um die Vorherrschaft. Nach den ersten paar Runden durch den Raum trägt die Scham den Sieg davon. Weil meine Mutter jetzt alles weiß – inklusive der Tatsache, dass ich dazu fähig bin, etwas so Krasses vor ihr geheim zu halten.

Als Nächstes übernimmt aber die Sorge um meine Cousine das Ruder. Wie kann sie auch nur darüber nachdenken, sich freiwillig der Polizei zu stellen? Boney ist tot und

Charlie ist erst siebzehn, sie wird ganz allein den Kopf für diese ganze Scheiße hinhalten müssen.

Ich darf mich nicht in solchen destruktiven Gedankenschleifen verlieren; ich muss irgendwas *tun*. Jetzt, wo Ma Bescheid weiß, muss ich zwar nicht mehr um jeden Preis versuchen, das Haus wieder in Ordnung zu bringen, aber ich sollte vielleicht doch nach oben gehen und schauen, wie schlimm es dort aussieht. Auf der Treppe wappne ich mich innerlich davor, den Schaden in unseren Zimmern zu begutachten. Kurz darauf stelle ich fest, dass sie genauso übel zugerichtet sind wie der Küchen- und Wohnbereich, aber immerhin scheinen unsere Laptops nichts abbekommen zu haben. Trotzdem würde ich bei der Vorstellung, wie jemand meine persönlichen Sachen durchwühlt und alles, was ich besitze, durch die Gegend geworfen hat, als wäre es einen Dreck wert, am liebsten die Faust gegen die Wand rammen. Ich halte es in meinem Zimmer nicht aus und gehe zu Autumn rüber.

Die Pinnwand über ihrem Schreibtisch ist abgerissen worden, als hätte der Eindringling dahinter einen Safe vermutet. Nachdem ich sie von einem Stapel auf dem Boden liegender Klamotten aufgehoben und behutsam auf den Schreibtisch gestellt habe, betrachte ich die Collage aus Fotos, die Autumns Leben abbilden.

Nach heute Abend wird in diesem Leben nichts mehr so sein, wie es war. Autumn wird sehr wahrscheinlich in U-Haft kommen und als warnendes Beispiel für andere junge Leute aus Carlton benutzt werden. Alle werden sagen, dass sie sich das selbst eingebrockt und nicht anders verdient hat. Niemand wird sich dafür interessieren, aus welchem Grund sie es getan hat.

Sie hat es nicht anders verdient.

Das größte Foto an Autumns Pinnwand zeigt meine Cousine als kleines Mädchen zwischen ihren Eltern – der Tante und dem Onkel, die ich kaum kannte –, die sie an den Händen halten. Auf dem nächstgrößeren sind Ma und ich mit Autumn in unserer Mitte auf ihrer Abschlussfeier letztes Frühjahr zu sehen. Darunter ist eines, das in dem Sommer, als Autumn zu uns kam, im New England Aquarium in Boston aufgenommen wurde und auf dem wir steif neben einem Ausstellungsexponat mit den größten und kleinsten Fischen der Welt stehen. Ich weiß, dass der Walhai der größte Fisch ist, aber wie der kleinste heißt, habe ich vergessen, weshalb ich die Augen zusammenkneife und mich vorbeuge, um das Schild neben Autumn entziffern zu können: *Paedocypris progenetica.* Seine durchschnittliche Länge beträgt gerade mal knapp neun Millimeter.

Das ist Autumn, denke ich, als mein Blick noch mal zur zwölfjährigen Ausgabe meiner Cousine schweift. Sie ist der kleine Fisch in diesem riesigen Fiasko. Der eigentliche Drahtzieher ist jemand viel größeres – jemand, der so viele Tabletten verschiebt, dass er Tausende davon in einem verlassenen Schuppen lagern kann. Jemand, der über das nötige Wissen, die nötigen Mittel und die nötige Kaltblütigkeit verfügt hat, um Boney umzubringen. Wenn die Polizei diese Person finden würde, würde Autumn keine Rolle mehr spielen. Dann hätten sie ihren Walhai.

Ich wünschte, ich hätte mich nie von Cal und Ivy abgeseilt. Man kann über Ivy sagen, was man will – und das habe ich weiß Gott getan –, aber sie gibt nicht auf. Und sie hat ein Talent dafür, den Dingen auf den Grund zu gehen. Wenn Ivy in Ms Jamisons Unterrichtsraum einen wichtigen

Hinweis vermutet, dann liegt sie damit wahrscheinlich richtig.

Kaum sind meine Gedanken zu Ivy gewandert, springt mir auf Autumns Pinnwand ihr Gesicht entgegen. Das Foto wurde in der mit Luftschlangen dekorierten Sporthalle der Carlton Middle School geschossen, während der einzigen Schulparty, auf der ich je gewesen bin. Wir haben den ganzen Abend zusammen abgehangen: Autumn, Ivy, Cal, Daniel und ich. Auf dem Foto haben wir alle die Arme umeinander geschlungen und strahlen mit breitem Zahnspangen-Lächeln in die Kamera. Rechts daneben hängt eine Aufnahme vom letzten Jahr, die Autumn auf einer Party der Abschlussstufe mit großem Lagerfeuer zeigt: Sie presst ihre Wange an die von Loser-Gabe, während Stefan St. Clair von hinten über ihre Schultern grinst. Darunter hängt das Hochzeitsfoto von meiner Mutter und meinem Vater, und ich schwöre bei Gott, dass Ma darauf aussieht, als wäre ihr in dem Moment bereits klar gewesen, dass sie einen unreifen Jungen geheiratet hatte, keinen Mann.

Während ich den Blick von Foto zu Foto wandern lasse, mache ich im Kopf eine Bestandsaufnahme der heutigen Ereignisse. Boneys Tod. Dale Hawkins Berichterstattung. Wie wir den Tages-Planer von Ms Jamison geklaut und darin die Todesliste entdeckt haben. Wie wir davon erfahren haben, dass Charlie mit in der Sache drinhängt. Das Gespräch mit Autumn in der Killerkiste. Die heftige Auseinandersetzung mit Ivy. All das ist irgendwie miteinander verbunden – nicht unbedingt mit einem roten Faden, aber mit einem, der schon die ganze Zeit irgendwo außerhalb meines Sichtfelds baumelt und mich immer wieder spöttisch daran erinnert, dass ich dieses verheddertes Knäuel entwirren könnte, wenn ich nur wüsste, an welchem Ende ich ziehen muss.

Der Gedanke ist in meinem Kopf, bevor ich ihn wegdrängen kann: *Was würde Ivy tun?* Und ich bin mir ziemlich sicher, dass ich es weiß.

Ich hole das Handy raus, das in meiner Hosentasche steckt. Nicht meins, das ich unten feige ausgeschaltet und beiseitegeschoben habe, sondern das von Boney. *Vielleicht sein Name*, hat Ivy vor sich hin gemurmelt, als sie bei Crave Doughnuts versucht hat, seine PIN zu knacken. Sie hatte *B-O-N-E-Y* eingegeben, was nicht geklappt hatte, also probiere ich es mit *B-R-I-A-N*.

»Heilige Scheiße«, raune ich, als das Display aufleuchtet. Mit pochendem Herzen öffne ich Boneys Nachrichten; die letzte enthält lediglich eine Nummer. 5832. Der Code zu Ms Jamison Atelier. Die Nummer, von der der Code verschickt wurde, ist nicht in seinem Adressbuch gespeichert, also tippe ich auf Anrufen, halte mir das Handy ans Ohr und schaue wieder auf Autumns Pinnwand, während es klingelt.

Mein Blick bleibt an einem der Fotos hängen und ich denke: *Vielleicht …*

Eine Sekunde später springt die Mailbox an und ich lasse fast das Handy fallen, als am anderen Ende der Leitung eine vertraute Stimme ertönt. Von *Vielleicht* kann keine Rede mehr sein. Mein Puls beschleunigt sich, während ich weiter auf das Foto starre, an dem mein Blick hängen geblieben ist. Ich könnte mich selbst ohrfeigen wegen der ganzen Zeichen, die ich übersehen habe, aber wenigstens halte ich endlich das richtige Ende des losen Fadens in der Hand.

Und zum ersten Mal an diesem Tag weiß ich genau, was ich zu tun habe.

YOUTUBE-KANAL »CARLTON SPEAKS«

Ishaan und Zack stehen in einem Wohnzimmer und sind von Grüppchen von Leuten umgeben, die Pappbecher mit Getränken in der Hand halten. Manche von ihnen unterhalten sich ernst, die meisten wirken bestürzt, andere schneiden Grimassen in die Kamera.

ISHAAN: Hallo Leute, hier sind wieder Ishaan und Zack mit einem weiteren Update zum Tod von Boney Mahoney, diesmal live aus dem Haus von Stefan St. Clair, wo sich nach den tragischen Ereignissen heute aktive und ehemalige Schüler der Carlton High zusammengefunden haben.

ZACK, *mit nervösem Rundumblick:* Streng genommen sind wir ohne Einladung hier.

ISHAAN: Das ist praktisch so was wie eine Gedenkfeier. Da ist jeder eingeladen, der teilnehmen will. Jedenfalls möchten wir in dieser Ausgabe unserer Sendung auf ein paar der Fragen eingehen, mit denen unsere Zuschauer uns überschüttet haben. *(Schaut auf einen Zettel in seiner Hand.)* Wir fangen mit Jen aus Carlton an, die fragt: *Gilt diese Ivy wirklich konkret als Tatverdächtige oder bloß als Person von besonderem*

Interesse für die Ermittlungen? Sehr gute Frage,
Jen. Mal davon abgesehen, dass wir keine Juris-
ten sind …

ZACK: … und auch sonst keine Ahnung von
der Materie haben …

ISHAAN: … würde ich jetzt mal sagen, dass
sie wahrscheinlich beides ist. Und getürmt ist
sie auch noch. Wobei das jetzt vielleicht nicht
exakt der Ausdruck ist, den die Strafverfol-
gungsbehörden benutzen würden.

ZACK, *im Flüsterton:* Wo ist Emily, wenn man
sie braucht?

ISHAAN: Emily wird – ich zitiere:»… nie
wieder auch nur ein Wort mit einem von uns
beiden reden«. Die nächste Frage kommt von
Sully aus Dorchester, der sagt, *Habt ihr reichen
Hackfressen nichts Besseres zu tun, als* … Okay,
das ist eher ein Kommentar als eine Frage,
Sully.
*(Ein Mädchen schiebt sich außer Atem vor die
Kamera.)* Hey, ihr zwei. Der Dad von der Cousine meiner besten Freundin arbeitet für einen
Typen, der den Typen kennt, der das Gebäude
gekauft hat, in dem Boney gestorben ist, und
sie hat gesagt, dass er gesagt hat, dass *Drogen*
mit im Spiel gewesen sein könnten.

ZACK: Ähm, klar sind Drogen mit im Spiel gewesen. Daran ist Boney schließlich gestorben, oder?

MÄDCHEN: Schon, aber das meine ich nicht. In dem Raum, wo er gestorben ist, hat man noch mehr von dem Zeug gefunden. Das muss eine richtige Drogenhöhle oder so was gewesen sein.

ISHAAN: Drogenhöhle. Das ist gut. Das sollten wir als Titel für diese Sendung benutzen. *(Ein Typ mit weißblonden Haaren tritt seitlich ins Bild. Er hat starke Ähnlichkeit mit Charlie St. Clair, nur dass er größer ist und insgesamt etwas seriöser wirkt.)*

BLONDER TYP, *mit finsterem Blick:* Was ist hier los?

ISHAAN: Oh, hey, Stefan. Super Party. Erinnerst du dich noch an mich? Ishaan Mittal, wir waren letztes Jahr zusammen in Mediengestaltung ...

STEFAN: Das hab ich nicht gefragt. Ich will wissen, was hier los ist? *(Sein Blick wird noch finsterer.)* Filmt ihr hier etwa irgendwas?

ZACK: Ja, wir machen den YouTube-Kanal »Carlton Speaks« und berichten schon den ganzen Tag über Boneys Tod, also … *(Plötzlich wird das Bild schwarz und eine Stimme übertönt verwirrte Protestrufe, bevor auch der Ton abbricht.)*

STEFAN: Verpisst euch, und zwar schnell.

25

CAL

»*Du* hast die Sugar Babies weggenommen?« Ivy starrt mich fassungslos an. »Warum, Cal? Warum hättest du so was machen sollen?«

Am liebsten würde ich eine von den Dosen mit Pinselreiniger, die auf dem Arbeitstisch stehen, und einen Lappen nehmen, um Daniel damit sein selbstgefälliges Grinsen aus dem Gesicht zu wischen. Ich hatte vor, es Ivy zu sagen – habe es sogar kurz versucht, als wir vor Crave Doughnuts standen –, aber ich wollte nicht, dass sie es auf diese Weise erfährt. »Das ist kompliziert.« Ich kremple die Ärmel von meinem Hemd hoch und schaue zur Tür. »Hey, habt ihr das gehört?« Ich bin mir fast sicher, auf dem Flur Schritte gehört zu haben, und greife nach diesem Ablenkungs-Strohhalm wie ein Ertrinkender nach einem Rettungsring. »Ich glaube, da kommt jemand.«

Daniel lehnt sich aus der Tür, schaut sich nach beiden Seiten um und sagt dann trocken: »Nope.«

Ivy verengt die Augen zu schmalen Schlitzen. »Du schuldest mir eine Antwort, also lenk nicht vom Thema ab.«

»Ist bestimmt eine spannende Geschichte«, sagt Daniel und schwingt sich wieder seine Trainingstasche über die

Schulter. »Aber ich muss sie mir nicht anhören. Trevor und ich wollen noch ins Olive Garden.«

»Klar, was sonst«, seufzt Ivy, klingt aber nicht, als hätte sie wirklich was dagegen.

Er zieht die Brauen hoch. »Was ist mit dir? Kommst du später nach Hause, oder was?«

»Ich ... ja.« Ivy richtet sich langsam auf. »Und dann erkläre ich euch alles.«

»Trevor ist mit dem Wagen seiner Mutter da, du kannst also unser Auto haben.« Daniel lässt den Blick zwischen uns hin- und herwandern und der Ausdruck auf seinem Gesicht wird noch eine Spur überheblicher. »Schätze, du wirst ihn brauchen, falls du mit Cal gekommen bist.« Er geht rückwärts aus der Tür und ich zeige ihm in Gedanken den Mittelfinger.

»Okay«, sagt Ivy. Dass sie ihren Bruder einfach so ziehen lässt, heißt nichts Gutes für mich, weil sich nämlich die ganze Aufmerksamkeit, die sie noch vor einer Sekunde auf Daniel gerichtet hat, jetzt auf mich konzentriert. »Leg los.« Sie verschränkt die Arme vor der Brust. Aber bevor ich auch nur einen Ton sagen kann, werden ihre Augen ganz groß und sie sieht mich fast mitfühlend an. »Oh mein Gott. Bist du ... bist du etwa in mich verliebt gewesen?«

»Was? Nein! Komm schon, Ivy. Bloß weil du und Mateo genau da weitermacht, wo ihr damals aufgehört habt, und Charlie plötzlich auf eine schräge Art an dir interessiert ist, heißt das noch lange nicht, dass die ganze Welt in dich verliebt ist.« Mein Tonfall macht deutlich, dass ich mir in diesem Punkt absolut sicher bin, und erst, als die Worte draußen sind, kapiere ich, dass ich gerade die einzige Erklärung, die sie vielleicht akzeptiert hätte, in die Tonne getreten habe.

Ihr Blick wird wieder hart. »Warum dann?«

Als ich an dem Nachmittag bei ihr vorbeigegangen bin, wollte ich einfach nur mal wieder ein bisschen mit ihr abhängen. Wir hatten uns schon länger nicht gesehen, obwohl Sommerferien waren und wir eigentlich genügend Zeit gehabt hätten, irgendwas zusammen zu unternehmen. Ich hatte ihr vorher nicht geschrieben, weil es neuerdings immer Stunden dauerte, bis sie antwortete, und ich keinen Bock hatte, wieder ewig zu warten, sondern gleich was machen wollte. Auf dem Weg zur Haustür habe ich die Sugar Babies auf der Veranda liegen sehen, mir aber nichts weiter dabei gedacht. Erst nachdem ich geklopft und niemand aufgemacht hatte, habe ich nach dem zusammengefalteten Zettel gegriffen, der unter den Sugar Babies lag, und die Nachricht gelesen, die Mateo ihr geschrieben hatte.

Zu dem Zeitpunkt habe ich noch nicht gewusst, dass die beiden sich geküsst hatten. Davon hat Ivy mir erst erzählt, als sie anfing zu denken, er würde sie ghosten. Aber mir ist in dem Moment schlagartig klar geworden, warum ich mich in der letzten Zeit immer öfter wie das fünfte Rad am Wagen gefühlt hatte.

»Ich wollte nicht, dass sich zwischen uns irgendwas ändert«, sage ich jetzt zu Ivy.

»Du wolltest nicht, dass sich zwischen uns irgendwas ändert«, wiederholt sie.

»Genau. Ihr wart zwei Jahre lang meine besten Freunde, und plötzlich sah es schwer danach aus, als würdet ihr ein Paar werden. Du hattest schon angefangen, dich immer seltener bei mir zu melden oder auf meine Nachrichten zu reagieren. Das *war* so«, sage ich, als sie widersprechen will. »Wir haben praktisch nichts mehr zusammen gemacht, und ich hab kaum noch mitbekommen, was bei dir so los ist. Das hat sich echt scheiße angefühlt. Nach den Sommerferien stand für uns alle der Wechsel auf die Highschool an, und ich dachte … ich dachte, wenn ihr zusammenkommt, dann stehe ich am Ende komplett allein da. Oder ihr trennt euch irgendwann im Streit und wollt, dass ich mich für einen von euch entscheide. So oder so hätte sich alles geändert. Und ich fand es genau richtig, so wie es war.«

Die Ironie des Ganzen ist natürlich, dass unsere Freundschaft trotzdem zerbrochen ist. Was ich vielleicht vorausgesehen hätte, wenn ich mit dreizehn nicht so unsicher und bescheuert gewesen wäre. Es war total naiv, zu denken, dass Ivy und Mateo aufhören würden, etwas füreinander zu empfinden, wenn ich eine Nachricht und ein paar Süßigkeiten verschwinden lasse. Die Anziehungskraft zwischen den beiden war weiter spürbar, wie bei zwei Magneten, die in der Gegenwart des anderen zu vibrieren anfangen, aber … ich habe ihre Pole so gedreht, dass alles, was sie sonst zueinander hingezogen hat, einen Abstoßungseffekt auf sie hatte, bis sie zuletzt so weit voneinander entfernt waren, dass ich allein in der Mitte zurückblieb.

Ivy senkt den Kopf. »Ich hab ihn gern gehabt«, sagt sie leise und zupft am Saum von Daniels Hoodie. »Ich hab ihn wirklich wahnsinnig gern gehabt.«

»Ich weiß.« Das stimmt. Ich habe es gewusst und gleichzeitig habe ich es nicht gewusst. Mir ist damals noch nicht klar gewesen, wie sich diese Art von Gernhaben anfühlt. Nicht dass ich auf der Middleschool nicht auch mal ein Mädchen gut fand, aber das kam nicht besonders oft vor und wurde nie erwidert. Zu der Zeit gab es noch keine Noemi und erst recht keine Lara. Ich dachte, dass das, was ich getan hatte, kaum auffallen und schnell wieder in Vergessenheit geraten würde – wie kleine Kräuselwellen auf der Wasseroberfläche eines Teichs.

Mir liegt eine Entschuldigung auf den Lippen, aber im nächsten Moment zieht Ivy die Brauen hoch, schüttelt fassungslos den Kopf und sagt:»Das ... das ist das Egoistischste, was ich je gehört hab!«

Ich schalte sofort in den Verteidigungsmodus. Was ich getan habe, war absolut nicht okay, ja, aber ... nach dem Tag, den wir hinter uns haben, sollte man meinen, sie wäre vielleicht ein bisschen vorsichtiger mit solchen Bemerkungen.»Ach ja?«, kontere ich.»Das ist das Egoistischste, was du *je* gehört hast? Wirklich? Sorry, aber muss ich dich echt daran erinnern, dass du das ›Spare Me‹ mit einer Flasche Baby-Öl in den Ruin getrieben hast?«

»Darum geht es hier gerade nicht!«, zischt Ivy.

»Ist aber trotzdem relevant!«, zische ich zurück.

Ivy ballt die Hände zu Fäusten und öffnet sie wieder, als würde sie mich am liebsten gegen die Wand stoßen.»Mein Leben hätte komplett anders laufen können, wenn ich diese Nachricht von Mateo bekommen hätte! Wahrscheinlich würden wir dann jetzt gar nicht in dieser Scheiße hier stecken. Und die Sache mit dem ›Spare Me‹ wäre nie passiert.

Von wegen.»Du hast kein Recht, mir die Schuld daran zu geben«, sage ich.»Für das, was dort passiert ist, warst du ganz allein verantwortlich.«

»Und dann Daniel ... Ich war so wütend auf ihn und dabei konnte er gar nichts dafür ...«

»Das eine hat mit dem anderen doch gar nichts zu tun«, rufe ich ihr in Erinnerung.»Bis heute Nachmittag hast du noch nicht mal was von den blöden Sugar Babies gewusst.

Dass du wütend auf ihn warst, hatte ganz andere Gründe.« Darauf scheint ihr nichts Gutes einzufallen, und als ich an Daniels selbstzufriedenes Grinsen denke, werde ich noch wütender. »Hast du ihm das gerade wirklich abgekauft? Auf einmal soll Daniel dein bester Kumpel sein, der um dich besorgt ist und dir aus reiner Großherzigkeit die Polizei vom Leib hält? Echt jetzt?«

Ivy holt stirnrunzelnd ihr Handy raus, tippt darauf herum und hält es sich dann ans Ohr. »Aber es stimmt«, sagt sie einen Moment später. »Ich habe keinen einzigen Anruf von der Polizei auf meiner Mailbox. Er muss ihnen tatsächlich eine falsche Nummer gegeben haben.«

»Selbst wenn, könnte ich mir vorstellen, dass er dafür vielleicht seine ganz eigenen Gründe gehabt hat.« Mein Blick fällt auf Ivys Tasche, aus der Laras Karte herausschaut, und ein plötzlicher, ungebetener Gedanke bohrt sich in meinen Kopf. Daniel hat, wie Lara es ausdrücken würde, *interessante Gesichtszüge.* Soweit ich weiß, ist er zwar in keinem ihrer Kunstkurse, läuft auf dem Weg zu seinem Lacrosse-Training aber täglich diesen Flur entlang. »Vielleicht ist er ja D. Vielleicht ist er nicht in Laras Unterrichtszimmer aufgekreuzt, weil er Stimmen gehört hat, sondern weil er nach ihr gesucht hat.«

»Was?« Ivy schaut mich verwirrt an, dann folgt sie meinem Blick. »Oh nein«, sagt sie sofort. »Auf keinen Fall.«

»Warum denn nicht?«, frage ich. Jetzt, wo der Gedanke da ist, kann ich ihn nicht mehr abschütteln. »Sieh dir noch mal die Handschrift auf der Karte an. Könnte das seine sein?«

»Also ich ...« Ivy holt die Karte aus ihrer Tasche und klappt sie auf. Was sie sieht, scheint sie nicht beruhigen zu können. »Ich weiß nicht. Daniel *schreibt* keine Karten. Nur

Textnachrichten. Jedenfalls bin ich mir absolut sicher, dass er ...« Ihre Augen werden schmal. »Das sagst du doch bloß, um von dir abzulenken.«

»Überhaupt nicht. Du bestehst schon den ganzen Tag darauf, dass Lara in diese Drogensache verwickelt ist, und versuchst, die Puzzleteile ständig so zusammenzusetzen, dass sie irgendwie reinpasst, aber die Tatsache, dass dein Bruder heute ganz gegen seine sonstige Art den Mund gehalten hat, willst du ignorieren? Genau wie die Tatsache, dass er ganz zufälligerweise Tausend-Dollar-Sneakers anhatte?«

»Was?« Ivy weicht einen Schritt zurück. »Das ist lächerlich. Hatte er nicht.«

»Und ob. Ich hab vor Kurzem erst eine Werbung für diese Nikes gesehen. Die gibt's nur in limitierter Edition und die kosten locker einen Tausender, wenn's überhaupt reicht.«

»Er ... er hat einen Job«, stammelt Ivy.

»Als Hilfskellner, oder?«, frage ich und sie nickt. »Wie Mateo. Hast du *ihn* schon mal mit Tausend-Dollar-Sneakers gesehen?« Als sie nichts erwidert, füge ich hinzu: »Okay, vielleicht ist Daniel nicht D. Aber vielleicht ist er das Wiesel. Denk doch mal nach. Er hat auf der Schule einen riesigen Freundeskreis, wird zu sämtlichen Partys eingeladen und tut *alles* dafür, die Polizei rauszuhalten ...«

»Hör auf!«, unterbricht Ivy mich. »Du bist schrecklich.«

»Tja, gleichfalls.«

Wir schauen uns eine paar Sekunden schweigend an, dann schiebt Ivy Laras Karte tiefer in ihre Tasche und zieht den Reißverschluss zu. »Mir reicht's«, sagt sie. »Ich rede nicht mehr mit dir darüber. Ich rede überhaupt nicht mehr mit dir, Punkt.«

»Von mir aus.« Auf einmal ist es mir ein absolutes Rätsel,

wie mir Ivys Freundschaft je so wichtig gewesen sein konnte, dass ich ihr und Mateo dazwischengefunkt habe. Mateo, der wie ein wütender kleiner Junge davongestapft ist, als die Dinge nicht mehr so gelaufen sind, wie er wollte. Die beiden haben einander echt verdient.

»Ich gehe«, sagt Ivy.

Ich zucke gleichgültig mit den Schultern. »Das hier ist nicht der Logan Airport. Du brauchst deinen Abflug nicht anzukündigen.«

»*Gott*.« Sie dreht sich schnaubend um und stolziert aus der Tür, und ich bleibe mit der Genugtuung zurück, die einem eine letzte spitze Bemerkung verschafft.

Aber die Befriedigung löst sich schnell in Luft auf, und als ich mich in Laras Unterrichtsraum umschaue, macht sich ein verlorenes Gefühl in mir breit. Was jetzt? Mateo ist weg, Ivy ist weg, und mir bleibt nur noch, nach Hause zu fahren und meinen Eltern alles zu erklären. Keine schöne Aussicht. Ich ertappe mich dabei, wie ich durch den Raum laufe und den Blick über die Tische mit den Materialien und die fertigen Arbeiten von Schülern an den Wänden wandern lasse.

Der Schreibtisch.

Ivy hat vergeblich versucht, die unterste Schublade zu öffnen. Lara schließt sie immer ab, weil sie darin ihren Inhalator aufbewahrt. »Den darf ich nicht verlieren«, hat sie mal zu mir gesagt, bevor sie ihn in die Schublade zurücklegte und den Schlüssel umdrehte.

Anschließend hat sie den Schlüssel irgendwo unter dem Schreibtisch verstaut.

Ich gehe rüber, setzte mich an den Tisch und lasse die Hand an der Unterseite der Platte entlanggleiten. Zuerst spüre ich nur kühles Metall, dann stoßen meine Finger gegen etwas Erhabenes. Ich ruckle daran und ziehe ein kleines rechteckiges Kästchen unter der Tischplatte hervor. Der Verschluss ist magnetisch, und als ich das Kästchen aufklappe, kommt ein Schlüssel zum Vorschein.

Ich stecke ihn ins Schloss der untersten Schublade. Bingo! Er passt perfekt und lässt sich mühelos umdrehen. Nur dass ich nicht Laras Inhalator sehe, als ich die Schublade aufziehe. Da liegen Dutzende von Gefrierbeuteln, die mit Tablettenfläschchen gefüllt sind. Ich muss mir die Etiketten eigentlich gar nicht anschauen, um zu wissen, was draufsteht, tue es aber trotzdem.

Du hast vor den falschen Dingen Angst. Das hat Ivy mal vor langer Zeit zu mir gesagt. Damals hab ich das weit von mir gewiesen, aber vielleicht hatte sie doch recht. Diese Beutel sollten mir eine Scheißangst einjagen – wegen dem, was sie enthalten, wofür sie stehen und weil jetzt ganz klar ist, was als Nächstes kommen muss –, aber ich hab keine Angst.

Ich betrachte sie einen Moment nachdenklich. Dann nehme ich einen der Beutel, stecke ihn mir unters Hemd und gehe zur Tür.

26

IVY

Ich sitze auf dem verlassenen Parkplatz der Carlton High im Auto, stecke den Schlüssel in die Zündung und lasse den Motor an – so, wie ich es schon hundertmal gemacht habe. Nur dass ich diesmal absolut keine Ahnung habe, wie es danach weitergehen soll.

Mein Handy gibt einen Benachrichtigungston von sich. Ich zucke zusammen und schaue aufs Display. *Flug 8802 verspätet sich wegen erhöhtem Luftverkehrsaufkommen. Die neue Ankunftszeit beträgt 18:00 Uhr.*

Ich lege die Stirn ans Lenkrad und stelle mir ein Paralleluniversum vor, in dem meine größte Sorge wäre, Moms Outfit rechtzeitig zur Preisverleihung zu bringen. In meinem aktuellen Universum wird dagegen die Möglichkeit immer realer, dass die Veranstaltung abgesagt wird, weil dort schon die Polizei auf mich wartet, um mich festzunehmen.

Ich frage mich, ob ich selbst aktiv werden und meine Eltern anrufen sollte. Würde es irgendwas besser machen, wenn sie gleich nach der Landung alles von mir erfahren? Oder sollte ich erst schauen, was *Carlton Speaks* über den neuesten Stand berichtet, und herausfinden, wie viel schlimmer die Gerüchte geworden sind, seit wir bei Charlie waren? Oder ... sollte ich Mateo anrufen und ihm eine lange Entschuldigung auf die Mailbox stammeln, weil er den Anruf natürlich auf keinen Fall annehmen würde.

Cal werde ich jedenfalls ganz sicher nicht anrufen. Der kann von mir aus zur Hölle fahren.

Und Daniel? Im Moment habe ich keine Ahnung, was ich über meinen Bruder denken soll.

Es gibt ein Subreddit, das »Bin ich das Arschloch?« heißt. In dem Forum kann man die Community fragen, ob man sich in einer bestimmten Situation wie ein Arschloch verhalten hat. Manche Posts sind schrecklich, andere witzig, aber in vielen Fällen sind die Verfasser tatsächlich total unsicher, ob sie in dem jeweiligen Konflikt die Bösen waren oder nicht. Wenn ich mir jetzt durch einen BIDA-Filter anschaue, wie die letzten vier Jahre zwischen Daniel und mir gelaufen sind, frage ich mich, ob all die Dinge, von denen ich dachte, er hätte sie absichtlich und aus reiner Gehässigkeit getan, in Wirklichkeit womöglich Gegenreaktionen auf mein Verhalten waren. Oder hat Cal recht und Daniel hat mir vorhin nur etwas vorgemacht?

Der Gedanke ist verlockend – bequem und vertraut –, aber ich muss mir eingestehen, dass ich anscheinend auch nicht der netteste Mensch auf der Welt bin. Schließlich hat man mich gerade erst zugunsten von jemandem, der nur aus Witz kandidiert hat, als Jahrgangssprecherin abgewählt.

Boney. Oh mein Gott, Boney.

Ich habe mir heute noch kein einziges Mal erlaubt, um Boney zu weinen, aber jetzt versuche ich nicht mehr, die Tränen zurückzuhalten. Ich schlinge die Arme ums Lenkrad und schluchze, bis mir der Hals wehtut. Ich wünschte, ich könnte die Zeit zu dem Moment gestern Nachmittag zurückdrehen, als die Wahlergebnisse bekanntgegeben wurden, und Boney gratulieren, wie ich es hätte tun sollen. Wäre ich eine gute Verliererin, hätte ich darauf bestanden, dass wir uns heute Morgen vor der Schule treffen, um die Amtsübergabe zu besprechen, und dann wäre er vielleicht nie nach Boston gefahren. Wenigstens einmal in meinem Leben hätte ich meinen berüchtigten Tatendrang für etwas Gutes einsetzen können. Boney würde jetzt mit seinen Eltern zu Abend essen, statt kalt in einer Leichenhalle zu liegen.

»Es tut mir leid, Boney«, stoße ich heiser hervor. »Es tut mir so leid.«

Als ich fast keine Tränen mehr in mir habe, meldet das Handy in meinem Schoß erneut den Eingang einer Nachricht. Ich wische mir über die Augen und atme ein paarmal tief durch, bevor ich danach greife. *Egal, wer es ist, egal, worum es geht*, denke ich. *Ich werde das Richtige tun.*

Die Nachricht ist von meinem Bruder. *Hey, wir haben eine Panne. Kannst du uns abholen?*

Daniel schickt seinen aktuellen Standort hinterher. Die beiden stehen nicht weit von hier, am Stadtrand von Carlton.

Ich reibe mir mit der flachen Hand über meine tränennassen Wangen. Cal hat mich vorhin ganz schön durcheinandergebracht mit seinen wilden Theorien über Daniel. Dabei ist das völlig absurd. Dass mein Bruder etwas mit Ms Jamison oder mit Drogen zu tun haben könnte, glaube ich keine Sekunde. Da müsste er schon ein begnadeter Manipulator sein, um so was abzuziehen, und ich eine Vollidiotin, um nichts davon mitbekommen zu haben.

Aber das mit den Sneakers ist schon seltsam. Dass sie ein kleines Vermögen kosten, war mir nicht klar.

Uaaah. Schluss! Ich ohrfeige mich in Gedanken selbst. *Tu das Richtige, Ivy. Hör auf, hier rumzusitzen und Verschwörungsmythen auszubrüten, wenn dein Bruder Hilfe braucht.* Seit ich in den Wagen gestiegen bin, habe ich mich von meiner Unschlüssigkeit lähmen lassen, aber jetzt gibt es endlich etwas zu tun.

Bin unterwegs, tippe ich zurück.

27

MATEO

Die Party läuft anscheinend schon auf vollen Touren, dabei ist es noch nicht mal dunkel, als ich den tipptopp in Schuss gehaltenen 1980er-Buick von Mrs Ferrara vor dem gepflegten Haus im Ranch-Stil parke. All die Jahre, in denen ich im Winter die Einfahrt unserer älteren Nachbarin freigeschippt habe, sind zu guter Letzt entlohnt worden, indem sie mir ihren Wagen geliehen hat. Dem Himmel sei Dank, zu Fuß hätte es nämlich ewig gedauert herzukommen, und so viel Zeit habe ich nicht.

Aus den offenen Fenstern dringt stampfende Musik und der Vorgarten ist voller vertrauter Gesichter. Alle möglichen Schüler der Carlton High – darunter auch ein paar Ehemalige –, stehen in Grüppchen zusammen, manche wirken bedrückt und ernst, andere lachen, als wäre das hier nur eine Privatparty von vielen bei Stefan St. Clair. Das Haus ist zwar nicht besonders groß, und nach allem, was ich gehört habe, teilt er es sich mit mehreren Mitbewohnern, aber für einen Studenten im ersten Semester ist es trotzdem eine ziemlich noble Adresse.

Als ich auf die Haustür zugehe, legen sich zwei Mädchen mit auffälligen schwarzen Haarschleifen gerade die Arme um die Schultern, während eine dritte sie mit dem Handy fotografiert.

»Vergiss nicht Hashtag *RIP Boney* drunterzuschreiben«, sagt eine.

Dröhnender Hip-Hop schlägt mir entgegen, als ich ins Haus trete und den Blick über die Menge wandern lasse. Charlie St. Clair hebt grüßend die Flasche in seiner Hand, als er mich entdeckt, und bahnt sich einen Weg zu mir. Er hat immer noch die Muschelkette um den Hals, mit der ich ihn fast stranguliert hätte, trägt aber ein frisches Hemd ohne Blutflecken.

»Hast dich also doch entschieden zu kommen«, sagt er und schaut sich um. »Wo sind Ivy und Cal?«

»Nicht hier«, sage ich. »Wie ist es bei dir zu Hause weitergegangen?«

»Meine Eltern sind total durch den Wind. Sie haben sich in einem Hotel einquartiert und wollen ein komplett neues Sicherheitssystem einbauen lassen. Sie reden sogar von Gittern vor den Fenstern.« Charlie reibt sich die Augen, die nicht mehr ganz so glasig wirken wie vorhin bei Ivy.

»Bist du wieder nüchtern?«, frage ich.

»Mehr oder weniger.« Charlie kratzt sich am Kinn. »Normalerweise trinke ich nicht so viel. Aber ich war so panisch wegen Boney, und als ich dann auch noch gesehen hab, was bei mir zu Hause los ist, brauchte ich was zum Runterkommen, verstehst du?« Er hält seine Flasche hoch und dreht sie so, dass ich das Etikett sehen kann. *Poland Spring.* »Heute Abend bleibe ich bei Wasser.«

»Guter Plan.« Ich überlege, ob ich ihm erzählen soll, dass Autumn sich der Polizei stellen will, aber bevor ich dazu komme, sagt Charlie: »Ich muss die ganze Zeit daran denken, was passiert ist. Ich meine, heute Morgen muss Boney noch gedacht haben, dass das ein ganz normaler Tag wird, und jetzt ist er tot.« Er nimmt einen tiefen Schluck von seinem Wasser. »Genauso gut hätte ich den Anruf wegen diesem Deal bekommen können. Oder du, wenn dich jemand mit Autumn verwechselt hätte.«

Mir liegt ein »Ich wäre nicht hingegangen« auf der Zunge. Aber vielleicht hätte ich es doch gemacht; wenn mir jemand was von einem großen Deal in Boston gesagt hätte, wäre ich vielleicht hin, um rauszufinden, wie schlimm die Scheiße ist, in die meine Cousine sich geritten hat. Aber ich weiß, worum es Charlie geht. Nämlich darum, dass Boney heute ultimativ den Kürzeren gezogen hat, und in dem Punkt bin ich völlig seiner Meinung.

»Das hat Boney nicht verdient«, sage ich.

Charlie senkt die Stimme, sodass ich ihn über die dröhnende Musik kaum noch hören kann. »Vielleicht hatte Cal recht und wir hätten zur Polizei gehen sollen. Keine Ahnung.« Er kratzt sich wieder am Kinn. »Ich hab Stefan erzählt, was los ist, und er meint, auf keinen Fall. Ich soll einfach eine Weile unter dem Radar fliegen und den Kopf einziehen, dann würde sich schon alles von selbst klären.«

Nichts anderes habe ich von Stefan St. Clair erwartet. »Wo ist Stefan denn?«

»Draußen.« Charlie nickt in Richtung Küche. »Durch die große Glastür geht's auf die Terrasse raus.« Als ich mich auf den Weg machen will, tritt er einen Schritt auf mich zu. »Hey, sag mal. Läuft da eigentlich was zwischen dir und Ivy?«

Gott. Das ist der denkbar ungünstigste Zeitpunkt für diese Unterhaltung, und selbst wenn nicht, hätte ich keine

Ahnung, was ich sagen sollte. »Nicht jetzt, Charlie, okay?«, antworte ich und schiebe mich an ihm vorbei.

In der Küche stehen überall Flaschen rum und die Schlange vor dem Bierfass reicht bis ins Wohnzimmer. »Ich habe ihn nicht wirklich gut gekannt«, sagt der Typ am Zapfhahn gerade zu einem Mädchen, das neben ihm steht. »Klar ist das traurig, aber wir müssen das Leben feiern, oder?«

»Total«, sagt das Mädchen und stößt mit ihm an. Dabei schiebt sich ihr Ärmel so weit nach oben, dass die schwarze Trauerschleife zum Vorschein kommt, die sie sich ums Handgelenk gebunden hat. »Das sind wir Boney schuldig.«

Durch die Glasschiebetür sind in der Ferne Kiefern zu sehen, die sich in der glänzenden Oberfläche eines Teichs spiegeln. Okay, deswegen ist mir dieses Viertel gleich so bekannt vorgekommen; das Grundstück hier grenzt an den neuen Golfplatz. Ma musste total lachen, als sie gesehen hat, wie die Häuser in der Gegend im Netz angepriesen wurden. »Die schreiben doch tatsächlich *Mit Seeblick*«, hat sie geprustet. »In Carlton ist ein Teich wohl das, was der Sache noch am nächsten kommt.«

Stefan St. Clair thront, umringt vom halben Cheerleader-Team der Schule, auf dem breiten Terrassengeländer und hält Hof. Er beachtet mich nicht, als ich mich ihm nähere. Natürlich nicht. Obwohl Stefan letztes Jahr seinen Abschluss gemacht hat, betrachtet er sich nach wie vor als King der Carlton High. Der Typ, der alle kennt, der alles weiß und der jeden Abend eine Party schmeißt. Selbst an dem Tag, an dem ein früherer Mitschüler von ihm gestorben ist.

Stefan schüttelt sich auf dieselbe Weise, wie sein jüngerer Bruder es immer macht, die Haare aus dem Gesicht, als er über etwas lacht, das eines der Mädchen gesagt hat. Ich schiebe mich zwischen seinen Groupies hindurch, bis ich praktisch vor ihm stehe und er mich nicht länger ignorieren kann. »Hey, Mann.« Er legt den Kopf zurück, um den letzten Schluck von seinem Bier zu trinken. »Was geht?«

»Weißt du, wo …« Ich verstumme, als ich am Rand des Gartens eine Gestalt entdecke, die mit dem Rücken zu mir vor den Büschen steht, die das Grundstück vom Golfplatz trennen, und anscheinend gerade am Pinkeln ist. »Hat sich erledigt.«

»Danke fürs Gespräch«, ruft Stefan, als ich mich abrupt umdrehe und auf die Treppe zusteuere, die in den Garten hinunterführt.

Ich schleiche mich nicht an. Ich will, dass er mich kommen hört, weil ich ihm ins Gesicht schauen muss. Allerdings hat er schon ziemlich Schlagseite und bemerkt mich erst, als ich schon fast bei ihm bin. Er dreht sich schwankend um und gibt ein gereiztes Schnauben von sich. »Wen haben wir denn da. Was zur Hölle machst du hier?«

»Hey, Gabe.« Ich lege die letzten Meter zurück, die mich noch vom Loser-Freund meiner Cousine trennen. »Oder sollte ich lieber ›Hey, Wiesel‹ sagen?«

In Gabes Augen flackert ein verunsicherter Ausdruck auf. »*Dígame*«, wiederhole ich die spanische Begrüßungsfloskel, die in der Mailbox-Ansage abgespielt wurde, als ich – den Blick auf Autumns Pinnwand geheftet – von Boneys Handy aus die unbekannte Nummer angerufen habe.

Und dann hole ich aus und verpasse ihm eine.

28

CAL

Ich bin erst einmal hier gewesen – letzte Woche, als ich Lara von der Schule nach Hause gefahren habe, weil ihr Auto in der Werkstatt war. »Willst du mit reinkommen und dir meine neuen Kohlestifte anschauen?«, hat sie mit einem flirty Lächeln gesagt, als ich in ihre Einfahrt gebogen bin. Ich hatte die Hoffnung, das wäre vielleicht eine Umschreibung dafür, dass wir in unserer Beziehung den nächsten Schritt machen würden, aber so war's nicht. Wir haben bloß ein bisschen gezeichnet, bis sie zu einer Verabredung mit Coach Kendall aufbrechen musste.

Nachdem ich wochenlang darauf gewartet habe, dass endlich mehr zwischen uns passiert, bin ich jetzt froh, dass sie mich die ganze Zeit bloß hingehalten hat. Dadurch ist es einfacher, mit all dem klarzukommen.

Ihr Wagen parkt nicht in der Einfahrt, aber das muss nicht bedeuten, dass sie nicht zu Hause ist, vielleicht steht er in der Garage. Ich gehe die Stufen zur Eingangstür hoch und klingle. Beim ersten Mal drücke ich nur leicht auf den Knopf, doch als niemand öffnet, fange ich an, Sturm zu klingeln. »Hallo?«, rufe ich. »Lara?« Um die Nachbarn mache ich mir keine Sorgen; das Haus liegt relativ abgeschieden.

»Ich muss dringend mit dir reden.« Keine Antwort. Ich versuche den Türknauf zu drehen. Erfolglos, die Tür ist abgeschlossen.

Während ich noch einen Moment ratlos auf der Treppe stehen bleibe, fällt mir plötzlich wieder ein, wie sich Lara, als ich letzte Woche hier war, über eine Hintertür beklagt hat, die nicht richtig schließt. »Ich sollte sie reparieren lassen, andererseits – warum soll ich mir noch die Mühe machen?«, hat sie gesagt. »Ich ziehe ja sowieso bald weg.« Ich hatte keine Lust auf das Thema; es hat mich jedes Mal fertiggemacht, wenn sie von dem Haus redete, das sie mit Coach Kendall kaufen wollte. Ich konnte nicht glauben, dass sie trotz allem daran festhielt, ihn heiraten zu wollen. Sie hat sich in all der Zeit, in der wir uns getroffen haben, vor vielen Entscheidungen gedrückt. Hoffentlich auch weiterhin vor Reparaturarbeiten am Haus.

Ich trabe zur Rückseite des Grundstücks, das an einen Wald grenzt. Mittlerweile ist es schon deutlich dunkler und kühler geworden. Die Grillen machen einen Heidenlärm. Ihr Zirpen ist alles, was ich höre, als ich dem überwucherten Plattenweg folge, der zu Laras Hintertür führt. Dort angekommen, ruckle ich an der zerkratzen Messingklinke – zuerst vorsichtig, und als ich spüre, wie locker das Schloss sitzt, versuche ich es mit mehr Kraft, drücke die Klinke runter und ziehe gleichzeitig daran, bis die Tür schließlich aufspringt.

Ich schlüpfe ins Haus, mache die Tür hinter mir zu und finde mich in einer Art Wintergarten mit hellgrünem Teppich und Korbmöbeln wieder. Bis hierhin bin ich bei meinem Besuch letzte Woche nicht gekommen, aber Laras Haus ist nicht besonders groß. Ich gehe den schmalen Flur entlang, der vom Wintergarten ins Innere führt, bis ich die vertraute gelbe Wandfarbe von Laras Wohnzimmer sehe und ...

Sie kreischt vor Schreck so laut los, dass ich auch kurz aufschreie und mit erhobenen Händen in den Flur zurückweiche. »Tut mir leid!«, rufe ich. »Ich wollte nicht ... Ich bin nur ... die Tür hinten war offen. Tut mir leid!«

»Oh mein Gott«, keucht Lara, als sie endlich realisiert, dass ich es bin. Sie hat hektisch gerötete Wangen und presst sich eine Hand auf die Brust. »Du hast mich zu Tode erschreckt, Cal. Ich dachte, du wärst ...« Sie atmet einmal tief durch. »Oh mein Gott. Okay. Falscher Alarm.«

Ich lasse die Hände sinken und spüre, wie mein Pulsschlag sich wieder beruhigt. Dann fällt mein Blick auf den riesigen Koffer, der im Zimmer steht. »Willst du ... Was hast du vor?«

Lara schaut auf den Koffer, als hätte sie ihn kurzzeitig vergessen, bevor sie wieder mich anschaut. »Ich verlasse die Stadt.«

Wahrscheinlich sollte ich nicht überrascht sein, aber ich bin es trotzdem. »Deswegen?«, frage ich und ziehe den Beutel mit dem Oxy unter meinem Hemd hervor.

»Was ist ...« Laras Züge werden hart, als sie den Inhalt erkennt. »Wo hast du das her?«

»Aus der untersten Schreibtischschublade in deinem Unterrichtsraum. Die, die du immer abschließt. Und da lagen noch ungefähr zwanzig von diesen Beuteln drin.«

Ich weiß nicht genau, mit was für einer Reaktion ich gerechnet habe, aber nicht mit einem bitteren Lachen. »Natürlich«, sagt Lara. »*Natürlich* hast du die dort gefunden.«

»Natürlich?« Meine Nerven sind sowieso schon am Anschlag, und ich bin kurz davor, die Beherrschung zu verlieren. »Ach so. Verstehe. So wie du *natürlich* auch Boneys Namen auf deine Todesliste gesetzt hast und er jetzt nicht mehr lebt.«

»Was hab ich?« Ihre Verwirrung wirkt nicht gespielt. »Wovon redest du?«

»Von der Schülerliste der Carlton-High-Abschlussstufe, auf der Boneys Name eingekreist ist. Ivy hat sie in deinem Tages-Planer gefunden, den sie dir im Second Street Café aus deiner Tasche geklaut hat.«

»Ivy hat… *Sie* war das Mädchen, das angeblich aus Versehen unsere Taschen vertauscht hat…« Lara greift nach ihrer roten Tasche, die auf der Couch liegt, und wühlt ein paar Sekunden darin. Der Ausdruck auf ihrem Gesicht verdunkelt sich, als sie nicht findet, wonach sie sucht. »Dieses hinterhältige Miststück! Ich bin froh, dass ich die Videos von Carlton Speaks an die Medien geschickt habe. Sie hat jeden einzelnen Shitstorm verdient, den sie abkriegt.«

»*Du* hast die Videos…« Ich runzle die Stirn. Irgendwas passt hier nicht. »Aber warum wolltest du Ivy in Schwierigkeiten bringen, wenn du gar nicht wusstest, dass sie deinen Planer geklaut hat? Was hast du gegen sie?«

»Nichts. Ich brauchte bloß jemanden, auf den ich die Aufmerksamkeit lenken konnte.« Lara hängt sich ihre Tasche über die Schulter. »Ich musste Zeit gewinnen, damit ich ein paar Dinge regeln kann, um… sagen wir, um noch mal neu anzufangen. Wenn ich hier nämlich erst mal weg bin, komme ich nicht mehr zurück.«

Gut möglich, dass ich mich gerade in Gefahr bringe, indem ich mich ihr und ihrem Fluchtplan – wie auch immer der im Einzelnen aussieht – in den Weg stelle. Aber aus irgendeinem Grund habe ich keine Angst. In meinem Kopf ist nur ein Gedanke: Ich brauche dringend Antworten und lasse sie erst gehen, wenn ich sie habe.

»Dann hast du Boney also umgebracht?«, sage ich. »Oder ihn umbringen lassen? Was von beidem?«

Sie lacht freudlos auf. »Im Ernst? *Das* denkst du von mir, Cal? Und ich dachte, du würdest mich kennen.« Ich schaue sie bloß schweigend an. »Was auch immer deine intrigante kleine Freundin in meinem Planer gefunden hat – es hat nicht mir gehört.« Sie deutet auf den Plastikbeutel in meiner Hand. »Genauso wenig wie *das* da mir gehört. Aber du hast es geglaubt, oder? Genau wie er es geplant hatte.«

»Wer?«, frage ich. »Dominick Payne?«

Ich warte gespannt auf ihre Reaktion, sehne mir regelrecht ihr verblüfftes Gesicht herbei, weil wir ihr Spiel durchschaut haben. Und sie wirkt tatsächlich geschockt, aber anders als ich gedacht hätte. »Dominick?« Lara verschluckt sich fast an dem Namen, bevor sie ein ungläubiges Lachen ausstößt. »Du denkst … *Dominick Payne* wäre so was wie ein Drogenbaron? Wie kommst du überhaupt … Nein!«

»Nein?« Ich verfluche mich dafür, dass meine Stimme so verunsichert klingt, bin aber noch nicht bereit, Dominick Payne so schnell abzuschreiben. Nicht nur, weil er perfekt ins Bild passt, sondern auch, weil … wer zur Hölle könnte denn sonst noch infrage kommen?

»Nein.« Sie verzieht verächtlich den Mund. »Du hast also Sherlock Holmes gespielt, ja? Schade, Cal. Da hätte ich eine bessere Schlussfolgerung von dir erwartet.«

Ich seufze frustriert. »Warum?«

Lara zieht den Reißverschluss ihrer Tasche zu und wirft mir einen mitleidigen Blick zu. »Weil die Antwort direkt vor deiner Nase liegt.«

29

Kies knirscht unter den Rädern meines Wagens, als ich links in einen Privatweg abbiege. »Sie haben Ihr Ziel erreicht«, meldet mein Navi und ich schaue mich verwirrt um. Wo sind Daniel und Trevor? Ich kann weit und breit nur ein einziges Haus sehen. Im Inneren brennt Licht, aber die Einfahrt ist leer. Auch sonst sieht die Gegend verlassen aus. Aber dann bemerke ich in einiger Entfernung ein am Wegrand parkendes Auto.

Ein unbehagliches Gefühl kriecht in mir hoch. Ist das Trevors Wagen? Warum steigen die beiden nicht aus und kommen mir entgegen? Ich greife nach meinem Handy, um Daniel eine Nachricht zu schreiben. »*Ich bin hier. Seid ihr das da vorne?*

Die Scheinwerfer des Wagens blenden auf. *Ich sehe dich.*

Wie seid ihr denn hier gelandet?

Trevor wollte einem Freund schnell was vorbeibringen, der hier wohnt, aber es war niemand da, und jetzt springt der Wagen nicht mehr an. Wahrscheinlich die Batterie.

Meine Anspannung löst sich wieder. *Okay*, tippe ich. *Ich hab ein Überbrückungskabel im Kofferraum.*

Fahr noch ein bisschen näher ran, o.k.?

O.k., antworte ich und werfe das Handy auf den Beifahrersitz. Trevor hat das Fernlicht eingeschaltet, und ich bin so geblendet, dass ich kaum was sehen kann, als ich vorsichtig an seinen Wagen heranrolle. Den Motor lasse ich laufen, als ich aussteige.

»Meint ihr, das ist okay so?«, rufe ich. Keine Reaktion. Langsam werde ich ungeduldig. Da komme ich extra hierher, um zu helfen, und die beiden erwarten, dass ich die ganze Arbeit alleine mache, oder was? Plötzlich steigt wieder die alte Feindseligkeit gegenüber meinem Bruder in mir hoch, die ich vorhin so erfolgreich beiseitegeschoben habe. Der Waffenstillstand hat nicht sonderlich lange gehalten.

»Kein Problem. Lasst euch ruhig Zeit. Ich kriege das auch ohne euch hin«, murmle ich auf dem Weg zum Kofferraum vor mich hin, während ich gleichzeitig angestrengt versuche, meine Wut zu unterdrücken. *Ich bin ein guter Mensch, der Gutes tut und anderen hilft,* sage ich mir stumm vor, als ich die Klappe öffne und Decken und Einkaufstaschen zur Seite schiebe. *Ich bin ein guter Mensch, der Gutes tut und anderen hilft.*

Ich muss ein guter Mensch sein, weil ich sonst nämlich ziemlich sauer wäre, dass keiner der beiden Anstalten macht, mir bei der Suche nach dem Kabel zu helfen. Ärgerlich, dass mein selbstloser Akt ausgerechnet zwei faulen, undankbaren Idioten wie meinem Bruder und Trevor zugutekommt. »Okay, ich hab es!«, rufe ich und trete ins grelle Scheinwerferlicht.

Endlich geht die Wagentür auf – aber nur auf der Fahrerseite. Ich schüttle den Kopf, Daniel ist echt so ein fauler Sack.

»Trevor?«, frage ich blinzelnd. Mein Bruder ist es jedenfalls definitiv nicht; dazu ist derjenige nicht groß und breit genug. Aber als die Silhouette näher kommt, kann ich erkennen, dass es auch nicht Trevor ist. Schließlich schält sich ein Gesicht aus dem grellen Gegenlicht und ich blinzle verwirrt. »Oh«, sage ich. »Was machen Sie ...«

Er reißt mir das Kabel so ruckartig aus der Hand, dass ich nach vorn stolpere und das Gleichgewicht verliere. »Shit!« Ich ziehe scharf die Luft zwischen den Zähnen ein, als sich spitze Schottersteinchen in meine Handflächen und Knie bohren. »Hey, was soll das?« Ich versuche aufzustehen, aber er stößt mich auf den Boden zurück, und in dem Moment wird mir klar, dass ich nicht wütend sein, sondern Angst haben sollte.

Als ich schreien will, presst er mir eine Hand auf den Mund. Ich bekomme kaum Luft, Panik steigt in mir hoch, als er mich brutal hochzerrt.

»Tut mir leid, Ivy«, raunt er mir ins Ohr. Seine Stimme ist mir nur allzu vertraut. »Tut mir wirklich leid. Aber ich hatte keine andere Wahl.«

30

MATEO

Gabe versucht sich zu wehren, aber er kämpft auf verlorenem Posten. Ich bin um einiges größer als er und *sehr viel* wütender.

Ich weiche seinen ungeschickten Hieben aus, stoße ihn ins Gras, setze mich rittlings auf ihn und drücke seine Handgelenke auf den Boden, sodass er nur noch hilflos wie ein Käfer auf dem Rücken zappeln kann. »Wie bist du überhaupt darauf gekommen?«, keucht er.

Tatsächlich war die mit »*Dígame*« eingeleitete Mailbox-Ansage, die ich hörte, nachdem ich bei der Handynummer anrief, von der Boney den Sicherheitscode geschickt bekommen hat, nur die letzte Bestätigung. Kurz vorher, als mein Blick auf Gabes Foto an Autumns Pinnwand hängen geblieben ist, habe ich mich nämlich an etwas erinnert, das Charlie in Ivys Wohnzimmer gesagt hat: *Wer auch immer dahintersteckt, ist anscheinend ganz schön scheiße auf dich zu sprechen, wenn er den Namen deiner Cousine durch deinen ersetzt hat. Pinkel dem Wiesel nicht ans Bein, Mann!* Es gibt nur einen Menschen, der eine so starke Abneigung gegen mich hat – während er anscheinend tatsächlich an Autumn hängt – und gleichzeitig auf keiner Party fehlt und genügend Kohle hat, um sich eine

Angeberkarre leisten zu können, obwohl er keinen Job hat. Und dieser Mensch ist der Typ, der gerade unter mir liegt.

»Du hast meinen *Namen* angegeben«, zische ich. »Du *Arschloch*.«

»Es ging nicht anders!«, presst Gabe hervor. »Ich musste … Er wusste, dass drei Leute beteiligt waren, und ich brauchte … ich konnte ihm doch nicht *ihren* Namen geben.«

»Tja, es hat trotzdem jemand nach ihr gesucht und ihren Boss angerufen. Und wenn ich sie nicht rechtzeitig gefunden hätte …«

»Das war ich.« Gabe versucht erneut, sich gegen mich aufzubäumen. »Ich wollte sichergehen, dass sie okay ist. Ich wollte … ich wollte ihr sagen, dass sie aus der Stadt verschwinden muss, als ich erfahren hab, was mit Boney passiert ist.«

Der Gedanke, dass Gabe und ich auf dasselbe Ziel hingearbeitet haben, überrascht mich so sehr, dass ich beinahe meinen Griff lockere. Aber nur beinahe. »Wie nobel von dir, Gabe. Dafür hast du dir den Titel *Boyfriend of the Year* verdient. Boney hast du dagegen einfach ins offene Messer laufen lassen, was?« Ich starre finster auf ihn hinunter und schwelge kurz in der Vorstellung, wie ich ihm mit einem Hieb den Kiefer breche. »Du hast ihn in das Gebäude geschickt. Hast du ihn auch umgebracht?«

»Nein! Gott, nein! Scheiße, Mann, ich bringe doch niemanden um!« Gabe windet sich hin und her. »Ich hatte keine Ahnung, dass so was passieren würde. Ich bin doch kein … Hör zu, die Art von Drecksarbeit mache ich nicht, okay? Ich höre mich um und manchmal organisiere ich ein Treffen. Das ist alles.«

»Das ist alles, ja? Für wen arbeitest du?«, frage ich. Als er nicht antwortet, hebe ich seinen Oberkörper kurz an und stoße ihn anschließend wieder so hart auf den Boden zurück, dass ich schwören könnte, dass ich höre, wie seine Zähne aufeinanderschlagen. »*Ich hab gefragt, für wen du arbeitest!*« Gabe stöhnt laut auf. »Das kann ich dir nicht sagen. Sonst bringt er mich um.«

»Und wenn du nicht redest, bringe ich dich um.« Ich bin so verflucht wütend, dass ich es beinahe ernst meine, aber in Gabes Augen blitzt ein Ausdruck auf, der für einen Typen, den ich gerade auf den Boden pinne, viel zu selbstgefällig ist. »Nein, tust du nicht«, sagt er prompt.

Wir fechten ein kleines Blickduell aus. Er hat recht, natürlich hat er recht, aber das braucht er nicht zu wissen. Ich packe ihn am Kragen seines Hemds, klettere von ihm runter, ziehe ihn mit mir hoch und zerre ihn Richtung Teich.

»Was hast du vor?«, schreit er mit sich überschlagender Stimme, während er sich wild hin und her wirft und meinem Griff zu entkommen versucht. »Hilfe! Hey, hallo, da drüben! Helft mir!«

Viel Glück, denke ich; selbst wenn sich irgendeiner von den Leuten auf Stefans Party für zwei sich prügelnde Typen interessieren würde, ist der Lärmpegel viel zu hoch, als dass ihn jemand hören kann. Gabe schlägt trotzdem weiter um sich und landet ein paar Streifhiebe, die ich kaum spüre. Als wir den Rand des Teichs erreicht haben, werfe ich ihn hinein und wate ihm hinterher. Meine Sneakers und meine Jeans saugen sich sofort mit kaltem Wasser voll und Gabe schnappt keuchend nach Luft, als ein Schwall davon über ihm zusammenschlägt. Er versucht, sich aufzurichten, aber ich stoße ihn zurück.

»Ich will dich nie wieder auch nur in der Nähe von Autumn sehen«, knurre ich. »Und deswegen sorge ich dafür, dass du erst gar nicht mehr in der Lage dazu sein wirst.«

»Du bluffst«, keucht Gabe, aber von dem selbstgefälligen Ausdruck in seinen Augen ist keine Spur mehr zu sehen. Jetzt liegt in seinem Blick nackte Angst, und ich bin fast versucht, die Sache abzubrechen. Fast.

Stattdessen drücke ich seinen Kopf unter Wasser. Als Ma vor zwei Jahren darauf bestanden hat, dass Autumn und ich einen Rettungsschwimmerkurs machen, haben wir als Erstes gelernt, dass die meisten Menschen die Luft zwei Minuten lang anhalten können – wenn sie am Ertrinken sind, fangen die meisten allerdings schon nach wenigen Sekunden an, panisch zu werden. Ich zähle bis zwanzig, eine unerträglich lange Zeit, in der Gabe unter mir um sein Leben kämpft, bevor ich ihn wieder auftauchen lasse.

Er schnappt hustend und wasserspuckend nach Luft. Nach ein paar Sekunden drücke ich seinen Kopf erneut nach unten, aber nur so weit, dass lediglich eine Gesichtshälfte unter Wasser ist. »Letzte Chance, Gabe«, sage ich, worauf er sofort wieder zu keuchen beginnt. »Beim nächsten Mal lasse ich dich nicht mehr hochkommen. An wen gibst du deine Informationen weiter?«

Er ringt einen Moment lang nach Atem, ohne etwas zu sagen. Ich bin kurz davor, aufzugeben und von ihm abzulassen, weil ich es nicht schaffe, diese Nummer noch mal durchzuziehen, als er stöhnt: »Okay, okay.« Er holt einmal tief Luft und dann bricht es mit einem erstickten schluchzenden Laut aus ihm heraus: »Coach Kendall. Ich gebe die Informationen an Coach Kendall weiter.«

31

CAL

Ich starre Lara verwirrt an, bis sie in gespielter Verzweiflung den Kopf schüttelt. »Du hast wirklich keine Ahnung, oder? Tja, eins muss ich ihm lassen – er hat euch alle getäuscht. Er hatte immer schon ein Talent, niemanden hinter die Fassade schauen zu lassen.«

Lara greift nach ihrem Koffer und beginnt ihn Richtung Flur zu rollen. Aus meiner Starre erwachend mache ich einen Satz nach vorn und stelle mich zwischen sie und die Tür. Sie versucht sich an mir vorbeizuschieben, aber ich versperre ihr mit ausgebreiteten Armen den Weg. »Ich lasse dich erst gehen, wenn du mir gesagt hast, wer für diese ganze Scheiße verantwortlich ist. Da draußen sind ein paar Leute, die in echten Schwierigkeiten stecken, Lara.«

»Großer Gott«, stöhnt sie, aber ihr Blick zuckt nervös zur Uhr auf dem Kaminsims. Mit Sicherheit weiß sie, dass ich keine Gewalt anwenden werde, um sie aufzuhalten, aber wenn es sein muss, führe ich diesen kleinen Tanz noch ein paar Stunden auf. »Ich rede von Tom, du Idiot.« Der Name sagt mir nichts, was man mir wohl ansieht, weil sie genervt die Augen verdreht. »Tom Kendall! *Coach* Kendall. Mein Verlobter, du erinnerst dich?«

Mir verschlägt es die Sprache, und Lara versucht wieder, sich an mir vorbeizuschieben. »Nein, warte!« Ich mache einen Ausfallschritt zur Seite und blockiere erneut ihren Weg zur Tür. »Coach Kendall dealt mit Drogen? Wie kann das sein? Seit wann?«

»Er ist erst vor ungefähr sechs Monaten damit rausgerückt, aber anscheinend betreibt er die Sache schon seit ein paar Jahren«, sagt sie. »Am Anfang war er bloß eine kleine Nummer, hat Rezeptblöcke mitgehen lassen, um sich das Zeug zu besorgen und es anschließend gewinnbringend zu verkaufen. Irgendwann ist die Nachfrage dann so gestiegen, dass er entsprechende Kontakte geknüpft hat, um auch aus anderen Bundesstaaten Drogen zu beziehen. Mittlerweile verfügt er über ein komplettes Netzwerk aus Lieferanten und Dealern.«

Das ist eine Menge zu verdauen, vor allem, weil ich immer noch an ihrem ersten Satz festhänge. »Du weißt seit *sechs Monaten* Bescheid?«, sage ich fassungslos und habe plötzlich das Gefühl, einer völlig fremden Person gegenüberzustehen. »Und du bist in der ganzen Zeit kein einziges Mal auf die Idee gekommen, ihn anzuzeigen?«

»Er ist mein Verlobter«, sagt Lara, als würde das alles erklären.

»Und da hast du … was? Einfach beschlossen, mitzumachen?«

Sie schnalzt ungeduldig mit der Zunge. »Ich hab keine Zeit, mir so was von dir anzuhören, Cal. Tom hat mich reingelegt, kapierst du das nicht?«

Mir klappt die Kinnlade runter, weil – nein, ich kapiere gar nichts. »Was? Warum? Wie denn?«

Obwohl sie bis jetzt nicht einen Funken Verantwortungsgefühl gezeigt hat, hoffe ich, dass sie gleich antwortet, sie hätte vorgehabt, zur Polizei zu gehen. Aber Lara zieht eine kleine Grimasse und sagt: »Tja ... könnte sein, dass es was mit meinem kleinen Fehltritt zu tun hat.«

»Fehltritt?«, wiederhole ich. »Meinst du mit ...«

Bevor ich »mir?« sagen kann, erklärt sie seufzend: »Ich hatte so eine kleine On/Off-Geschichte mit jemandem, und Tom hat wahrscheinlich ein paar Nachrichten gelesen, die nicht für ihn bestimmt waren.«

Mein Blick wandert zu ihrem Koffer. »Und jetzt willst du mit ... mit diesem Typen durchbrennen?«, frage ich. Fast hätte ich »... mit diesem D.« gesagt, aber ich will lieber nicht erklären müssen, woher ich den Anfangsbuchstaben kenne.

Sie stöhnt. »Gott, nein. Das war doch nichts Ernstes. Bloß eine nette Ablenkung, wie immer.«

Bloß eine nette Ablenkung, wie immer. Der Satz würde wahrscheinlich wehtun, wenn ich länger darüber nachdenken würde, aber in meinem Kopf drängen sich noch so viel mehr Fragen, dass ich keine Zeit dafür habe. »Und wie genau hat Coach Kendall dich reingelegt? Hat er die Liste mit den Namen in deinen Planer gesteckt?«

Lara seufzt wieder. »Das nehme ich stark an, aber von der habe ich ja gar nichts gewusst. Eigentlich bin ich erst vor ein paar Tagen stutzig geworden, als Tom mich immer wieder gefragt hat, ob ich wie jeden Dienstag gegen zehn ins Atelier fahren würde. Die Uhrzeit schien ihm dabei besonders wichtig zu sein.« Sie dreht den Verlobungsring an ihrem Finger hin und her, und zum ersten Mal fällt mir auf, wie groß der darin eingefasste Diamant ist. »Ich dachte, dass er mir vielleicht hinterherspionieren will. Deswegen habe ich beschlossen, nicht ins Atelier zu fahren, obwohl ich tatsäch-

lich nichts anderes vorhatte, als dort an meinem Bild weiter-
zuarbeiten. Stattdessen bin ich in diesen Töpferkurs gegangen und habe darauf gewartet, dass Tom sich meldet, um
mich weiter mit komischen Fragen zu löchern. Hat er aber
nicht.« Sie sieht mich mit schräg gelegtem Kopf abschätzend
an. »Dafür hast *du* dich gemeldet.«

»Okay, dann ...« Ich denke daran zurück, wie ich ihr
heute Morgen im Second Street Café gegenübersaß. »Dann
hast du wirklich nichts von Boney gewusst?«

»Ich hatte keine Ahnung«, sagt Lara. »Zuerst konnte ich
mir auch keinen Reim darauf machen. Ich hab nicht verstanden, warum Brian im Atelier war, und erst recht nicht,
wieso er dort gestorben ist. Ich habe mich sogar gefragt, ob
Tom womöglich vorhatte, mich umzubringen, und ob Brian
einfach das Pech hatte, zur falschen Zeit am falschen Ort
zu sein, als ich nicht dort aufgekreuzt bin. Aber dann hab
ich mit Dominick gesprochen, der von einem befreundeten
Reporter erfahren hatte, dass die Polizei im Atelier jede
Menge Drogen gefunden hat. Dom ist fast hysterisch geworden und wollte wissen, was zur Hölle ich mir dabei gedacht
hätte, dort Drogen zu lagern. Aber das bin natürlich nicht
ich gewesen.«

Ein bitteres Lächeln zuckt um ihre Lippen. »Mir ist die
ganze Zeit dieser anonyme Hinweis über die blonde Frau
durch den Kopf gegangen. Zuerst dachte ich, dass das Ivy
gewesen sein muss, aber das Timing war einfach zu perfekt.
Die ganze Sache fühlte sich inszeniert an. Wie eine *Perfor-
mance*. Also habe ich mich gefragt: Was hätte die Polizei
vorgefunden, wenn ich heute Morgen wie geplant – und
wie von Tom angenommen – im Atelier gewesen wäre? Tja.
Mich – über der Leiche eines Schülers kauernd in einem

Raum voller Oxy. Mit meinen Fingerabdrücken auf der Mordwaffe, die definitiv darauf sichergestellt worden wären, weil Tom mich letzte Woche noch gebeten hatte, ihm beim Sortieren der Spritzen zu helfen.«

»Ihm beim Sortieren der Spritzen zu helfen«, wiederhole ich fassungslos. Wie schafft diese Frau das? Ihr Verlobter betreibt einen *Drogenring*, und sie redet darüber, als wäre es bloß ein schräges Hobby von ihm und nichts weiter dabei, wenn sie ihn ein bisschen darin unterstützt. »So habt ihr also eure Freizeit verbracht, ja?«

Lara geht nicht darauf ein, sondern deutet auf mich. »Und jetzt tauchst du hier auf und erzählst mir, dass in meinem Unterrichtsraum noch mehr Drogen lagern und ihr in meinem Tages-Planer eine ... wie hast du es genannt? ... eine *Todesliste* gefunden habt. Wenn du mich fragst, sind das nicht nur ein paar Indizien, sondern ziemlich viele stichhaltige Beweise. Und vermutlich gibt es sogar noch mehr solcher Beweise, von denen wir nur noch nichts wissen.«

»Dann ist Boney ...« Ich weiß nicht, wie ich den Satz beenden soll.

»Tom muss Brian getötet haben«, sagt Lara. »Wobei ... Ich nehme eher an, dass er jemanden, der für ihn arbeitet, damit beauftragt hat. So konnte er dafür sorgen, dass er sich nicht selbst die Hände schmutzig machen musste, sondern den ganzen Tag in der Schule war und ein Alibi hat. Keine Ahnung, inwiefern Brian da dringesteckt hat ... Aber er muss irgendwas getan haben, womit er sich Tom zum Feind ...«

»Er hat ihm eine große Menge Oxy geklaut«, unterbreche ich sie. »Letzten Monat hat er das Zeug zufällig in einem Schuppen gefunden und angefangen, es zu verkaufen.«

»Ah, okay. Dann macht es Sinn«, sagt Lara in einem Tonfall, als wäre Boney bloß ein weiterer Punkt auf ihrer »Warum mein Verlobter mich reingelegt hat«-Checkliste. »Tom ist total ausgeflippt, als das Oxy verschwunden ist, und wäre fast Amok gelaufen, als das Carlton College drei Wochen später eine Aktion ins Leben gerufen hat, um den Drogenmissbrauch auf dem Campus aktiv zu bekämpfen. Dein Vater verschwendet keine Zeit, was, Cal?« Kurz flammt Stolz in mir auf, weil mein Dad tatsächlich nicht lange fackelt. »Das ist genau die Art von Aufmerksamkeit, vor der Tom immer gegraut hat. Er hat sorgfältig darauf geachtet, Privates und Geschäftliches zu trennen. Tom lässt sogar einen Typen für sich arbeiten, der nichts anderes macht, als die Drogenaktivitäten in der Stadt im Auge zu behalten, damit er sich rechtzeitig zurückziehen kann, bevor jemand auf ihn aufmerksam wird. Aber diesmal ist alles viel zu schnell gegangen.«

Nicht zu fassen, denke ich. *Stefan hatte also recht. Es gibt tatsächlich ein Wiesel.*

Aber ich komme nicht dazu, Lara zu fragen, wer der Typ ist; sie redet wie ein Wasserfall, als würde die ganze nervöse Energie, die sich wahrscheinlich den Tag über in ihr aufgestaut hat, jetzt überlaufen. »Brian umzubringen und mir den Mord plus die Drogengeschichte anzuhängen ...« Sie schüttelt den Kopf. »Klar. Damit löst er mit einem Schlag alle seine Probleme.«

Die Puzzleteile fallen in einem solchen Tempo an ihren Platz, dass ich kaum hinterherkomme. »Dann war Ivy bloß ...«

»Falsche Zeit, falscher Ort, richtige Haarfarbe«, sagt Lara. »Vielleicht hat derjenige, der Brian umgebracht hat, darauf gewartet, dass ich komme, um sicherzugehen, dass ich wirklich dort bin, bevor er die Polizei informiert. Wahrscheinlich hat er sie mit mir verwechselt. Seit das Gebäude leer steht, sind die Fenster nicht mehr geputzt worden.« Sie greift wieder nach ihrem Koffer. »So. Da hast du die ganze Geschichte. Ich hoffe, ich konnte deine Neugier befriedigen, weil ich jetzt nämlich von hier verschwinde, bevor ich für etwas im Gefängnis lande, das ich nicht getan habe.«

»Aber … Warte, Lara!« Ich baue mich wieder vor der Tür auf. »Du kannst nicht einfach abhauen. Du musst zur Polizei gehen – es gibt keinen Grund, warum sie dir nicht glauben sollten. Bestimmt gibt es genügend Leute, die bezeugen könnten, dass sie dich heute Morgen gesehen haben, oder? Sobald die Polizei das überprüft hätte, wäre klar, dass du Boney auf keinen Fall umgebracht haben kannst, und …«

»Ich verlasse mich lieber nicht auf die Polizei«, sagt Lara. »Es spielt keine Rolle, dass ich ein Alibi habe. Du kennst Tom nicht. Sein Plan ist vielleicht gescheitert, aber er schreckt vor nichts zurück und hat immer einen Plan B in der Tasche. Und ich werde den Teufel tun und hierbleiben, um herauszufinden, wie dieser Plan aussieht.« Sie lässt den Koffer los und versucht, mich von der Tür wegzuschieben.

Ich rühre mich nicht von der Stelle. »Aber die Polizei wird dich finden! *Coach Kendall* wird dich finden.«

Lara lächelt kalt. »Einer der Vorzüge an Tom ist, dass er in seinem Tätigkeitsfeld ein paar interessante Leute kennengelernt hat. Die Art von Leuten, die einem helfen können zu verschwinden, wenn man ihnen genügend Geld dafür bezahlt. Und das habe ich.« Sie tätschelt die Tasche, die über ihrer Schulter hängt, und wirft mir dann einen fast nachsichtigen Blick zu. »Jetzt schau nicht so entsetzt, Cal. Selbst wenn dieses ganze Kartenhaus nicht zusammengestürzt wäre, hatte ich nie vor, für den Rest meines Lebens als Kunstlehrerin in einer Kleinstadt zu versauern. So ist es für alle besser.«

Ich bin zu erschüttert, um sie aufzuhalten, als sie sich an mir vorbei in den Flur drängt und die Haustür öffnet. Ich warte darauf, das Geräusch ihres Rollkoffers auf den Stufen zu hören, aber ... Einen kurzen Moment lang ist es vollkommen still, dann dringt ein dumpfer, wimmernder Laut zu mir und mein Herz beginnt zu rasen. Das klang nicht nach Lara, sondern eher nach ...

Ich gehe ein paar Schritte und spähe zur Haustür. Lara steht reglos auf dem obersten Treppenabsatz, den Rollkoffer neben sich, und starrt die Stufen hinunter. Mir stockt das Blut in den Adern, als ich sehe, was sie sieht. Am Fuß der Treppe steht Coach Kendall in seiner »Carlton Lacrosse«-Trainingsjacke. Er hat einen Arm um Ivys Hals geschlungen und presst ihr die Hand auf den Mund. Ihre vor Entsetzen geweiteten Augen werden noch größer, als sie mich entdeckt.

»Oh ... Shit«, stößt Lara so leise hervor, dass wahrscheinlich niemand außer mir sie hören kann. »Das muss Plan B sein.«

32

CAL

Ein paar Minuten später finden wir uns alle in Laras Garage wieder, weil Coach Kendall uns mit einer Pistole dorthin dirigiert hat und eindeutig keine Skrupel hätte, von ihr Gebrauch zu machen. Lara setzt sich in einer Ecke auf eine Getränkekiste, als wäre sie zu Gast auf einer Studentenparty. Ich lasse mich schwer wie ein Stein auf den harten Betonboden fallen und Coach Kendall nimmt endlich die Hand von Ivys Mund und stößt sie neben mich.

»Wo ist Daniel?«, fragt sie heiser. »Was haben Sie mit meinem Bruder gemacht?«

»Nichts.« Coach Kendall zieht die Garagentür zu und drückt an der Wand auf einen Lichtschalter, worauf das Innere des Raums vom gelblichen Schein einer Glühbirne erhellt wird. Er stellt er die Reisetasche ab, die er über der Schulter getragen hat, und geht daneben in die Hocke. »Ich hab mir nur sein Handy geliehen.«

Ivy stößt vor Erleichterung die Luft aus, während mein Hirn versucht, diese ganzen neuen Informationen zu verarbeiten. »Daniel?«, sage ich. »Dann hatte ich also recht und Daniel ist das Wiesel?«

Coach Kendall verzieht das Gesicht. *Gott*, wie habe ich

diesen Typen jemals für einen netten Kerl halten können? Er sieht aus wie ein Serienkiller. »Das *was*? Wovon redest du?« Seine Augen werden schmal. »Was hast du überhaupt hier zu suchen?«

»Ähm …« Ich spüre, wie der Plastikbeutel mit den Tabletten unter meinem Hemd tiefer rutscht, und versuche verstohlen, ihn wieder etwas höher zu schieben. Zu spät. Coach Kendall zeigt mit der Mündung seiner Waffe auf mich, worauf ich den Beutel widerstrebend in meinen Schoß fallen lasse. »Wirf ihn rüber«, befiehlt er. Ich gehorche. »Großer Gott«, murmelt er, während er den Beutel in seiner freien Hand wiegt. »Was spielst du für ein Spiel, Lara?«

»Die Frage sollte ich wohl eher dir stellen, Tom«, entgegnet Lara. Angesichts der Umstände klingt sie bemerkenswert gelassen. »Was soll das alles? Wozu die Waffe und …« Ihr Blick wandert kurz zu Ivy. »Die Geisel?«

»Wie konnten Sie das Boney nur antun?«, geht Ivy mit zitternder Stimme dazwischen. »Er war Ihr *Schüler*. Er hat Ihnen vertraut!« Sie scheint fast zu erwarten, dass er ihr zustimmt; als hätte sie es weiterhin mit dem netten Lehrer zu tun, für den sie ihn immer gehalten hat. Einen Menschen, mit dem man vernünftig reden kann.

»Er hat mich beklaut«, sagt Coach Kendall verächtlich. »Dachte, er könnte vom kleinen Gelegenheitsdealer zum Big Player werden. Deswegen ist er an dem Morgen in Laras Atelier gekommen. Einer von meinen Leuten hat ihm gesagt, dass wir ihn mit einsteigen lassen, wenn er die geklaute Ware zurückgibt. Aber dieses kleine Stück Scheiße war so dreist, mit leeren Händen anzutanzen.« Seine Nasenflügel beben. »Er hat sich tatsächlich eingebildet, dass er uns damit unter *Druck* setzen kann.«

Ivy und ich tauschen einen bestürzten Blick. Davon hat Charlie uns nichts erzählt, und ich hatte nicht das Gefühl, dass er versucht hat, irgendwas vor uns zu verbergen. Diesen Plan muss sich Boney ganz allein zurechtgelegt haben. Vielleicht hat er gedacht, er könnte Charlie mit seinem Verhandlungsgeschick beeindrucken. *Wir könnten in der Profiliga mitspielen.*

»Haben Sie ihn deswegen umgebracht?« Mein Mund ist staubtrocken.

»Nein.« Der Blick, mit dem er mich ansieht, hat etwas Raubtierhaftes: wachsam, völlig leidenschaftslos und mörderisch. »Sein Tod war sowieso beschlossene Sache. Ich habe eine Leiche für die Polizei gebraucht.« Er wendet sich wieder Lara zu. »Die *du* finden solltest. Aber vorher wollte ich meine Investition zurückhaben.«

Mir ist kotzübel. Das erklärt, warum Charlies Haus auseinandergenommen wurde; Coach Kendall muss total ausgeflippt sein, als er erfahren hat, dass Boney die Pillen nicht dabeihatte. Ich würde gern wissen, ob seine Leute auch bei Boney und Mateo zu Hause waren, traue mich aber nicht zu fragen. Vor allem auch deswegen, weil ich Coach Kendall nicht mit der Nase darauf stoßen will, dass wir von Charlies und Autumns Verwicklung in die Sache wissen.

»Und was hattest du mit deiner *Investition* vor?«, fragt Lara, deren Tonfall unverändert gelassen klingt. »Ich sollte doch als Drogenbaronin in die Geschichte von Carlton eingehen, oder? Wäre es dadurch nicht schwierig geworden, die Geschäfte wie gewohnt weiterlaufen zu lassen?«

»Für eine gewisse Zeit. Aber ich bin ein geduldiger Mensch. Und es ist nicht so, als müsste ich mir Sorgen machen, dass die Nachfrage abnehmen könnte.« Coach Kendall lächelt kalt. »Wärst du heute Morgen in deinem Atelier gewesen, hätte jeder bekommen, was er verdient. Ich habe auch mit dem Gedanken gespielt, es umgekehrt zu machen, du weißt schon – dich umbringen zu lassen und es ihm anzuhängen. Aber wozu sollte ich dich bloß ein paar Minuten leiden lassen, wenn ich dich auch lebenslang hinter Gitter bringen kann.«

»Und was jetzt?«, fragt sie ungerührt.

»Jetzt ...« Coach Kendall reibt sich kurz übers Gesicht. »Darüber hab ich mir den Kopf zerbrochen, seit feststand, dass du nicht im Atelier warst. Damit hast du mir ganz schön die Tour vermasselt. Aber dann ist statt dir Ivy dort aufgetaucht und wird seitdem vermisst. Den Mord an Brian kann ich dir nicht mehr anhängen. Der Zug ist abgefahren. Aber ich kann dir den an ihr in die Schuhe schieben.«

»Was? Nein!«, keuche ich und Lara deutete auf mich.

»Und was ist mit Cal?«, fragt sie.

Coach Kendalls Nasenflügel beben wieder. »Cal sollte gar nicht hier sein.«

»Tja, ist er aber«, gibt sie achselzuckend zurück.

Ich halte das nicht aus. Ich bin nichts weiter als eine Schachfigur in dieser kranken Partie, die die beiden miteinander spielen. »Meine Eltern wissen, dass ich hier bin«, behaupte ich, worauf Lara bloß abfällig schnaubt.

»Oh, bitte. Das wissen sie ganz sicher nicht. Tom, lass uns Klartext reden. Wie sieht dein Plan B aus?«

Coach Kendall verlagert das Gewicht von einem Bein aufs andere. »Du hättest den Kopf für alles hinhalten sollen, Lara. Für den ganzen Dreck, mit dem ich mich die letzten Wochen rumschlagen musste. Kids, die Pillen klauen und sie wie scheiß Bonbons in *meinem Revier* verteilen. Cops, die

rumschnüffeln und Fragen stellen. Du, die du dich als Miststück entpuppst, das mich immer wieder nach Strich und
Faden betrogen hat.« In seinem Kiefer zuckt ein Muskel, als
er sie einen Moment lang wütend anstarrt, aber sie bleibt
stumm. »Ich musste den alten Plan also fallen lassen und
improvisieren«, fährt er fort. »Der Mord an Brian wird auf
Ivys Konto gehen und der Mord an Ivy auf deins. Und wohl
auch der an Cal. Alles wird in Zusammenhang mit dem
Drogenkartell stehen, das du betreibst, was mich ...«, er
presst sich eine Hand auf die Brust, »mehr als jeden anderen
entsetzt und erschüttert hat.«

»Aha. Okay.« Lara fährt sich durch die Haare und schaut
Coach Kendall dabei mit einem Blick an, der fast etwas Flir-
tendes hat. Nein, er *ist* flirtend. Was zur Hölle geht hier vor?
»Baby, hör zu. Ich werde dir nicht sagen, wie du deinen Job
zu machen hast, aber das ist ein *mieser* Plan«, sagt sie seufzend. Der Ausdruck in seinen Augen wird noch finsterer,
weshalb sie schnell hinterherschiebt: »Was das rein Wirt-
schaftliche angeht, bist du immer top gewesen, aber du
musst zugeben, dass dich die menschliche Seite an dem Ge-
schäft immer frustriert hat. Hab ich recht?« Er antwortet
nicht, aber seine Züge entspannen sich etwas, und sie verliert keine Zeit, ihren Vorteil zu nutzen. »Du hast auf Leute
gesetzt, die du für berechenbar gehalten hast. Du dachtest,
sie würden tun, was ihnen gesagt wird, und dann hat dich
einer nach dem anderen enttäuscht.«

Vor allem du, denke ich, aber welche Strategie auch immer
sie verfolgt, sie scheint zu funktionieren – während sie mit
dem Coach gesprochen hat, hat er die Waffe immer weiter
sinken lassen –, weshalb ich den Mund halte. Als ich ein
Stück zur Seite rutsche, stößt meine Hand an die von Ivy

und sie hakt ganz leicht zwei Finger um meine. Die Geste ist unglaublich tröstlich, auch wenn ihre Hand zittert.

»Allein schaffst du es nicht, deinen Kopf aus der Schlinge zu ziehen«, fährt Lara fort und streicht sich erneut durch die Haare. »Also lass mich dir helfen, Schatz. Soweit ich das sehe, haben wir genau zwei Möglichkeiten.«

Er mustert sie einen Moment abwägend, dann wedelt er mit der Pistole in ihre Richtung. »Ich bin ganz Ohr.«

»Erstens: Wir verschwinden beide.« Ihr Blick wandert kurz zu ihrer Tasche. »Ich weiß, dass du schon länger einen gefälschten Reisepass hast, und ich habe meinen gerade bekommen ...«

»Du hast deinen *gerade* bekommen?« Coach Kendalls Züge verhärten sich wieder. »Man besorgt sich nicht mal eben so schnell gefälschte Ausweispapiere. Das dauert. Wie lange planst du schon, dich aus dem Staub zu machen, Lara?«

»Ich bin grundsätzlich gern vorbereitet. Du arbeitest in einer gefährlichen Branche«, sagt Lara ruhig, gleichzeitig liegt in ihren Augen ein wachsamer Ausdruck, den ich nicht ganz deuten kann – so als wäre sie sich bewusst, dass sie jetzt auf keinen Fall etwas Falsches sagen darf. Plötzlich kommt mir der Gedanke, dass Lara vielleicht kein Problem mit dem Nebenberuf ihres Verlobten hatte, weil sie darin eine Chance gesehen hat, sich selbst ein neues Leben zu finanzieren.

»Ich hatte Angst«, sagt sie. »Aber ich liebe dich, Tommy. Du weißt, dass es so ist.« Sie sieht ihn mit einem Lächeln an, bei dem ich gestern noch dahingeschmolzen wäre. »Ich verstehe, warum du wütend bist. Ich weiß, dass ich Fehler gemacht habe, aber du hast auch welche gemacht. Ich glaube, wenn wir den ganzen Druck, dem wir in dieser Kleinstadt voller eingebildeter Bonzen ausgesetzt sind, hinter uns lassen würden, könnten wir alles, was zwischen uns schiefgelaufen ist, wieder in Ordnung bringen. Und du hast dir eine Auszeit verdient, meinst du nicht auch? Du hast so hart gearbeitet. Okay. Das ist also Möglichkeit Nummer eins. Wir suchen uns einen hübschen Strand, genießen unser Leben und hören auf, uns ständig Sorgen zu machen.«

Coach Kendalls Blick zuckt zwischen Lara, Ivy und mir hin und her. Er scheint ihr diesen Quatsch tatsächlich abzukaufen, und obwohl das für uns gut ist, finde ich es auch ziemlich schockierend. Nicht dass mir entgangen wäre, was für ein absoluter Volltrottel ich selbst gewesen bin, aber das hier ist ein komplett anderes Level. »Interessante Idee«, sagt er. »Allerdings wäre dann die ganze Arbeit der letzten Jahre umsonst gewesen. Wie lautet Möglichkeit Nummer zwei?«

Unwillkürlich beuge ich mich ein Stück vor, weil ich selbst gespannt bin. Ich bin der Letzte, der etwas dagegen hätte, wenn die beiden das Weite suchen würden, trotzdem hoffe ich, dass Lara noch einen besseren Vorschlag in der Hinterhand hat – nämlich, dass Coach Kendall sich der Polizei stellt. Das ist wahrscheinlich pures Wunschdenken, aber er scheint Wachs in ihren Händen zu sein. Wenn ihn jemand davon überzeugen könnte, dann sie.

Sie deutet mit einem Nicken in Ivys und meine Richtung und sagt: »Häng die Sache jemand anderem an. Zum Beispiel den beiden hier.«

Nein. Nein! Nein nein nein nein nein!!

Lara redet weiter, als hätte sich die Welt gerade nicht einmal blitzschnell um ihre eigene Achse gedreht. »Sie gilt ja als ziemlich kluges Mädchen, oder?« Ihr Blick wandert kurz zu Ivy. »Zumindest hält sie sich für klug. Aber in Wirklichkeit ist sie ein rachsüchtiges kleines Miststück. Schon jetzt glaubt die halbe Stadt, dass sie Brian umgebracht hat. Es wäre bestimmt nicht weiter schwer, die Leute davon zu überzeugen, dass sie auch mit Drogen gedealt hat, vor allem, wenn wir dafür sorgen, dass der Maßstab realistisch bleibt. Sie muss ja nicht gleich ein ganzes Drogennetzwerk betrieben haben; sie und Cal und ein paar gestohlene Rezeptblöcke würden schon reichen.« Obwohl ihr Mund reines Gift versprüht, klingt Laras Stimme honigsüß. »Wir müssten nichts weiter tun, als ein paar Beweisstücke bei ihnen zu Hause zu deponieren, den beiden eine Überdosis zu verpassen und den Dingen ihren Lauf zu lassen.«

Ivy gibt einen erstickten Laut von sich, während Lara Coach Kendall mit großen Kulleraugen ansieht und sich eine Haarsträhne um den Finger wickelt. »Das ist jetzt natürlich nur die Kurzfassung, aber die Details können wir zusammen ausarbeiten. Die Hauptsache ist, dass wir die Situation dadurch unter Kontrolle bringen. Es wäre niemand in die Sache verwickelt, mit dem du arbeitest. Außer den beiden ...«, sie zeigt auf Ivy und mich, »weiß kein Mensch, dass du etwas mit der Geschichte zu tun hast oder dass ich in dem Atelier gearbeitet habe, in dem Brian gestorben ist. Bis auf Dominick natürlich, aber der wird schweigen. Er hat ein wasserdichtes Alibi, weil er irgendwo auswärts einen Vortrag gehalten hat, und will ganz bestimmt keine Schwierigkeiten.«

Mateo und Charlie wissen Bescheid, denke ich, sage es aber nicht laut. Es ist für alle besser, wenn Lara weiterhin glaubt, ich hätte niemandem gesagt, dass sie das Atelier mitbenutzt.

Coach Kendall schweigt eine gefühlte Ewigkeit lang, während ich verzweifelt versuche, ihm telepathisch Möglichkeit Nummer eins ins Gehirn zu pflanzen: *Entscheide dich dafür, zu verschwinden.* Mir ist klar, dass das keine Garantie dafür ist, dass Ivy und ich es hier lebend rausschaffen, aber die Chancen stehen tausendmal besser als mit der anderen Option.

Irgendwann lächelt er. Dieser erbärmlich, leichtgläubige Dreckskerl *lächelt* und sagt: »Ich mag den Klang von Möglichkeit Nummer zwei.«

Ivy drückt meine Finger. Als ich zu ihr rüberspähe, deutet sie verstohlen mit einer Kopfbewegung nach unten. Ich lasse den Blick dorthin wandern, sehe aber nichts als unsere ineinander verschränkten Hände.

»Dann sollten wir keine Zeit verlieren«, sagt Lara zufrieden. »Was ist eigentlich in der Reisetasche?«

Coach Kendalls Lächeln wird hart. »Alles, was wir brauchen, um loszulegen.«

Ivy drückt meine Finger noch fester und deutet erneut mit dem Kopf nach unten. Ich verstehe einfach nicht, was sie meint. Frustration steigt in mir auf. Erst als sie den Kopf noch ein Stück weiter neigt und ihn dann nach links ruckt, kapiere ich es endlich. *Links von dir.*

Ich senke den Blick und taste über den Boden. Neben mir liegt eine Brechstange. Ich muss über sie hinweggestiegen sein, ohne sie zu bemerken. Im Gegensatz zu Ivy.

Coach Kendall und Lara reden immer noch, als ich die Finger um die Metallstange schließe. »... die kann ich doch vorbereiten«, sagt Lara gerade.

Coach Kendall sieht sie mit verengten Augen an. »Irgendetwas sagt mir, dass ich dir lieber keine Spritze mit einer tödlichen Überdosis Fentanyl anvertrauen sollte, Lara. Aber du kannst ihn fesseln.« Er nickt in meine Richtung. »Das Klebeband ist in der Seitentasche.«

Ich festige den Griff um die Brechstange und schätze den

Abstand zwischen mir und Coach Kendall ab. Die Entfernung zwischen mir und der Hand, in der er die Waffe hält, ist nicht groß; ich muss es nur schaffen, weit und kräftig genug auszuholen. Selbstzweifel und nackte Angst lähmen mich, und ich wünschte, ich hätte den Baseballschläger in meinem Kofferraum nicht nur als Vorlage für meine Comics, sondern tatsächlich irgendwann mal zum Schlagen von Bällen genutzt. Und wenn es nur ein einziges Mal gewesen wäre.

Coach Kendalls ganze Aufmerksamkeit ist auf Lara gerichtet, die gerade den Reißverschluss des Seitenfachs an seiner Reisetasche aufzieht. Der Lauf der Waffe zeigt zu Boden. Ivys Nägel graben sich in meine Handfläche, während sie in einem verzweifelten Takt meine Finger drückt. *Jetzt. Jetzt. Jetzt.*

Sie hat recht. Jetzt oder nie.

Die Brechstange fest umklammernd springe ich auf und lege meine ganze Kraft in den Hieb. Lara stößt einen gellenden Schrei aus und duckt sich weg, und mich durchflutet ein verblüfftes Triumphgefühl, als ich die Hand von Coach Kendall treffe und die Pistole auf die Garagenwand zufliegen sehe, während er vor Schmerz und Wut aufheult. *Ich hab es getan, ich hab es wirklich getan, ich …*

Im nächsten Moment schlage ich flach mit dem Rücken auf dem Betonboden auf und die Wucht von Coach Kendalls Faust bringt meine linke Schädelhälfte zum Explodieren. Okay, das Triumphgefühl währte nicht lange.

Aus dem Augenwinkel nehme ich wahr, wie Lara auf allen vieren auf die Pistole zuhechtet. Genau in der Sekunde, in der sie die Hand danach ausstreckt, wirft Ivy sich auf sie und zerrt sie mit aller Kraft zurück. Die beiden wälzen sich auf dem Boden – ein Knäuel aus fliegenden blonden Haaren und wild um sich schlagenden Gliedern. Ivy gelingt es, die Waffe außer Reichweite zu stoßen, und mir bleibt gerade noch genügend Zeit zu sehen, wie sie unter einen rostigen Rasenmäher schlittert, bevor Coach Kendall erneut mit der Faust ausholt. Ich würde ihn gern darauf hinweisen, dass es vielleicht nicht die allerbeste Idee ist, mich bewusstlos zu prügeln, wenn ihm weiter daran gelegen ist, dass *Möglichkeit Nummer zwei* funktioniert. Aber mein Sprachzentrum ist blockiert und dem Ausdruck auf seinem Gesicht nach zu urteilen, ist er sowieso über den Punkt hinaus, an dem ihn ein vernünftiges Argument noch erreichen könnte. Also versuche ich stattdessen, dem Hieb auszuweichen.

Vergeblich.

Mein Schädel explodiert ein zweites Mal. Immerhin habe ich durch meine schnelle Reaktion, verhindert, dass Coach Kendall mich k.o. schlägt, was eindeutig seine Absicht gewesen war. Ich taste mit der Hand über den Boden, suche nach etwas, *irgendetwas,* mit dem ich mich verteidigen kann. Meine Finger streifen über groben Stoff. Obwohl ein brennender Schmerz durch meinen Kopf pulsiert, kann ich noch klar genug denken, um zu ahnen, dass das die Reisetasche von Coach Kendall ist. Und mich daran zu erinnern, dass sich dort eine Spritze mit einer Überdosis… irgendeiner giftigen Substanz befindet.

Eine Substanz, die sehr hilfreich wäre, wenn ich nur drankommen könnte.

Ich winde mich unter dem Gewicht von Coach Kendall, der sich mittlerweile rittlings auf mich gesetzt und die Hände um meinen Hals geschlossen hat, und schiebe den Arm näher an die Tasche heran, bis ich unter meinen Finger den gezackten Rand eines Reißverschlusses spüre. Obwohl ich kaum noch Luft bekomme, schaffe ich es, den Zipper ein Stück aufzuziehen und meine Hand in die Tasche gleiten zu lassen. Während ich fieberhaft darin herumtaste, lässt der Druck auf meinen Hals mit einem Mal nach und wird durch einen stechenden Schmerz ersetzt, als Coach Kendall mich am Handgelenk packt.

»Netter Versuch«, knurrt er, und als er diesmal mit der Faust ausholt, bin ich der Wucht seines Schlags hilflos ausgeliefert.

Ein weißglühender Schmerz durchfährt mich, und vor meinen Augen explodieren Sterne. Dann kehrt der schraubstockartige Griff um meinen Hals zurück und mich durchzuckt der Gedanke, dass die orange blitzenden Sterne das Letzte sind, was ich je sehen werde.

Ich habe nie gelernt zu kämpfen.

Trotzdem balle ich die Hände zu Fäusten und versuche es, schlage blindlings auf Coach Kendall ein, aber jeder Treffer fühlt sich an, als würde ich auf eine Betonmauer eindreschen – schmerzhaft für mich und ohne die geringste Wirkung auf ihn.

»Nein!« Ivys Schrei dringt wie aus tausend Meilen Entfernung an meine Ohren. »Aufhören! Lassen Sie ihn los!« Der Klammergriff um meinen Hals lockert sich für einen Moment, nur um sich anschließend noch unerbittlicher zuzuziehen. Das letzte bisschen Luft weicht aus meinen Lungen und meine Arme sacken zu Boden und zucken nutzlos vor sich hin. Die orangen Blitze vor meinem Sichtfeld verdichten sich, funkeln wie Edelsteine, brennen sich grell in meine Netzhaut, bis sie von einem rhythmisch pulsierenden bläulichen Kreis verdrängt werden.

Neue Geräusche dringen zu mir durch. Sie übertönen

Ivys Schreie, Coach Kendalls Ächzen und was auch immer Lara für Geräusche von sich gibt. Es sind Stimmen, die in lautem, befehlsgewohntem Tonfall sprechen, und auch wenn ich nur ein einziges Wort herausfiltern kann – es lautet »eingekreist« und scheint mir in diesem Kontext ein gutes Wort zu sein –, klammere ich mich an diese Geräusche, an das wirbelnde Blaulicht und die Reste meines schwindenden Bewusstseins, während ich meine Finger unter den sich lockernden Griff an meinem Hals zwinge. Luft strömt in meine Lungen, und in dem Moment, in dem ich sie gierig einatme, verschwindet mit einem Mal auch das Gewicht, das mich niedergedrückt hat.

»Auf den Boden! Hinlegen! Hände über den Kopf!«, bellt eine Männerstimme, und ich höre überall hektische Schritte. Im Glauben, dass der Befehl mir gilt, versuche ich zu gehorchen, aber meine Glieder verweigern den Dienst und ich zapple wie ein sterbender Käfer keuchend auf dem Rücken, bis sich ein Paar Hände in Latexhandschuhen um meine schließen.

»Okay, ganz ruhig. Es ist vorbei«, sagt jemand. Ich kenne die Stimme nicht. Sie klingt barsch und autoritär, aber trotzdem nicht unfreundlich. »Kannst du mich hören? Der Angreifer wurde in Gewahrsam genommen. Du bist in Sicherheit.«

»Ivy«, krächze ich und schaue mich blinzelnd um. Aber vor meinen Augen tanzen immer noch leuchtende Punkte, nur dass sie jetzt alle blau sind.

»Deine Freundin ist ebenfalls in Sicherheit«, beteuert die Stimme. Ich glaube ihr und höre auf, mich zu wehren, als um mich herum alles schwarz wird und ich das Bewusstsein verliere.

Als ich wieder zu mir komme, liege ich unter freiem Himmel in eine Decke gewickelt auf dem Boden. Ich versuche, mich zu befreien, bis ich in dem über mir schwebenden Ring aus Gesichtern das von Ivy ausmachen kann. »Wie …?«, flüstere ich heiser, während mir jemand hilft, mich aufzusetzen. Mehr kriege ich aus meiner wunden Kehle nicht herausgepresst, aber Ivy scheint sofort zu verstehen, was ich meine, und greift nach meiner Hand.

»Jemand hat die Polizei verständigt«, sagt sie.

»Wer?«

»Ich weiß es nicht.« Sie zuckt mit den Schultern, wodurch ihre eigene Decke ein Stück tiefer rutscht. »Du warst nur ein paar Minuten ohnmächtig, und mir hat noch niemand was gesagt.«

Die Polizistin, die mich stützt, macht keine Anstalten, uns aufzuklären. »Du solltest dich jetzt erst mal schonen«, sagt sie stattdessen. »Der Krankenwagen ist unterwegs.«

Ich will keinen Krankenwagen, ich will Antworten. »Glaubst du, es war Daniel?«, frage ich Ivy. »Hat er sein geniales Hirn dazu benutzt, Coach Kendall auf die Schliche zu kommen?«

Ivy schnaubt leise. »Diesmal nicht. Ich hab gerade mit Trevor gesprochen. Die beiden haben völlig ahnungslos im Olive Garden gesessen, als Coach Kendall mir geschrieben hat. Daniel hat noch nicht mal mitgekriegt, dass sein Handy weg war. Die PIN zu knacken dürfte nicht weiter schwierig gewesen sein, weil alle Jungs aus dem Lacrosse-Team dieselbe verwenden, damit sie während der Spiele mit den Handys der anderen Fotos machen können.« Sie verdreht die Augen. »Diese Volltrottel.«

»Dann vielleicht Lara?« Ich hasse den hoffnungsvollen

Unterton in meiner Stimme. Ivy tut so, als wäre er ihr nicht aufgefallen, aber der Ausdruck in ihrem Gesicht verhärtet sich.

»Die hat keinen Finger gerührt, um uns zu helfen«, sagt sie bloß.

Das Funkgerät am Gürtel der Polizistin erwacht knisternd zum Leben: »Familienangehörige der Zeugen auf dem Weg.« Ich werfe Ivy einen fragenden Blick zu. Sie schluckt und schüttelt den Kopf. »Meine Eltern sitzen in einem Taxi im Stau. Das müssen deine sein.«

Ich rapple mich mithilfe der Polizistin auf und schaue mich suchend um. Die Blaulichter auf den Einsatzwagen erleuchten die Straße so hell, dass Laras verlassene Nachbarschaft wie ein Filmset wirkt. Ich kann meine Eltern nirgends entdecken, aber ich weiß, dass sie bald da sein werden, und das ist fast genauso tröstlich. Ungefähr ein Dutzend Streifenwagen stehen um uns herum, dazu Ivys Auto und …

Ich blinzle beim Anblick eines alten Buicks, der ein paar Hundert Meter entfernt steht. Nicht wegen des Wagens, obwohl ich ihn noch nie gesehen habe, sondern wegen demjenigen, der an der Karosserie lehnt. Er steht zu weit weg, als dass ich mir sicher sein könnte, aber ich schwöre bei dem Grab, dem wir gerade um Haaresbreite entronnen sind, dass es Mateo ist.

»Ist das etwa …?«, frage ich Ivy, doch dann höre ich Henrys aufgelöste Stimme meinen Namen rufen – »Cal!« –, gefolgt von einem erleichterten Freudenschrei von Wes, und alles andere muss erst einmal warten.

33

IVY

»Das ist absurd«, schimpft Dad vor sich hin, während er mit einer Gabel in seinen Rühreiern herumstochert.

Mom schenkt sich ein Glas Gemüsesaft ein. »Ignorier sie einfach.«

»Mach ich auch«, sagt Dad. Stocher-stocher-stocher. Daniel und ich werfen uns über den Küchentisch einen Blick zu und mein Bruder hält Daumen, Zeige- und Mittelfinger hoch und zählt stumm einen Countdown ab. Drei … zwei … eins …

»Es reicht!« Dad steht auf und marschiert in den Flur. Daniel und ich recken die Hälse und schauen ihm hinterher. Als er die Tür aufreißt, empfängt ihn das Blitzlichtgewitter von einem halben Dutzend Kameras. Unter der Reportermeute, deren Übertragungswagen vor unserem Haus parken, bricht hektische Geschäftigkeit aus, und als mein Vater sich aus der Tür beugt, werden ihm zig Mikrofone entgegengestreckt. »Von unserer Seite aus wird es keine weiteren Stellungnahmen geben!«, brüllt er, knallt die Tür wieder zu und kehrt schwer atmend in die Küche zurück.

Mom nippt an ihrem Saft. »Wenn du so weitermachst, sind die morgen früh noch da.«

Ich verkneife mir ein Lächeln. Dad ist immer schnell auf Hundertachtzig, genau wie ich. Ich glaube, mir war nicht klar, wie sehr wir uns in diesem Punkt ähneln, bis die Reporter vor unserem Haus ihr Lager aufgeschlagen haben. Er hat sich normalerweise nur viel besser im Griff.

Fünf Tage sind vergangen, seit die Polizei Cal und mich aus Ms Jamisons Garage gerettet hat. *Laras* Garage. Wenn man mit jemandem eine Geiselnahme durchlebt hat, spricht wahrscheinlich nichts dagegen, diejenige beim Vornamen zu nennen. Coach Kendall sitzt in Untersuchungshaft, Lara nicht. Sie hat sofort anwaltlichen Beistand gesucht und sich geweigert, auch nur ein Wort von sich zu geben, bis einer der besten Strafverteidiger des Bundesstaates sich bereiterklärt hat, sie vor Gericht zu vertreten. Mittlerweile kooperiert sie mit der Polizei, unterstützt sie beim Sammeln von Beweisen gegen ihren Verlobten, und besteht darauf, dass alles, was sie in der Garage gesagt hat, nur dem Ziel gedient hat, ihn so lange abzulenken, bis sie es irgendwie geschafft hätte, ihn zu entwaffnen. Dass sie Angst vor Coach Kendall gehabt und es nicht gewagt hätte, schon früher gegen ihn auszusagen. Die gefälschten Ausweispapiere in ihrer Tasche seien ein letzter verzweifelter Versuch gewesen, einem kaltblütigen Mörder zu entkommen, der sie niemals hätte gehen lassen. Was wahrscheinlich sogar glaubhaft klingen würde, wenn man nicht selbst dabei gewesen wäre und gehört hätte, wie sie davon gesprochen hat, mit ihm durchzubrennen und sich irgendwo an einem Palmenstrand ein schönes Leben zu machen.

Lara hat außerdem ausgesagt, dass Cal – der arme Cal, der danach zwei Tage mit einer Gehirnerschütterung im Krankenhaus lag – die Unterhaltung, die sie vor Coach Kendalls

Auftauchen bei ihr zu Hause geführt haben, vollkommen falsch interpretiert hätte.

Dass Cal *alles* falsch interpretiert hätte.

Ich glaube ihr natürlich kein einziges Wort. Ich weiß, wie entschlossen sie in der Garage mit mir um die Waffe gekämpft hat – definitiv nicht so, als hätte sie *mich davor bewahren wollen, mich selbst zu verletzen,* wie sie es darstellt. Davon abgesehen werde ich nie den Ausdruck auf ihrem Gesicht vergessen, als sie mich ein »rachsüchtiges kleines Miststück« genannt hat. Aber was Lara Jamison angeht, scheiden sich die Geister, jedenfalls bei den Leuten, die nicht aus meinem engsten Umfeld kommen. Es gibt nicht wenige, die ihr glauben, andere sind der Meinung, dass jetzt einzig und allein zählt, dass sie mit der Polizei zusammenarbeitet und gegen Coach Kendall aussagen wird.

Die Verleihung des Carlton Citizen of the Year Award wurde auf unbestimmte Zeit verschoben. Ich fühle mich deswegen immer noch total mies. Ganz zu schweigen davon, dass ich endlich reinen Tisch machen und meinen Eltern beichten musste, was ich letztes Frühjahr im »Spare Me« getan habe. Aber wenn man von dem Lacrosse-Trainer seines Bruders, der sich als skrupelloser Drogendealer entpuppt hat, als Geisel genommen wurde, wird gleich *viel* milder über einen geurteilt. Mom und Dad sind so glücklich, dass ich noch am Leben bin, dass sie darüber, dass ich im Alleingang eine Bowlinghalle in den Ruin getrieben habe, kaum mit der Wimper gezuckt haben.

»Das bringen wir wieder in Ordnung«, hat Dad gesagt und die ganze Woche über immer wieder mit Ms Reyes, seiner Versicherung und den Anwälten von Shepard Properties telefoniert. Während eines Gesprächs mit einem seiner

Anwälte ist er laut geworden, und ich habe aufgeschnappt, wie er sagte: »... dass dadurch mein *finanzieller Belastungsrahmen strapaziert wird, interessiert mich nicht.* Mich interessiert einzig und allein, was fair und angemessen ist.« Obwohl sofort wieder heftige Schuldgefühle in mir hochgestiegen sind, weil ich meinen Vater in diese Situation gebracht habe, bin ich gleichzeitig auch wahnsinnig froh, dass er der Mensch ist, der er ist. Jemand, der das, was ich angerichtet habe, *wirklich* wieder in Ordnung bringen wird. Und jemand, mit dem ich schon viel früher hätte reden können, wenn ich mich nicht so sehr von meiner Angst und Unsicherheit hätte leiten lassen.

Autumn hat mittlerweile auch rechtlichen Beistand – eine Freundin von Mateos Mutter hat den Fall *pro bono* übernommen, was bedeutet, dass sie kein Honorar für ihre Dienste nehmen wird. Christy ist zwar nicht so ein Star ihrer Zunft wie der Anwalt von Lara, aber alles andere als auf den Mund gefallen und seit Neuestem ständig in den Medien. Sie ist der Meinung, dass Resozialisierung über Bestrafung stehen sollte, was bis jetzt bei den Lokalpolitikern, die sich zu dem Fall geäußert haben, auf Zustimmung zu stoßen scheint. Ihr Fokus liegt hauptsächlich darauf, alles aufzudecken, was in Zusammenhang mit dem Lieferanten- und Verteilernetzwerk von Coach Kendall steht, statt die »kleinen Fische« wie Autumn und Charlie strafrechtlich zu verfolgen. Bei Gabe Prescott liegen die Dinge allerdings etwas anders, weil er schon seit über einem Jahr für Coach Kendall arbeitet. Stefan St. Clair hatte recht: Gabes Aufgabe bestand vor allem darin, seine Freunde und Mitschüler auszuspionieren, womit er anscheinend ein kleines Vermögen verdient hat.

Autumn geht es den Umständen entsprechend wohl ganz gut. Näheres weiß ich aber nicht, weil ich erst zweimal mit Mateo gesprochen habe, seit das alles passiert ist. Einmal auf der Polizeiwache, als wir alle unsere Aussagen gemacht haben, und das andere Mal, als ich bei ihm angerufen habe, um mich zu bedanken, dass er uns das Leben gerettet hat. Zumindest meine Angst, er würde nicht drangehen, war unbegründet.

»Ehrlich gesagt hatte ich keine Ahnung, dass ihr in Lebensgefahr wart«, hat er gesagt. »Die Polizei ist mehr oder weniger bloß auf Verdacht bei Ms Jamison vorbeigefahren, um das Haus zu durchsuchen, weil die Vermutung im Raum stand, dass Coach Kendall vielleicht Drogen dort zwischengelagert hat. Dann haben sie seinen und deinen Wagen vor dem Haus stehen sehen und bemerkt, dass in der Garage Licht brannte und ... na ja, den Rest kennst du ja.«

»Trotzdem danke«, habe ich gesagt und fand selbst, dass das ziemlich lahm klang. Es hat mich nicht überrascht, dass es ihm wichtig war, klarzustellen, wie es wirklich gewesen ist; Mateo schmückt sich nicht gern mit fremden Federn. Ein bisschen hatte ich das Gefühl, dass er damit vielleicht auch sagen wollte: *Ich habe es nicht für dich getan.* Dass er danach versucht hat, das Gespräch so schnell wie möglich zu beenden, ohne total unhöflich zu wirken, hat diesen Verdacht noch verstärkt.

Ich habe mir fest vorgenommen, mir das nicht zu Herzen zu nehmen – *es gibt Wichtigeres, Ivy* –, aber das hat nicht geklappt. Ich hatte mir so sehr gewünscht, dass unser Gespräch anders verläuft. Deswegen habe ich meinen Stolz runtergeschluckt und ihm am nächsten Tag eine Nachricht geschickt. *Falls du irgendwann reden willst, melde dich jederzeit.*

Mach ich, hat er nur zurückgeschrieben. Das war vor drei Tagen.

Ich habe auf einen Neuanfang gehofft, aber vielleicht muss ich mir das in Bezug auf Mateo wirklich ein für alle Mal aus dem Kopf schlagen.

»Lust auf eine Runde Bogenschießen?«, fragt Daniel mich, als er vom Tisch aufsteht und seinen Teller in die Spülmaschine stellt.

»Okay.« Ich räume mein benutztes Geschirr auch weg. Seit Coach Kendalls Verhaftung haben wir angefangen, auf dem Handy Multiplayer-Games zu spielen. Ich kann nicht so richtig einschätzen, was Daniel davon hat, aber mir gibt es die Möglichkeit, mit ihm so was wie eine normale Geschwisterbeziehung auszuprobieren und spielerisch in Konkurrenz zu treten, ohne mich im wahren Leben ständig mit ihm messen zu müssen.

Es hilft, dass er erstaunlicherweise in keinem dieser Spiele sonderlich gut ist. Mein Konkurrenzdenken ist also noch nicht wirklich überwunden. Na ja, Babyschritte.

»Macht das.« Mom trinkt ihren Saft aus. »Haltet einfach die Füße still, bis es der Meute da draußen anfängt, langweilig zu werden. Was sehr bald der Fall sein wird, wenn euer Vater es schafft, sich länger als immer nur zehn Minuten am Stück zusammenzureißen.«

»Diese Form der Belästigung ist geradezu kriminell. Ich sollte die Polizei rufen«, brummt Dad. »Und dieser Bastard Dale Hawkins ist an vorderster Front mit dabei und genießt jede einzelne Sekunde. Dabei war er es mit seiner unverantwortlichen Berichterstattung und den falschen Anschuldigungen, der Ivy überhaupt erst ins Licht der Öffentlichkeit gezerrt hat.«

»Es war nicht nur *seine* unverantwortliche Berichterstattung«, merkt Daniel an. »Ishaan und Zack haben auch ihren Teil dazu beigetragen. Und jetzt schlachten sie die Geschichte aus, wo sie nur können.« Die beiden senden mittlerweile von ihrem eigenen YouTube-Kanal aus, bekommen Geld von Werbesponsoren und haben die ganze Woche nichts anderes getan, als den Fall um Coach Kendall zu analysieren. Das Highlight ihrer Sendung war ein Auftritt von Emily, zu dem sie sich – gegen ein saftiges Honorar – bereiterklärt hat, um jede einzelne ihrer falschen Darstellungen richtigzustellen. Sie hat die zwei sogar dazu gebracht, sich bei mir zu entschuldigen.

Der Beitrag ist richtig viral gegangen, was natürlich toll ist. Mitzuerleben, wie meine beste Freundin zum Social-Media-Star wird, war genau die Ablenkung, die ich gebraucht habe.

»Ach was, die beiden sind praktisch noch Kinder«, schnaubt Dad. »Und sie lungern nicht vor unserem Haus herum.«

»In diesem Fall gilt für die Presse das Recht auf freie Berichterstattung, Liebling«, sagt Mom sanft. »Aber falls sie es wagen, unseren Rasen zu betreten, hast du meine ausdrückliche Erlaubnis, mit dem Gartenschlauch auf sie loszugehen. Vor allem auf Dale Hawkins.«

Daniel und ich machen es uns mit unseren Handys jeweils am anderen Ende der Couch im Wohnzimmer bequem und er startet die erste Runde Bogenschießen. Kurz darauf ploppt sein Score auf meinem Display auf: zwei Fehlschüsse, ein Volltreffer. »Du ballerst viel zu chaotisch drauflos«, sage ich, bevor ich selbst mit meinem virtuellen Bogen die Zielscheibe anvisiere. Unsere Hündin Mila, die in dem hellen Rechteck döst, das die Sonne durch die Glasschiebetür auf

den Boden malt, wacht mit einem leisen Klirren ihrer Hals-
bandmarke auf, streckt sich mit einem herzhaften Gähnen,
wirft uns einen Blick zu und schläft weiter.

»Ich bin eher so der Typ alles oder nichts«, sagt Daniel und
zieht die Füße auf die Couch.

Ich lasse mein Handy sinken und schubse sie wieder runter. »Schuhe aus.«

»*Schuhe aus*«, äfft er mich leise nach. Aber es klingt nicht
feindselig. Als er sie aufschnürt, springt mir das leuchtende
Nike-Logo ins Auge, und mir fällt wieder ein, was Cal in
Laras Unterrichtsraum über seine Sneakers gesagt hat.

»Wo hast du die eigentlich her?«, frage ich.

Daniel lehnt sich in Socken wieder ins Polster zurück.
»Wo hab ich was her?«

»Die Sneakers. Cal meinte, die würden tausend Dollar
kosten. Das war einer der Gründe, warum er dachte, du
könntest das Wiesel sein.«

Daniel verdreht die Augen. »Das war so was von komplett
daneben.«

»Okay, aber jetzt sag schon. Kosten die wirklich tausend
Dollar?«

Daniels Wangen röten sich leicht. »Wenn man sie im
Laden kauft schon, ja.«

»Aber das hast du nicht?«

»Natürlich nicht.«

»Und wo hast du sie dann gekauft?«

Er zögert kurz, bevor er sagt: »Bei eBay.«

»Ah.« Ich schieße neun Punkte, bevor es in meinem Kopf
Klick macht. »Warte mal. Die sind *gebraucht*? Du hast dir
Sneakers gekauft, die schon mal jemand anderes an den
Käsefüßen hatte?«

Der Ausdruck auf Daniels Gesicht ist Antwort genug. »Die sind kaum getragen«, protestiert er, als ich Würgegeräusche von mir gebe. »Der Verkäufer hat geschrieben, dass er sie nur einziges Mal anhatte. Mit Socken.«

»Woher willst du wissen, ob das stimmt? Und selbst wenn. Ich finde es trotzdem eklig.«

»Immer noch besser als den Neupreis dafür zu zahlen und das Wiesel zu sein.«

»Ansichtssache«, sage ich, lande einen Volltreffer und schicke meinen Punktestand an Daniel.

Er grinst, und ich lege mir das Handy auf die Knie, während er seine nächste Runde beginnt. Dass wir zusammen zocken, klingt vielleicht unspektakulär, aber in Wirklichkeit ist es eine Sensation. So was haben wir seit Jahren nicht mehr gemacht. Als meine Eltern und ich am Dienstagabend nach meiner Zeugenaussage wieder in den Empfangsbereich der Polizeiwache gekommen sind, saß Daniel da und hat auf uns gewartet. Damit hatte ich überhaupt nicht gerechnet, und es hat mich so berührt, dass ich bei seinem Anblick in Tränen ausgebrochen bin. In dem Moment, in dem Coach Kendall mich in Laras Garage gezerrt hat, habe ich ein paar schreckliche Minuten lang wirklich geglaubt, er hätte meinem Bruder etwas angetan.

Obwohl die Polizisten mir versichert hatten, dass es ihm gut geht, habe ich das erst so richtig geglaubt, als ich Daniel dort sitzen gesehen habe. Er ist aufgesprungen und hat mich umarmt und dabei ein Stück hochgehoben, als würde ich nicht mehr wiegen als ein Lacrosse-Schläger, was mich daran erinnert hat, wie fest er mich früher als kleiner Junge immer gedrückt hat. Und bei dem Gedanken musste ich noch heftiger weinen.

An diesem Abend haben wir zum ersten Mal seit langer Zeit – eigentlich seit Jahren – miteinander geredet, ohne uns zu streiten. Ich habe ihm gestanden, was ich im »Spare Me« getan habe, und mich dafür entschuldigt, dass ich vorhatte, ihn vor seinen Kumpels aus der Schule bloßzustellen. Er hat ziemlich okay reagiert und erzählt, wie hart es für ihn ist, dass er ständig so unter Leistungsdruck steht. Wir haben uns darauf geeinigt, dass wir versuchen wollen, weniger schrecklich zueinander zu sein. Das ist jetzt erst ein paar Tage her, aber ich glaube, wir schlagen uns gar nicht so schlecht.

Daniel bereitet mit konzentriert zusammengezogenen Brauen seinen nächsten Schuss vor, als mein Vater in der Tür zum Wohnzimmer auftaucht. »Es ist schön, euch so friedlich zusammen zu sehen.« Seine Stimme klingt belegt.

»Oh nein, bitte nicht«, warnt Daniel, ohne den Blick zu heben.

»Was denn?« Dad kommt rein und setzt sich zwischen uns auf die Couch. »Darf ich nicht glücklich sein, dass meine Kinder, die ich mehr als alles auf der Welt liebe, gesund und wohlauf und in Sicherheit sind?« Seine Augen schimmern leicht.

Daniel senkt seufzend sein Handy. »Ist es wieder so weit?«, fragt er, worauf Dad jedem von uns einen Arm um die Schultern schlingt und uns an seine Brust zieht.

Ja, offensichtlich ist es wieder so weit. Seit meine Eltern aus San Francisco zurück sind, hat Dad mindestens einmal am Tag so eine Anwandlung, und um ehrlich zu sein, macht mir das gar nichts aus. Da gibt es echt schlimmere Dinge.

»Ich bin so stolz auf euch«, sagt Dad mit erstickter Stimme. »Ihr habt euch so gut geschlagen.«

»Ich hab bloß im Olive Garden gesessen und Brotstangen

gefuttert«, erinnert Daniel ihn mit dumpfer Stimme, weil Dad uns immer noch an sich presst. Aber das ist nur die halbe Wahrheit. Es war alles andere als einfach für ihn, damit fertigzuwerden, was für ein Mensch sein Coach, den er immer bewundert hat, in Wirklichkeit ist. Wir haben ihm alle vertraut – unsere ganze Familie –, aber für meinen Bruder war die Enttäuschung am krassesten. »Das gilt nur für Ivy.«

Dad drückt mich noch fester an sich, und obwohl mir an seiner Brust die Luft langsam knapp wird, beschwere ich mich nicht. Was ich im »Spare Me« getan habe, wird ihn und seine Firma eine Menge Geld, Zeit und Nerven kosten, und wir wissen immer noch nicht genau, wie die Sache ausgehen wird. Außerdem sind er und Mom – als meine Erziehungsberechtigten – von der Polizei streng ermahnt worden, dass es gar nicht erst nötig gewesen wäre, mich und Cal zu retten, wenn wir gleich den Mund aufgemacht und erzählt hätten, was wir beobachtet haben. Meine Eltern haben alles Recht der Welt, wütend auf mich zu sein, und das lassen sie mich auch spüren. Aber Momente wie dieser gleichen das immer wieder aus.

»Trotzdem wäre es mir lieber gewesen, du hättest dich gar nicht erst in Gefahr gebracht, Ivy«, sagt Dad. Mila ist wieder aufgewacht und trabt jetzt vor der Couch hin und her, als würde sie nach einer Lücke suchen, in die sie sich quetschen kann, um an unserer Gruppenumarmung teilzunehmen. »Aber wie du dieses Puzzle zusammengesetzt und dabei die ganze Zeit über einen kühlen Kopf bewahrt hast ...« Seine Stimme bebt und es liegt ein staunender Unterton darin. »Dafür muss man schon etwas ganz Besonderes sein.«

Er hat es gesagt. Und es fühlt sich so gut an, wie ich es mir immer vorgestellt habe.

34

MATEO

Ich habe nie das Gefühl gehabt, dass unser Haus zu klein ist ... bis es das ganze Ausmaß der Wut meiner Mutter aufnehmen musste.

Ich kann mich nicht erinnern, sie jemals so sauer erlebt zu haben – zumindest nicht mir oder Autumn gegenüber –, dass sie sich in Rage geschrien hätte, aber als sie am Dienstag spätabends aus der Bronx zurückkam, war es so weit. Dabei war das Schreien noch nicht mal der unangenehmste Teil. Das, was wirklich wehgetan hat und immer noch wehtut, ist ihre Enttäuschung. Der Ausdruck in ihren Augen, wenn sie uns anschaut. Als wüsste sie nicht mehr, wer wir sind.

Das Gefühl kann ich nachvollziehen. Ich weiß es manchmal selbst nicht.

Zweieinhalb Wochen nach dem *Beschissensten Tag aller Zeiten* sind wir immer noch dabei, herauszufinden, wie Normalität aussieht. Wir müssen weiter abwarten, wie die ganze Geschichte für Autumn ausgehen wird, aber sie arbeitet mit der Polizei zusammen und Christy, die sie vor Gericht vertritt, ist wirklich eine großartige Anwältin. Wir sind verhalten zuversichtlich, dass sie mit einer Bewährungsstrafe und Sozialstunden davonkommen wird. Die Stunden leistet sie jetzt schon ab. In einem an ein Drogentherapie-zentrum angeschlossenen Wohnheim.

Das heißt, *wir* leisten sie ab.

»Du wirst dasselbe machen wie sie«, hat Ma aufgebracht gesagt, und ich habe mich gehütet, ihr zu widersprechen. Es hätte noch viel übler kommen können; Charlie St. Clair ist von seinen Eltern nach New Hampshire auf eine Militär-akademie geschickt worden.

Autumn und ich arbeiten jetzt also drei Nachmittage die Woche in diesem Therapiezentrum, und falls die Absicht dahinter war, dass wir uns in Grund und Boden dafür schä-men, am illegalen Handel mit Opioiden beteiligt gewesen zu sein ... tja, *Mission accomplished.* Die Tatsache, dass Autumn, Charlie und Boney ein verschreibungspflichtiges Medika-ment an wohlstandsverwahrloste Jugendliche aus Carlton verkauft haben, ist nur ein kleiner Teil eines viel größeren Problems. Das ist mir theoretisch zwar auch vorher schon klar gewesen, aber es hautnah mitzuerleben ist noch mal eine ganz andere Sache, zumal es zu meinen Aufgaben ge-hört, die Freizeitaktivitäten für die Kids mitzugestalten, die in dem Wohnheim leben. Seit ich neulich mit einem Acht-jährigen Basketball gespielt habe, der mir zwischen zwei Würfen erzählt hat, dass seine Mom gerade ihren dritten Rückfall hat, weiß ich, dass ich definitiv von allem die Fin-ger lassen werde, das stärker als Aspirin ist.

Autumn und ich sind völlig erledigt, als wir am Freitag von unserer Nachmittagsschicht nach Hause kommen, und erleichtert, dass wir das Haus für uns haben. Ma hat einen Termin mit James Shepard — die beiden haben sich diese Woche fast jeden Tag getroffen —, sie ist also nicht da, um uns mit dauerstrafendem Blick zu betrachten.

»Arbeitest du heute Abend?« Autumn tritt sich ihre Sneakers von den Füßen und lässt sich auf die Couch fallen. Die Spuren des Einbruchs sind mittlerweile beseitigt; als wir mit Aufräumen anfingen und festgestellt haben, dass die meisten Möbelstücke die Verwüstung überlebt haben, war ich total erleichtert. Wir mussten zwar ein paar Sachen neu anschaffen, vor allem für die Küche, aber die Kosten hat die Versicherung übernommen. Es hat sich herausgestellt, dass der Versicherungsschutz, den Ma für unser Haus abgeschlossen hat, besser ist als der, den sie für die Bowlinghalle hatte.

Ich lasse mich ans andere Ende der Couch fallen. »Ja, aber erst um sieben.« Seit wir wissen, dass es wegen Ivys Babyöl-Aktion im »Spare Me« zu einem außergerichtlichen Vergleich kommen wird, haben wir beide nur noch einen Job. Ich habe mich entschieden, den im Garrett's zu behalten, obwohl ich dafür den weiten Weg in Kauf nehmen muss, und Autumn fährt weiter die Killerkiste. Mr Sorrento hat unglaublich viel Verständnis für ihre ganze Situation gezeigt. »Und was ist mit dir?«

Sie reibt sich gähnend die Augen. »Ich hab heute Abend frei.«

»Hast du was vor?«, frage ich.

Autumn schnaubt. »Klar, jede Menge. Netflix, Eiscreme und Gabes Kopf aus allen meinen Fotos rausschneiden und verbrennen. Das volle Programm.«

»Klingt super. Gib Bescheid, wenn du beim letzten Punkt Hilfe brauchst.« Meine Cousine hat Gabe sofort in die Wüste geschickt, als sie erfahren hat, dass er Coach Kendall meinen Namen genannt hat. Vielleicht hätte sie ihm sogar noch eine Chance gegeben, wenn er *nur* als das Wiesel entlarvt worden wäre – schließlich war sie selbst ja auch in Kendalls Machenschaften verstrickt –, aber dass Gabe mich in Lebensgefahr gebracht hat, hat sein Schicksal besiegelt. Das vielleicht einzig Gute an dieser ganzen Katastrophe ist, dass wir Loser-Gabe endlich los sind.

»Wie kommst du ins Garrett's?«, erkundigt sich Autumn.

Ich unterdrücke ein Seufzen. »Dad fährt mich.«

Mein Vater hat – ausnahmsweise – Wort gehalten und wohnt jetzt tatsächlich wieder in Carlton. Er arbeitet für das White & West Music Emporium, macht wie immer einen auf jung und tut so, als wären wir die besten Buddys – kotz. Ganz schön hart, so über seinen eigenen Vater zu reden, ich weiß. Hätte er mal früher angefangen, sich für das Leben seines Sohns zu interessieren, zum Beispiel vor ein paar Monaten, wäre vielleicht alles anders gekommen, aber so empfinde ich seine plötzliche väterliche Aufmerksamkeit irgendwie als überflüssig und aufdringlich.

Ich treffe mich trotzdem mit ihm, weil Ma es so will und ich zurzeit alles vermeide, was sie sauer machen könnte.

»Aber es ist echt blöd, dass …«, beginne ich, als die Tür aufgeht und Ma reinkommt. Wie so oft in den letzten beiden Wochen verfallen Autumn und ich sofort in betretenes Schweigen. Als sie sich in einen Sessel sinken lässt, versuche ich einzuschätzen, wie sie heute drauf ist. Kann es sein, dass sie ein bisschen weniger grimmig aussieht als in den letzten Tagen?

»Wart ihr im Therapiezentrum?«, fragt sie. Wir nicken beide stumm wie Marionetten. »Gut.« Sie massiert sich ihr Knie, wirkt dabei eher gedankenverloren und nicht, als hätte sie Schmerzen. Dass sie ihre Medikamente mittlerweile regelmäßig nehmen kann, scheint einen Riesenunterschied zu machen. »Ich glaube, es ist Zeit, dass wir drei uns unterhalten.«

Autumn und ich werfen uns einen Blick zu. »O-kay«, sage ich vorsichtig.

Ma lächelt schmallippig. »Ich bin so unfassbar wütend auf euch gewesen ...« Sie verstummt, als wüsste sie nicht mehr weiter.

»Ist uns nicht entgangen«, sage ich, worauf Autumn mir einen Tritt verpasst und ich den Mund halte.

»Und das bin ich immer noch.« Ma seufzt. »Was ihr getan habt, war ... Okay, ich hab mir vorgenommen, euch keine weitere Strafpredigt zu halten.« Sie atmet tief durch. »Es ist nämlich so ... Als ich mich mit James Shepard getroffen und die nächsten Schritte mit ihm besprochen habe, hatte ich plötzlich den Gedanken im Kopf, dass ich euch womöglich kein gutes Vorbild gewesen bin.«

»Wie bitte?« Ich beuge mich stirnrunzelnd vor. »Das absolute Gegenteil ist der Fall.«

»Das habe ich mir gern eingeredet, ja«, sagt Ma. »Aber im Grunde habe ich euch vor allem beigebracht, immer alles allein zu regeln und nie andere um Hilfe zu bitten. Als wäre es etwas Verwerfliches, Unterstützung zu brauchen. Ich wollte euch zu starken, unabhängigen Menschen erziehen, und das ist mir wohl auch gelungen, aber ihr habt es übertrieben. Genau wie ich.« Sie verlagert das Gewicht im Sessel. »Ich werde euch jetzt etwas erzählen. Es fällt mir nicht gerade leicht, es zuzugeben, aber bevor das »Spare Me« verklagt wurde, hatte ich schon eine Weile darüber nachgedacht, den Laden dichtzumachen. Die Belastung, ganz allein so einen Betrieb zu leiten ... Mir war das alles zu viel geworden. Ich war erschöpft und hatte Lust, etwas Neues auszuprobieren. Aber ich wusste nicht, wie ich euch das sagen sollte. Es hätte sich wie ein Eingeständnis angefühlt, versagt

zu haben. Dann haben die DeWitts mich verklagt und ...
ich habe nicht so hart und entschlossen gekämpft, wie ich es
hätte tun können. Ich war nicht ausreichend versichert, ja,
aber ich hätte es trotzdem schaffen können, das ›Spare Me‹
weiterzuführen. Ich habe mich dagegen entschieden. Und
darüber hätte ich mit euch reden müssen.«

Sie lehnt sich im Sessel zurück, als wollte sie das Wort
jetzt an uns weitergeben, aber ich bin immer noch zu sehr
damit beschäftigt zu verarbeiten, was sie gerade gesagt hat.
Autumn scheint es genauso zu gehen. Sie zupft an einer
Haarsträhne und trommelt mit dem Fuß auf den Boden.
»Heißt das, du ... *wolltest*, dass das ›Spare Me‹ vor die Hunde
geht?«, frage ich schließlich.

»So hätte ich es zu dem Zeitpunkt wohl nicht ausgedrückt«, sagt Ma. »Aber wenn ich heute zurückschaue,
glaube ich, dass es unterbewusst wahrscheinlich genau so
war.« Ihre Züge werden weicher, als sie unsere verwirrten
Gesichter sieht. »Ich weiß, wie viel das ›Spare Me‹ euch beiden bedeutet hat. Die Halle hat all die Jahre einen enormen
Platz in unser aller Leben eingenommen. Ich war stolz auf
das, was ich aufgebaut hatte und dass wir so ein gutes Team
waren, aber ich war auch am Ende meiner Kräfte. Und
genau darauf will ich hinaus.«

Autumn legt die Stirn in Falten. »Worauf genau?«

»Dass ich es vorgezogen habe, auf ganzer Linie zu schei-
tern, statt zuzugeben, dass ich Hilfe brauche. Was nicht gut
ist, versteht ihr? Weil ich diese Charaktereigenschaft an euch
weitergegeben habe.« Ihre dunklen Augen halten meinen
Blick fest. »Es ist nicht grundsätzlich etwas Schlechtes, stolz
und stur zu sein. Das hilft einem, sein eigenes Ding zu
machen. Aber als ich krank wurde, ist alles zusammen-

gebrochen, und keiner von uns hatte gelernt, mit so einer Situation umzugehen.«

Autumn kaut auf ihrer Unterlippe. »Tante Elena, es ist nicht deine Schuld, dass ich ...«

»Ich sage nicht, dass es meine Schuld ist«, unterbricht Ma sie. »Ich sage, dass ich euch beiden eine Verhaltensweise vorgelebt habe, die nicht gesund ist. Und damit ist jetzt Schluss.« Sie beugt sich vor und ihre Augen beginnen zu leuchten. »James hat mir *Carte blanche* für den Carlton Entertainment Complex gegeben. Ich habe völlig freie Hand. Ich könnte die Pläne dafür sogar komplett verwerfen und stattdessen das ›Spare Me‹ wieder neu aufbauen. Aber das will ich gar nicht. Mir gefällt das Konzept; es ist wirklich gut durchdacht. Mir gefällt James Vision, und deshalb habe ich mich entschlossen, sein Angebot anzunehmen und mich von Shepard Properties als Geschäftsführerin des CEC anstellen zu lassen.«

Sie wartet gespannt auf unsere Reaktion. »Dann arbeitest du in Zukunft also für Ivys Dad?«, frage ich. Ich weiß nicht, warum ich ihn so genannt habe, statt einfach *James* zu sagen. Könnte vielleicht ein Hinweis darauf sein, bei wem ich in letzter Zeit ständig mit meinen Gedanken bin.

»Genau. Das ist ein fantastischer Job mit großartigen Benefits und Sozialleistungen. Mit der neuen Krankenversicherung wird die Zuzahlung für meine Medikamente zum Beispiel tatsächlich nur noch *zwanzig* Dollar betragen.« Sie wirft Autumn einen Blick zu, die sich plötzlich wahnsinnig für einen losen Faden im Couchkissen interessiert. »Und ich freue mich unglaublich darauf, als Teil eines Teams zu arbeiten. Das ist genau die Veränderung, die ich aktuell in meinem Leben brauche. Und *ihr* braucht sie auch, weil es nicht zu euren Aufgaben gehört, für den Unterhalt der Familie zu sorgen. Es tut mir leid, dass ich zugelassen habe, dass ihr das gedacht habt.«

Wir sind alle einen Moment still und lassen ihre Worte sacken. So ganz greifen kann ich es noch nicht. Zum Beispiel, dass das »Spare Me«, das für mich immer das Fundament unserer Familie gewesen ist, für meine Mutter zu einer Belastung geworden war. Aber diese Vorstellung loslassen zu müssen, löst gleichzeitig auch ein Gefühl der Erleichterung aus. Weil mir das vielleicht ermöglicht, auch ein paar andere Dinge loslassen zu können.

»Unser Leben kommt wieder in Ordnung. Sogar mehr als nur in Ordnung«, sagt Ma mit fester Stimme. »Ich bin sehr zuversichtlich, was die Gerichtsverhandlung angeht, Autumn. Ich weiß, man soll den Tag nicht vor dem Abend loben, aber ich glaube, deine aufrichtige Reue und die Tatsache, dass du dich freiwillig gestellt hast, werden definitiv Gewicht haben. In der Zwischenzeit habe ich die Chance, etwas Neues aufzubauen, und bitte glaubt mir, wenn ich sage, dass ich darüber wirklich glücklich bin.« Sie wirft mir einen letzten scharfen Blick zu. »Deswegen möchte ich, dass ihr mit dem, was letztes Frühjahr bei Patrick DeWitts Geburtstagsfeier im ›Spare Me‹ passiert ist, Frieden schließt und jede Feindseligkeit gegenüber den Beteiligten begrabt. Es steht uns nicht zu, über andere zu urteilen. Okay?«

Wir murmeln beide etwas Zustimmendes und Ma steht auf. »Gut«, sagt sie. »Ich ruhe mich noch ein bisschen aus und danach kümmere ich mich ums Abendessen.« Sie verschwindet die Treppe hoch. Autumn sieht mich an und wartet, bis wir hören, wie die Tür von Mas Zimmer ins Schloss fällt.

»Puh«, sagt sie. »Das muss ich alles erst mal verdauen.«

»Geht mir genauso.« Ich massiere die Stelle an meiner Schläfe, wo Charlies Hieb mit dem Golfschläger eine kleine Narbe hinterlassen hat.

»Aber ich glaube … ich glaube, das heißt, alles ist gut, oder?«, sagt sie vorsichtig. »Tante Elena wirkt echt glücklich.«

»Sehe ich auch so.«

Autumn flicht die Fransen des Couchkissens zu Zöpfen. »Geschäftsführerin vom CEC. Wow. Wer hätte das gedacht?«

»Wenn es nach mir ginge, müsste sie als Erstes diesen unsäglichen Namen ändern«, sage ich. Autumn prustet und wirft mir einen Blick von der Seite zu.

»Vielleicht … könntest du ja jetzt endlich einer gewissen Person zurückschreiben, statt weiter mit finsterer Miene durch die Gegend zu laufen.«

»Das ist meine normale Miene«, gebe ich zurück, worauf Autumn schnaubend den Kopf schüttelt. »Es hat nichts mit dem zu tun, was Ivy im ›Spare Me‹ getan hat«, sage ich. »Meine Wut war in dem Moment weg, in dem mir klar wurde, dass sie fast gestorben wäre.« Mir wird immer noch schlecht vor Angst, wenn ich es nur ausspreche. Coach Kendall war an dem Abend jenseits von Gut und Böse und bereit, alle umzubringen, die seinen Plänen im Weg standen. Dann wären die letzten Worte, die ich zu Ivy gesagt hätte, *Du bist erbärmlich und ich will nie wieder etwas mit dir zu tun haben* gewesen.

»Warum redet ihr dann nicht?«, fragt Autumn.

Ich lasse mich tiefer ins Polster sinken. »Wegen der ganzen Sachen, die ich ihr in Cals Wagen an den Kopf geworfen habe. Wie soll man so was denn ungesagt machen?«

»Gar nicht«, sagt Autumn. »Aber man kann sich entschuldigen. Es ist ihre Entscheidung, ob sie die Entschuldigung annimmt oder nicht, aber ich glaube, das wird sie.« Als ich nichts erwidere, tippt sie sich gespielt nachdenklich mit dem Finger ans Kinn. »Hmmm … Was hat Tante Elena vorhin noch mal gesagt, warum in unserer Familie alles den Bach runtergegangen ist? Mir liegt es auf der Zunge, aber … ah! Ging es da nicht um *Stolz* und *Sturheit* …?

»Halt die Klappe«, sage ich und werfe ein Kissen nach ihr, um mein Grinsen zu verstecken.

Dadurch dass mein Vater mich heute Abend zum Garrett's fährt, bleibt mir genügend Zeit, vorher noch etwas anderes zu erledigen.

In Ivys Einfahrt stehen die Wagen der Familie, also parke ich auf der Straße. Als ich auf das Haus zugehe, sehe ich sie mit einem Buch im Erkerfenster ihres Zimmers sitzen. Die Haare fallen ihr offen über die Schultern – Charlie hatte recht, das steht ihr wahnsinnig gut – und bei ihrem Anblick zieht sich meine Brust zusammen.

Ich bin nur noch ein paar Schritte von den Stufen zur Veranda entfernt, als ich zögernd stehen bleibe. Ivys Eltern sind eindeutig zu Hause, und ich weiß ehrlich gesagt nicht, ob ich gerade in der Lage bin, mich mit ihnen zu unterhalten. Ich bin mir immer noch nicht sicher, wie ich dazu stehe, dass Mom Geschäftsführerin vom CEC werden soll. Immerhin habe ich ganz schön viel Zeit damit verbracht, dieses Projekt zu hassen. Außerdem bin ich im Moment immer etwas überfordert, wenn ich James Shepard begegne. Seit er und seine Frau aus San Francisco zurück sind, habe ich ihn zweimal gesehen, und beide Male hat er mir einen

Arm um die Schulter geschlungen und zu allen Umstehenden gesagt: »Was für ein großartiger junger Mann! Was hätten wir nur ohne ihn getan?« Und dabei haben in seinen Augen Tränen geglitzert. Er meint es nur gut, das weiß ich, aber es wäre mir lieber, dieses Szenario zu umgehen, bevor ich mit Ivy spreche.

Der Weg ist mit Kieselsteinen eingefasst, und ich überlege, ob ich einen aufheben und an Ivys Fenster werfen soll, damit sie zu mir runterschaut. Aber wäre das nicht megakitschig? Abgesehen davon sind die Steine zu einem regelmäßigen Muster angeordnet – es würde bestimmt auffallen, wenn einer fehlt. Und was, wenn ich zu hart werfen und die Scheibe dabei zu Bruch gehen würde …

»Willst du da unten Wurzeln schlagen?«, ruft jemand.

Ich hebe den Kopf und sehe, dass Ivy das Fenster aufgemacht hat und sich rausbeugt. »Vielleicht«, rufe ich zurück. Mein Puls hat sich sofort beschleunigt, als ich den singenden Tonfall in ihrer Stimme gehört habe. Sie scheint sich zu freuen, mich zu sehen. »Bin noch in der Entscheidungsphase.«

»Okay«, sagt sie und stützt die Unterarme auf das Fenstersims. »Halt mich auf dem Laufenden.«

»Mach ich.« Ich ziehe das, was ich auf dem Weg hierher besorgt habe, aus der Hosentasche und halte es hoch. »Ich hab dir übrigens was mitgebracht.«

»Sind das … Sugar Babies?«, fragt sie.

»Yep.«

Selbst aus der Entfernung kann ich erkennen, dass sie über das ganze Gesicht strahlt. »Mehr hast du nicht auf Lager, was?«

»Leider nicht«, gebe ich zu.

»Hat trotzdem funktioniert«, sagt sie. »Bin in einer Minute unten.«

35

CAL

Die Gerüchteküche an der Carlton High kocht über – Lehrkraft gibt wachsendem Druck nach und reicht Kündigung ein.

Es ist Samstag Morgen, und ich sitze knapp einen Monat, nachdem Coach Kendall versucht hat, mich in Laras Garage umzubringen, am Küchentisch, starre auf die Überschrift des Artikels auf Boston.com und frage mich, ob ich mich jemals daran gewöhnen werde, Ursache für eine *brodelnde Gerüchteküche* zu sein.

Ich dachte, es wäre ziemlich offensichtlich, was zwischen Lara und mir passiert ist. Aber das Äußerste, was sie zugibt, ist, eine »zu große Nähe« zugelassen zu haben, die aber nicht über ein paar Handynachrichten und gelegentliche Treffen außerhalb der Schule hinausgegangen sei. Da ich wusste, dass die Polizei die Daten auf ihrem Handy auswerten würde, habe ich noch mal alle unsere Nachrichten gelesen, um auf das vorbereitet zu sein, was dabei ans Licht kommen würde, und da ist mir klar geworden, wie vorsichtig sie immer gewesen ist. Ich stehe jetzt als liebeskranker Teenager da – was ich, wie man fairerweise sagen muss, auch war – und Lara als einfühlsame, aber letztlich die Grenzen achtende Erwachsene.

Aber meine Eltern glauben mir. Zu einhundert Prozent, und sie kochen vor Wut.

Wes, der mir mit einem dampfenden Becher Kaffee gegenübersitzt, behält mit vorsichtigem Blick meine Reaktion auf den Artikel im Auge. »Es wird immer noch mit zweierlei Maß gemessen, wenn es darum geht, in einer Frau eine Sexualstraftäterin zu sehen«, sagt er schließlich.

So bezeichnet er Lara immer wieder, und obwohl ich mich anfangs dagegen gesträubt habe, verstehe ich ihn mittlerweile. Es ist vor allem ihr jetziges Verhalten, das sie entlarvt – wie sie ständig die Wahrheit verdreht, damit sie in das Bild passt, das sie von sich zu verkaufen versucht: die nützliche Zeugin, die unendlich erleichtert und dankbar ist, endlich ihrem dominanten Ex-Verlobten entkommen zu sein, und alles in ihrer Macht Stehende tut, um seine Verbrechen irgendwie wiedergutzumachen.

»Wenigstens hat sie gekündigt«, sage ich.

Wes und Henry haben eine Zeit lang überlegt, sie wegen übergriffigen Verhaltens anzuzeigen. Vielleicht wäre es die richtige Entscheidung gewesen, aber die Vorstellung, dass unsere Beziehung noch genauer unter die Lupe genommen werden würde als sowieso schon, hat mich so belastet, dass sie davon Abstand genommen haben. Jetzt wollen sie zumindest dafür sorgen, dass sie ihre Zulassung als Lehrerin verliert. Die Carlton High hatte sie schon vor ihrer Kündigung suspendiert und bekanntgegeben, Untersuchungen gegen sie einleiten zu wollen.

Ich lese den Artikel weiter. Viel Neues steht nicht drin. Lara hat zugegeben, dass sie eine Affäre hatte, während sie mit Coach Kendall verlobt war, weigert sich aber, den Namen des anderen Mannes preiszugeben, und nachdem er für die laufenden Ermittlungen auch nicht relevant ist, lässt die Polizei das so stehen. Wir werden also höchstwahrscheinlich nie erfahren, wer D. ist, aber ich sage mir, dass mich das sowieso nicht mehr interessiert.

Wes legt stirnrunzelnd die Hände um seinen Kaffeebecher. »Ich weiß, dass diese Frau die Polizei mit wertvollen Informationen versorgt, trotzdem würde ich mir wünschen, dass sie das nicht selbst vor einer Strafe bewahren würde«, sagt er.

Ich gehe nicht darauf ein, weil ich wirklich dringend einen Themenwechsel brauche. Wir haben das alles schon ausführlich besprochen. Mehrfach. Und auch wenn ich für die Unterstützung unglaublich dankbar bin – meine beiden Dads haben sich großartig verhalten, wenn man bedenkt, wie krass ich sie angelogen habe –, brauche ich zwischendurch eine Pause vom Medienhype um den Fall und meine ganz spezielle Rolle darin. Ich wische den Artikel zur Seite, öffne meine Nachrichten und tippe auf die, die Ivy mir um zwei Uhr morgens geschickt hat. »Hast du gewusst, dass man durchschnittlich sechs Monate seines Lebens damit verbringt, an roten Ampeln zu stehen und auf Grün zu warten?«, frage ich Wes.

Er akzeptiert den Themenwechsel mit einem Lächeln. »Ist das ein Ivy-Faktoid?«

»Ja.« Sie schickt mir jetzt wieder regelmäßig unnützes Wissen, was mich richtig glücklich macht. Ich schicke ihr dafür Ausschnitte aus meinem neusten Web-Comic. *Der Beschissenste Tag aller Zeiten* ist mit Abstand der dunkelste, wütendste und emotionalste Strip, an dem ich je gearbeitet habe. Und auch, jedenfalls laut Ivy, der beste.

»Schön, dass du dich wieder mit deinen alten Freunden

triffst.« Wes nimmt einen tiefen Schluck von seinem Kaffee. »Und neue Freundschaften schließt.«

Ich war unsicher, wie die Leute mich behandeln würden, als ich nach meiner Entlassung aus dem Krankenhaus wieder in die Schule zurückgekommen bin. Ob sie mich als Held sehen würden, weil ich es – wenn auch ziemlich übel zugerichtet –, lebend aus der Garage geschafft hatte, oder ob ich dank der Tatsache, dass Lara alles, was zwischen uns gewesen ist, abstreitet, den Loser-Stempel aufgedrückt kriegen würde. Ich hab es ziemlich schnell rausgefunden, als ich morgens den Flur zu meinem ersten Kurs entlanggelaufen bin und ein paar Typen aus meiner Stufe aus voller Kehle »Hot for Teacher« von Van Halen gesungen haben. Alle lachten, und ich hätte mich am liebsten unsichtbar gemacht und konnte nur noch daran denken, wie ätzend der Rest meines letzten Schuljahrs werden würde. Dann hat mir plötzlich jemand einen Arm um die Schulter geschlungen.

»Denkt noch nicht mal dran, meinem Bro hier das Leben schwer zu machen«, hat Ishaan Mittal der Meute warnend zugerufen und mich von ihr weggezogen. In die falsche Richtung, aber das war mir in dem Moment egal. Durch den YouTube-Kanal ist Ishaan an der Carlton High zum Star geworden, und seit er mich zu seinem *Bro* erklärt hat – was eigentlich ein ziemlicher Joke ist, weil er in dem Beitrag, der bislang die meisten Views hat, noch nicht mal wusste, wer ich überhaupt bin –, hat es tatsächlich niemand mehr gewagt, über mich zu lachen. Seitdem lädt er mich ständig ein, zu irgendwelchen Events mitzukommen, und obwohl ich mich nur ab und zu mit ihm treffe, muss ich zugeben, dass ich ganz gern mit ihm abhänge. Es sei denn, er versucht mal wieder, mich dazu zu überreden, in seine Sendung zu kommen.

Außerdem ist es schön, zwischendurch auch mal mit anderen Leuten Zeit zu verbringen. Ivy und Mateo haben ihr unterbrochenes Liebesepos wieder aufgenommen, und ich freue mich wirklich ehrlich für sie, hab aber nicht immer Lust, das fünfte Rad am Wagen zu sein, auch wenn sie mir noch nicht mal ansatzweise dieses Gefühl geben.

»War mir übrigens ein Vergnügen«, habe ich gestern zu Ivy gesagt, als sie neben mir durch den Flur schwebte, nachdem sie sich gerade bei den Schließfächern von Mateo verabschiedet hatte.

»Hmmm?«, hat sie verträumt erwidert.

»Wärt ihr beiden schon in der Achten zusammengekommen, hättet ihr einen Monat später Schluss gemacht«, habe ich gesagt. »Meine Intervention hat dafür gesorgt, dass ihr erst an dem Punkt in eurem Leben ein Paar geworden seid, an dem Beziehungen nicht mehr nur in Wochen gerechnet werden.«

Sie hat noch nicht mal versucht zu widersprechen, was beweist, wie viel entspannter sie in letzter Zeit geworden ist.

Ivy und ich haben direkt wieder unsere alten Rituale aufgenommen, mit Mateo versuche ich neue zu entwickeln. Als ich über meine Sugar-Babies-Sabotage damals nachgedacht habe, ist mir bewusst geworden, dass ich ihn immer ein bisschen als Bedrohung empfunden habe. Nicht als Konkurrent, was Mädchen angeht, sondern in Bezug auf unsere Dreierfreundschaft. Ich dachte, Ivy und ich würden uns in unserem Trio am nächsten stehen, und es hat mich verletzt, als mir klar wurde, dass das ein Irrtum war. Also habe ich versucht, unsere Zweisamkeit zu beschützen, statt ihr Raum zu geben, damit sie sich entfalten kann. Aber nach allem, was wir drei mit Coach Kendall durchgemacht haben, kann ich eindeutig sagen, dass Ivy und ich zwar ein gutes Team sind, aber noch besser funktionieren, wenn Mateo uns ausgleicht.

Als ich jetzt die Nachricht lese, die ich gerade von ihm bekommen habe, steigt Enttäuschung in mir hoch. *Hab niemanden gefunden, der mit mir die Schicht im Therapiezentrum tauscht, deswegen schaffe ich es doch nicht auf die Ausstellung. Tut mir echt leid.*

Mach dir keinen Kopf, schreibe ich seufzend zurück. *Der Job dort geht vor.*

Wes, der mittlerweile wie ein hyperempfindlicher Stimmungsseismograf jede noch so kleine Erschütterung in meinem Gefühlsleben wahrnimmt, stellt seine Kaffeetasse ab. »Was ist?«

»Nichts Tragisches«, sage ich. »Mateo kann heute Abend nicht zur Kusama-Ausstellung mitkommen. Und Ivy ist schon mit Emily verabredet, also werde ich wohl allein hingehen.«

Ich hatte Anfang September Karten für die Ausstellung der japanischen Künstlerin Yayoi Kusama im Institute of Contemporary Art in South Boston besorgt, als ich noch dachte, dass Lara und ich sie uns vielleicht zusammen anschauen könnten. Kusama ist unter anderem für ihre Licht- und Spiegelinstallationen, den *Infinity Mirror Rooms,* bekannt. Diese Unendlichkeitsräume sollen eine einzigartige Erfahrung sein. Allein schon die Bilder im Netz haben einen totalen Kreativschub in mir ausgelöst, und ich habe es kaum erwarten können, mir die Ausstellung in echt anzuschauen. Aber der Gedanke, danach mit niemanden darüber reden zu können, nimmt mir ein bisschen den Schwung.

»Und wenn du einfach noch ein drittes Ticket für Emily besorgst?«, fragt Wes.

»Keine Chance. Die Tickets waren innerhalb von Sekunden ausverkauft.«

»Warum fragst du nicht, ob einer von deinen neuen Freunden Zeit hat?«

»Ähm ...« Ich scrolle ein Stück nach oben zu der Nachricht, die Ishaan mir vorhin geschickt hat. *Gehst du heute Abend auf Lindsays Party?* »Ich glaub nicht, dass meine neuen Freunde sich für so was interessieren.«

»Fragen schadet ja nichts«, sagt Wes fröhlich.

Schätze, da ist was dran. Also schicke ich Ishaan einen Link zur Kusama-Seite vom ICA und schreibe: *Kann nicht, gehe auf diese Ausstellung. Ich hab aber noch ein Ticket übrig, hast du vielleicht Lust, mitzukommen?*

Ishaan antwortet praktisch sofort. *Ganz schön schräg.*

Ich werfe mein Handy auf den Tisch und versuche die Unruhe wegzudrücken, die in letzter Zeit meine ständige Begleiterin ist. Bei so einer Antwort bin ich fast versucht, Lara zu vermissen, was ich wirklich lieber bleiben lassen sollte. Obwohl sich mein soziales Umfeld in letzter Zeit auf positive Weise erweitert hat, fühle ich mich manchmal immer noch wie ein Außenseiter.

Wes beäugt mich besorgt und ich ringe mir ein Lächeln ab. »Ich mach Chocolate-Chip-Pancakes. Willst du auch welche?«

»Unbedingt.« Wes steht auf. »Und dein Vater, den ich eigentlich schon vor einer halben Stunde geweckt habe, sagt garantiert auch nicht Nein. Ich geh mal nach ihm schauen.«

Ich warte, bis er aus der Küche ist, bevor ich zum Kühlschrank gehe. Es bringt nichts, mich davon runterziehen zu lassen, dass ich allein auf die Kusama-Ausstellung muss. Das ist kein Drama, erst recht nicht verglichen mit dem, was letzten Monat alles passiert ist. Aber es war eben ein Event, den ich mit Lara im Kopf geplant hatte, und es wäre schön gewesen – symbolisch irgendwie –, ihre toxische Präsenz durch jemand anderen zu ersetzen. Durch jemanden, der für mein *jetziges* Leben steht.

Ich stelle Eier und Milch auf die Theke und bücke mich gerade nach der Rührschüssel, als ich mein Handy vibrieren höre. Ishaan hat noch mal geschrieben.

Bin dabei. Um wie viel Uhr?

YOUTUBE-KANAL »IZ CHANNEL«

Ishaan und Zack sitzen auf einer dicken Couch in Ishaans gerade fertiggestelltem Kellerstudio. Links von ihnen sieht man in einer Totalen Emily auf dem äußersten Rand eines Sessels sitzen. Ishaan hat einen neuen Haarschnitt und Zack trägt eine hippe Lederjacke.

> **ISHAAN:** Emily, du ahnst, welche Frage wir gleich stellen werden.

> **EMILY:** Die Antwort lautet: Nein.

> **ZACK**, *an den Manschetten seiner Jacke fummelnd:* Hast du sie überhaupt mal gefragt?

> **EMILY:** Das muss ich nicht. Ausgeschlossen, dass Ivy jemals bereit ist, euch ein Interview zu geben.

> **ISHAAN:** Kannst du sie nicht umstimmen? *(Legt wie zum Gebet flehend die Hände zusammen.)* Komm schon, Emily. Das wäre so krass, wenn sie hier Klartext reden würde.

> **EMILY:** Ob ihr's glaubt oder nicht, Ivy interessiert es nicht, ob du oder irgendjemand sonst irgendwas, was sie macht, für *krass* hält. Sie ist

endlich dabei, wieder zu so was wie Normalität zurückzufinden, und kann darauf verzichten, an den schrecklichsten Tag ihres Lebens erinnert zu werden.

ZACK: Aber die Views würden durch die Decke gehen. *(Senkt den Blick und zupft wieder an seinen Manschetten herum.)* Diese Ärmel sind zu lang und gleichzeitig … nicht lang genug. Supermerkwürdig.

EMILY: Ich verstehe nicht, warum ihr weiter von mir erwartet, dass ich euch dabei helfe, Ivy in eure Sendung zu holen, wenn du es noch nicht mal schaffst, deinen *eigenen* Freund als Gast zu gewinnen.

ZACK, *ohne den Blick zu heben:* Hast du Mateo mal kennengelernt?

EMILY, *sieht Ishaan an:* Was ist mit Cal? Seid ihr beiden nicht mittlerweile befreundet?

ISHAAN: Doch, aber Cal hat eine komplizierte Beziehung zu unserer Sendung.

EMILY: Weil ihr hier erst vor Kurzem anerkannt habt, dass er überhaupt existiert?

ZACK: Vielleicht können wir noch mal versuchen, an Charlie ranzukommen. *(Gibt das*

Gefummel an den Manschetten auf und schiebt die Ärmel hoch.) Irgendwann mal muss diese Boot-Camp-Schule ihm doch erlauben, ein Handy zu benutzen.

ISHAAN: Ich weiß nicht, Mann. Da geht es echt hardcore zu.

EMILY: Oder ... und mir ist klar, wie radikal die Idee ist, aber hört erst mal zu ... ihr berichtet zur Abwechslung mal über etwas, das *nichts* mit dem Fall Coach Kendall zu tun hat.

ISHAAN, *blinzelnd:* Warum sollten wir das tun?

EMILY: Vielleicht weil es dort draußen noch eine komplett andere Welt gibt? Und was gibt es überhaupt noch zu der Sache zu sagen? Er sitzt seit sechs Wochen in U-Haft. Der Staub legt sich langsam und die Leute schauen wieder nach vorn. Ich weiß, dass Ivy das definitiv tut.

ZACK: Die Verhandlung steht noch aus. Außerdem könnte ein Auftritt in unserer Sendung so eine Art Katharsis für Ivy sein. Die Leute, die uns schauen, stehen alle voll hinter ihr.

ISHAAN: Total. Es wäre ein Fest der Liebe, aber ... du weißt schon ... ohne Schweinskram.

Alles auf einer respektvollen und angemessenen Basis.

EMILY: Eure Strategie funktioniert nicht. Nicht mal ansatzweise.

ISHAAN: Ich sag dir jetzt mal was: Hör mit diesem »Nach vorn schauen«-Quatsch auf, Emily. Bei einem Fall von dieser Tragweite sollten die Leute eher anfangen, sich Sorgen zu machen, wenn wieder Ruhe einkehrt.

EMILY, *zieht die Brauen hoch:* Warum das denn?

ISHAAN: Weil es die Ruhe vor dem Sturm ist.

36

IVY

»… lässt leider nur eine einzige Schlussfolgerung zu, nämlich
dass sich keine Schülerin und kein Schüler in Massachusetts
jemals sicher fühlen kann, wenn ein derart ungeheuerliches,
missbräuchliches Verhalten nicht in größtmöglichem Um-
fang bestraft wird.«

Ich lehne mich an Mateo, der neben mir auf seinem Bett
sitzt, während ich ihm den Brief an die Schulbehörde vor-
lese, den ich gerade auf seinem Laptop geschrieben habe.
»Was meinst du?«, frage ich.

Er wickelt sich eine Strähne meiner Haare um den Zeigefinger. »Bin nicht ganz sicher, was das Wort *ungeheuerlich*
angeht«, sagt er. »Aber ansonsten finde ich ihn super.«

»Echt? Ich finde *ungeheuerlich* trifft es absolut auf den
Punkt.« Ich schaue stirnrunzelnd auf den Laptopbildschirm.
»Was hältst du von *schockierend*?«

»Was hältst du von einer Pause?« Mateo haucht federleich-
te Küsse auf meine Schläfe und meine Wange und lässt die
Lippen dann zu meinem Hals hinunterwandern. »Du sitzt
schon, seit du hier bist, an diesem Brief.«

Ich widerstehe dem Bedürfnis, mich an ihn zu schmie-
gen. »Ich will eben, dass er gut wird«, sage ich.

»Ich weiß«, murmelt Mateo, ohne die Lippen von meinem Hals zu nehmen. »Aber es ist nicht dein Job, Ms Jamison das Handwerk zu legen. Dafür sind andere zuständig.«

»Klar, nur dass die ihren Job nicht *erledigen*«, seufze ich frustriert. Es macht mich einfach fertig, dass die Frau, die vor zwei Monaten den Vorschlag gemacht hat, mich umzubringen, noch nicht mal ihre Zulassung als Lehrerin verloren hat. »Vielleicht sollte ich Tante Helen einschalten.«

Mateo hört auf, mich zu küssen, und ich bereue es sofort, nicht die Klappe gehalten zu haben. »Tante Helen?«, sagt er. Die erotische Liebesromane schreibende Bestsellerautorin? Warum?«

»Sie ist mit dem Unterstaatssekretär im Bildungsministerium befreundet.« Ich klappe den Laptop zu und stelle ihn auf den Nachttisch neben Mateos Bett.

Er blinzelt. »Wie? Von Massachusetts?«

»Nein, von den Vereinigten Staaten. Tante Helen hat in Harvard studiert. Sie ist gut vernetzt.« Ich lege mich auf den Rücken und starre an die Decke. »Ich arbeite wirklich daran, nicht an Dingen festzuhalten, die ich nicht in der Hand habe, aber ich ertrage den Gedanken nicht, dass Lara mit allem davonkommen soll.«

Mateo streckt sich neben mir aus. »Irgendwann kriegt sie, was sie verdient hat.«

»Das dauert mir zu lange. Wahrscheinlich hat sie in der ganzen Stadt Drogengeld gebunkert und wartet einfach ab, bis Gras über die Sache gewachsen ist.« Ich drehe mich auf die Seite, stütze mich auf den Ellbogen und sehe Mateo mit hochgezogenen Brauen an. »Und sie hat sicher wieder irgend so einen ahnungslosen Typen an der Hand, der ihr wie ein kleines Hündchen hinterherläuft und die Drecksarbeit für sie macht, ohne sich darüber im Klaren zu sein. Ich wette, wenn du, Cal und ich sie nur einen halben Tag lang verfolgen würden, würden wir alles Mögliche rausfinden.«

In Mateos Augen blitzt ein alarmierter Ausdruck auf. »Nein«, sagt er sofort.

»Warum nicht? Wir sind richtig gute Detektive!«

»Wir sind *schreckliche* Detektive. Wenn es nach uns gegangen wäre, hätte die Polizei Dominick Payne verhaftet.«

»Okay, da ist was dran«, gebe ich zu. Wie sich herausgestellt hat, war Dominick Payne nur ein ganz gewöhnlicher ums Überleben kämpfender Künstler mit mangelndem Urteilsvermögen in Bezug auf Geschäfte, Geld und Freunde. »Aber seitdem haben wir eine Menge dazugelernt.«

»Ja, genau. Wir haben gelernt, uns um unseren eigenen Kram zu kümmern.« Mateo zieht mich näher an sich heran, bis unsere Gesichter nur noch Millimeter voneinander entfernt sind. »Hör zu, Ivy. Versuch nicht, Ms Jamison auf eigene Faust *zur Strecke zu bringen*«, flüstert er ernst. »Sie ist es nicht wert, okay?«

»Okay«, flüstere ich zurück, bevor seine Lippen meine berühren. Ein paar perfekte Minuten lang denke ich an nichts anderes außer an ihn.

Bis eine beharrliche Stimme zu mir durchdringt. »Mateo!«, ruft Ms Reyes so resigniert, als wäre das schon ungefähr ihr dritter Versuch.

Ich setze mich hastig auf, streiche mir über die Haare und schaue nervös zur Tür. Ms Reyes hat diese Wirkung auf mich. Obwohl sie mir schon ein halbes Dutzend Mal gesagt hat, dass sie mir wegen des »Spare Me« verziehen hat und mit ihrem neuen Job absolut glücklich ist, habe ich immer noch unglaubliche Gewissensbisse.

»Was ist denn?«, ruft Mateo zurück, ohne die Hände von meinen Hüften zu nehmen, um mich sofort wieder an sich zu ziehen, sobald er sich um seine Mutter gekümmert hat.

»Dein Vater ist da.«

»Okay …« Diesmal lockert Mateo seinen Griff. »Warum?«

»Ich komme hoch«, ruft Ms Reyes, weil sie cool ist und nie einfach so in Mateos Zimmer platzen würde, sondern uns immer vorwarnt. Als sie in der Tür auftaucht, lehnt er am Kopfteil seines Betts auf einer glatt gestrichenen Tagesdecke und ich sitze auf seinem Schreibtischstuhl.

»Hi, Ivy«, begrüßt sie mich freundlich.

»Hallo. Wir machen zusammen Hausaufgaben«, sage ich, obwohl es a) Samstag ist und b) niemand gefragt hat.

Mateo richtet sich auf und schwingt die Beine aus dem Bett. »Was will Dad hier?«

»Er möchte dich zum Mittagessen einladen«, sagt Ms Reyes.

Mateo presst die Lippen zusammen. Er freundet sich zwar langsam damit an, dass sein Vater öfter da ist, reagiert aber immer noch jedes Mal gereizt, wenn er das Gefühl hat, dass Mr Wojcik mehr von ihm will, als er zu geben bereit ist. »Sag ihm, er soll mit Autumn essen gehen«, erwidert er. »Ivy und ich haben schon was vor.«

»Autumn ist im Therapiezentrum«, sagt Ms Reyes. Autumn arbeitet mittlerweile fast Vollzeit ehrenamtlich dort, und hat beschlossen, Sozialpädagogik zu studieren. Zum Glück deutet alles darauf hin, dass sie eine längere Bewährungsstrafe bekommen wird statt einer Haftstrafe. »Ich bin mir sicher, dass dein Vater nichts dagegen hat, wenn Ivy mitkommt.«

»Es reicht, wenn einer von uns leiden muss.« Mateos Miene ist so düster, dass ich mich am liebsten auf seinen Schoß setzen und den Ausdruck aus seinem Gesicht küssen würde. Wobei ich dieses Bedürfnis eigentlich ständig habe, egal, wie er aussieht.

»Ich komme aber gern mit«, sage ich. Das ist die Wahrheit; ich mag Mr Wojcik. Er ist echt nett, auch wenn er vielleicht manchmal ein bisschen ungeschickt ist und mit der Vaternummer übers Ziel hinausschießt. Ein weiterer Pluspunkt ist, dass ich in seiner Gesellschaft nicht von Schuldgefühlen zermürbt werde.

»Danke, Ivy.« Ms Reyes wirft mir ein Lächeln zu, bevor sie wieder ihren Sohn ansieht. »Es scheint ihm wichtig zu sein, Schatz, also mach ihm die Freude.«

Und damit ist es beschlossene Sache. Mateo kann seiner Mutter genauso wenig etwas abschlagen wie ich.

»Na schön«, seufzt er. Wir folgen Ms Reyes nach unten, wo Mr Wojcik an der Tür wartet, die Schirmmütze in der Hand, die er immer aufhat. Er sieht auf eine andere Art gut aus als Mateo, hat dunkle, kastanienbraune Haare, einen gepflegten Bart und strahlend grüne Augen. Ich rechne damit, dass wie üblich ein Lächeln darin aufleuchtet, als er mich sieht, stattdessen wirkt er besorgt. Der Ausdruck verfestigt sich, als Mateo verkündet: »Ivy kommt auch mit.«

»Oh ...« Mr Wojcik dreht seine Mütze in den Händen. »Mir war nicht ... ähm ... Hm. Hallo, Ivy. Tut mir leid. Ich wusste nicht, dass du auch da bist.«

»Hi«, sage ich unsicher.

»Vielleicht sollten wir dann doch lieber ein andermal ...« Mr Wojcik verstummt, schüttelt kurz den Kopf und strafft dann die Schultern, als würde er für irgendwas seinen Mut zusammennehmen. »Nein, wisst ihr was? Das passt. Warum nicht doch jetzt gleich, oder? Wäre ja sowieso irgendwann passiert. Schön. Ich freu mich, dass du mitkommst, Ivy.«

»Ja?«, frage ich unsicher. Mateo verdreht die Augen und holt unsere Jacken aus dem Garderobenschrank im Flur. Er scheint das seltsame Gestammel von Mr Wojcik in die Kategorie »Mein Vater nervt mal wieder« einzuordnen, aber für mich fühlt es sich anders an.

»Vielleicht kannst du das nächste Mal versuchen, ihn nicht so zu überfallen, Darren«, raunt Ms Ryan ihrem Ex-Mann zu, als wir aus der Tür gehen.

Es ist ein klarer, sonniger Tag Ende November. Die letzten Blätter klammern sich an den schon ziemlich kahlen Ästen der Bäume fest. Seit Boneys Tod sind knapp zwei Monate vergangen und in unseren Alltag ist wieder ein Stück Normalität eingekehrt. Oder sagen wir, es geht uns besser als in den ersten Tagen danach; meistens jedenfalls. Auf Boneys Trauerfeier waren so viele Leute, dass sie teilweise bis zur Straße raus standen. Ich habe mich später allein an seinem Grab von ihm verabschiedet. Mit einer stummen Entschuldigung und dem Versprechen, mich niemandem gegenüber jemals wieder so kleinlich zu verhalten, wie ich es einen Tag vor seinem Tod ihm gegenüber getan habe.

Als ich angeschnallt auf der Rückbank von Mr Wojciks Wagen sitze, hole ich mein Handy raus, scrolle durch Instagram und betrachte lächelnd ein Foto, das Cal und Ishaan Mittal auf einem Comic-Festival im Hynes Convention Center mit einem Marvel-Superhelden zeigt. »Ich freu mich total, dass Cal und Ishaan mittlerweile so was wie beste Freunde geworden sind«, sage ich und halte Mateo das Handy hin. Eine Weile hatte ich den Verdacht, Ishaan wäre nur deswegen so nett zu Cal, damit er ihn in die Sendung kriegt, aber wie sich herausgestellt hat, haben die beiden ziemlich viele gemeinsame Interessen.

»Als Nächstes sollten sie mal den Pinguinen einen Besuch abstatten«, sagt Mateo.

Mr Wojcik redet während der ganzen Fahrt nur über Sport. Das Restaurant, das er ausgesucht hat, liegt im Zentrum von Carlton und entpuppt sich als der Lieblingsitaliener meiner Eltern. Es ist ein ziemlich nobles Lokal, und ich werfe Mateo einen nervösen Blick zu, als sein Vater den Wagen parkt. »Falls das heute ein besonderer Anlass ist, sollte ich vielleicht doch lieber …«, sage ich zögernd, aber Mateo greift nach meiner Hand und presst seine Lippen an mein Ohr.

»Lass mich jetzt bitte nicht hängen«, flüstert er.

Tja dann. Okay.

»Gibt's was zu feiern?«, fragt Mateo seinen Vater, als wir ausgestiegen sind und auf das Restaurant zusteuern. »Solche schicken Läden sind sonst doch nicht deine erste Adresse.«

»Richtig, richtig. Also …« Mr Wojcik nimmt seine Schirmmütze ab, die er während der Fahrt getragen hat, und dreht sie zwischen den Fingern. »Ihr habt beide nicht ganz unrecht. Das ist tatsächlich so eine Art besonderer Anlass. Es ist nämlich so, dass … dass ich jemanden kennengelernt habe.«

Oh Gott. Hätte Mateo mich nicht gerade angefleht zu bleiben, wäre ich jetzt *so was* von weg. Ich kann nicht glauben, dass ich unbeabsichtigt ein Meet-and-Greet mit der neuen Freundin von Mateos Vater gecrasht habe. »Wow, das ist toll«, presse ich hervor, während Mateos Miene versteinert.

»Wobei *kennengelernt* vielleicht ein bisschen missverständlich ist«, fügt Mr Wojcik hinzu und steuert an der Hostess vorbei ins Restaurant. Aus unsichtbaren Lautsprechern dringt leise Musik, die über das fehlende Stimmengewirr und klirrende Besteck gut zu hören ist. Bisher bin ich immer nur abends hier gewesen; mittags ist es noch nicht mal annähernd so voll. »Damit meine ich, dass ich sie nicht erst seit Kurzem kenne. Wir treffen uns schon seit einer Weile und ... um ehrlich zu sein, ist sie einer der Gründe dafür, warum ich wieder nach Carlton gezogen bin. Ich habe gehofft, dass das mit uns was Ernstes werden könnte, und bin sehr glücklich darüber, dass genau das eingetroffen ist.«

»Schön für dich«, sagt Mateo leise und mit bitterem Unterton. Seine Enttäuschung versetzt mir einen Stich und ich drücke seine Hand. Er hat immer wieder den Verdacht geäußert, dass sein Vater nicht bloß wegen der Familie zurückgekommen ist, und ich habe darauf jedes Mal gesagt, er soll nicht so zynisch sein. Ich wünschte, er hätte nicht recht behalten.

Mr Wojcik redet immer noch, während wir uns einen Weg zwischen den leeren, weiß eingedeckten Tischen hindurchbahnen. »Ich hätte schon früher ein Treffen mit euch beiden arrangiert, aber die Dinge waren ziemlich kompliziert. Um es ganz offen zu sagen, sind sie das immer noch, aber diese Frau ist etwas ganz Besonderes für mich, und deswegen ... ah.« Seine Stimme wird weicher. »Da ist sie ja.«

Ich folge seinem Blick und bleibe wie angewurzelt stehen. Dann blinzle ich mehrmals hintereinander und bete, dass das, was ich sehe, ein Trugbild ist, das sich jeden Moment auflösen wird. Aber alles Beten ist umsonst. Sie ist vollkommen real, und als wäre das noch nicht schlimm genug, steht sie jetzt auch noch auf und kommt auf uns zu.

»Das ist jetzt nicht wahr, oder?«, zischt Mateo und legt mir beschützend einen Arm um die Schultern. »Tickst du jetzt völlig aus, Dad, oder was?«

Mr Wojcik zerrt so nervös an seiner Mütze herum, dass es mich nicht wundern würde, wenn er sie zerreißen würde. »Hör zu, mach nicht gleich dicht, Mateo. Wenn du versuchen könntest, offenzubleiben, würdest du vielleicht…«

Und dann steht sie vor uns, wirft ihre schimmernden blonden Haare zurück und schenkt Mateo ihr süßestes Lächeln. »Hallo, Mateo! Du hast keine Ahnung, wie sehr ich mich freue, dich endlich besser kennenzulernen«, sagt Lara Jamison strahlend. Dann sieht sie mich an. »Ach. Ivy, schön, dich wiederzusehen.«

Als hätte sie bei unserer letzten Begegnung nicht mit mir um eine Pistole gerungen. Als hätte sie nicht bei jeder sich bietenden Gelegenheit die gemeinsten Lügen über Cal verbreitet. Ich kann sie bloß anstarren und bin viel zu entsetzt und fassungslos, um auch nur einen Funken Höflichkeit vorzutäuschen. Lara lacht leise auf. »Vielleicht hättest du die beiden besser vorbereiten sollen, Darren.«

Darren. *Darren.* Oh mein Gott. Jetzt wird mir alles klar. Mateos Vater ist D.

»Tut mir leid, mein Engel.« Mr Wojcik wirft ihr einen schmachtenden Blick zu, bevor er sich wieder an seinen Sohn wendet. »Hör zu, Mateo. Mir ist klar, dass es ein bisschen dauern wird, bis du dich daran gewöhnst. Ihr Kids habt eine harte Zeit durchgemacht. Aber Lara ganz genauso. Wir sind froh, dass ihr alle noch mal mit dem Schrecken davongekommen seid und nichts Schlimmeres passiert ist. Deswegen dachte ich, es ist Zeit, euch zu sagen…«

Den Rest bekomme ich nicht mehr mit, weil Lara in dem

Moment ihre linke Hand hebt, um sich eine Haarsträhne hinters Ohr zu streichen, und mir das Blut in den Ohren rauscht, als ich einen Diamantring an ihrem Finger blitzen sehe.

Mr Wojcik ist ihr gleichgültig. Das weiß ich genau, weil Cal uns erzählt hat, was sie über diesen D. gesagt hat, als er bei ihr zu Hause war – *Das war doch nichts Ernstes. Bloß eine nette Ablenkung, wie immer.* Aber jetzt, wo sie sich mit der Polizei gutstellen und ihr Image aufpolieren muss, nützt er ihr. Es gibt keine bessere PR als die Verlobung mit dem Vater eines der in den Carltoner Drogenskandal verwickelten Schüler. Wenn *er* ihre Story glaubt, dann muss sie ja wahr sein ... oder?

Ich bin also ziemlich nah an der Wahrheit dran gewesen, als ich zu Mateo gesagt habe, dass Lara wahrscheinlich irgendeinen ahnungslosen Typen an der Hand hat, der ihr wie ein kleines Hündchen hinterherläuft. Mir war nur nicht klar, dass dieser Typ sein Dad ist.

Ich greife nach Mateos Hand und ziehe ihn Richtung Ausgang. »Komm«, sage ich, ohne auf den verblüfften Blick eines vorbeilaufenden Kellners zu achten. »Lass uns von hier verschwinden.«

»Aber wie?« Mateos Stimme klingt heiser und benommen, als wäre er gerade aus einem Albtraum aufgewacht und hätte festgestellt, dass die Realität noch viel, viel schlimmer ist. »Wir sind doch mit meinem Vater hergefahren.«

»Egal«, sage ich. Die Fahrzeugfrage stellt lediglich ein logistisches Problem dar und wir müssen jetzt in größeren Dimensionen denken. Ich drücke mit der freien Hand die Tür des Restaurants auf. Jede Zelle in meinem Körper vibriert vor Entschlossenheit.

»Wir werden es schaffen«, sage ich. »Wir werden diese Frau zur Strecke bringen.«

DANKSAGUNG

Im Januar 2020 habe ich meiner Lektorin eine erste Fassung dieses Buchs geschickt und mich zwei Monate später – zu Beginn einer Pandemie, die die Welt verändern sollte – an die Überarbeitung des Manuskripts gesetzt. Wie alle anderen Wirtschaftszweige hatte auch die Verlagsbranche schwer zu kämpfen, um sich den dramatisch veränderten Umständen anzupassen. Es gibt sehr viele Menschen, denen ich dafür danken möchte, dass sie *You will be the death of me* trotz allem mit unvermindertem Einsatz durch sämtliche Entwicklungsphasen begleitet haben.

Ich danke meinen Agentinnen Rosemary Stimola und Allison Remcheck, meinen beiden Leitsternen, deren Licht in diesem unsicheren Jahr besonders hell geleuchtet hat. Danke für eure Weisheit und Erfahrung, eure Unterstützung und euren unerschütterlichen Glauben an meine Bücher. Alli Hellegers – danke für deinen Einsatz auf internationaler Ebene. Danke, Pete Ryan und Nick Croce, dass ihr jeden einzelnen Schritt immer perfekt koordiniert habt. Danke Jason Dravis, dass du mich in Sachen Film berätst.

Ich danke dem gesamten Team von Delacorte Press, das dieses Buch mit großer Umsicht durch den Redaktions- und

Produktionsprozess gesteuert hat, vor allem meiner brillanten Lektorin Krista Marino, der es gelingt, in jeder meiner Geschichten versteckte Qualitäten aufzuspüren. Danke auch an meine Verlegerinnen Beverly Horowitz, Judith Haut und Barbara Marcus. Ein besonders herzliches Dankeschön gilt Kathy Dunn, Lydia Gregovic, Dominique Cimina, Kate Keating, Elizabeth Ward, Jules Kelly, Kelly McGauley, Jenn Inzetta, Adrienne Weintraub, Felicia Frazier, Becky Green, Enid Chaban, Kimberly Langus, Kerry Milliron, Colleen Fellingham, Heather Lockwood Hughes, Alison Impey, Ray Shappell, Kenneth Crossland, Martha Rago, Tracy Heydweiller, Linda Palladino und Denise DeGennaroi.

Im letzten Jahr konnte ich selbst leider nicht reisen, aber meine Bücher durften es weiterhin. Ich danke Clementine Gaisman und Alice Natali von der Intercontinental Literary Agency, Bastian Schlück und Friederike Belder von der Thomas Schlück Agentur und Charlotte Bodman von Rights People, die dafür gesorgt haben, dass *You will be the death of me* überall auf der Welt ein Zuhause gefunden hat. Ein besonderer Dank geht auch an all die vielen Leute in den internationalen Verlagen und Lektoraten, die meine Bücher betreuen und sie Leserinnen und Lesern in über vierzig Ländern zugänglich machen.

Ich danke Erin Hahn und Kit Frick für ihr wertvolles Feedback zum Manuskript dieses Buchs, und ich danke all den großartigen Menschen, die ich meine Freunde nennen darf und die mir in diesem Jahr das Gefühl gegeben haben, nicht allein zu sein, besonders Samira Ahmed, Stephanie Garber, Kathleen Glasgow, Lisa Gilley, Aaron Proman und Neil Cawley. Ganz viel Liebe an meinen Sohn Jack und den Rest der Familie – ich bin so dankbar, dass wir es halbwegs gesund durch dieses Jahr geschafft haben, auch wenn ich es schmerzlich vermisst habe, Zeit mit euch zu verbringen.

Vor allem aber möchte ich mich bei euch bedanken, die ihr meine Bücher lest – nur weil es euch gibt, darf ich immer wieder neue Geschichten schreiben.

Autorin

Karen M. McManus' Debütroman »One of us is lying« stürmte auf Anhieb die Bestsellerlisten, so wie auch »Two can keep a secret«, »One of us is next« und »The Cousins«. Ihre Romane wurden in über 40 Länder verkauft und sind internationale Bestseller; »One of us is lying« wurde 2019 für den Deutschen Jugendliteraturpreis nominiert. Karen M. McManus wohnt in Massachusetts und hat ihren Master-Abschluss in Journalismus an der Northwestern University gemacht.

Von der Autorin sind ebenfalls bei cbj erschienen:
One of us is lying (31165)
Two can keep a secret (16538)
One of us is next (16577)
The Cousins (16578)

Übersetzerin

Anja Galić lebt und arbeitet in der Kölner Südstadt, wohin es sie des Studiums wegen verschlug, und hat badische Wurzeln. Dass man beim Übersetzen Dinge recherchiert und erfährt, denen man sonst nie begegnet wäre, findet sie bei jedem Buch aufs Neue spannend.

Mehr zu cbj auf Instagram unter @hey_reader

Karen M. McManus
One of us is lying

448 Seiten, ISBN 978-3-570-16512-6

An einem Nachmittag sind fünf Schüler in der Bayview High zum Nachsitzen versammelt. Bronwyn, das Superhirn auf dem Weg nach Yale, bricht niemals die Regeln. Klassenschönheit Addy ist die perfekte Homecoming-Queen. Nate hat seinen Ruf als Drogendealer weg. Cooper glänzt als Baseball-Spieler. Und Simon hat die berüchtigte Gossip-App der Schule unter seiner Kontrolle. Als Simon plötzlich zusammenbricht und kurz darauf im Krankenhaus stirbt, ermittelt die Polizei wegen Mordes. Simon wollte am Folgetag einen Skandalpost absetzen. Im Schlaglicht: Bronwyn, Addy, Nate und Cooper. Jeder der vier hat etwas zu verbergen – und damit ein Motiv ...

www.cbj-verlag.de

20270

Karen M. McManus
One of us is next

448 Seiten, ISBN 978-3-570-16577-5

Es ist ein Jahr her, seit Simon Kelleher starb. Maeve ist in der elften
Klasse an der Bayview High. Simons Tod und dessen Folgen sind langsam
verwunden. Da wird der friedliche Schulbetrieb wieder ausgehebelt:
Ein anonymes Wahrheit-oder-Pflicht-Spiel hält die gesamte Schülerschaft
in Atem. Jeder, der nicht mitspielt, wird bloßgestellt. Doch als Maeve
an der Reihe ist, weigert sie sich, mitzumachen — das virtuelle Spiel,
ausgerichtet von »DarkestMind«, macht sie extrem misstrauisch.
Und dann sind sie plötzlich wieder da: die Schaulustigen.
Die Reporter. Die Polizei. Denn es hat wieder einen Toten gegeben ...

20300

www.cbj-verlag.de

Karen M. McManus
The Cousins

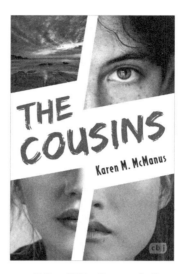

432 Seiten, ISBN 978-3-570-16578-2

Milly, Aubrey und Jonah Story haben ihre legendäre Großmutter Mildred Margaret Story nie kennengelernt. Ihre Eltern sind schon vor langer Zeit von der High-Society-Matriarchin enterbt worden. Da erhalten die Cousins einen Brief: Sie sollen den Sommer auf dem Story-Anwesen auf Cape Cod bei ihrer Großmutter verbringen. Obwohl sich Milly, Aubrey und Jonah seit Kindesbeinen nicht gesehen haben, sind sich ihre Eltern einig – das ist die Chance, sich wieder auszusöhnen. Doch als die Cousins auf der Insel eintreffen, wird schnell klar, dass Mildred Margaret Story andere Pläne verfolgt – und dass die Story-Familiengeschichte dunkle Abgründe birgt. Diesen Sommer werden Milly, Aubrey und Jonah alle Geheimnisse aufdecken. Auch das letzte und tödlichste.

www.cbj-verlag.de